M000307609

ŒUVRES COMPLÈTES

Jean-Luc Steinmetz, poète, essayiste et professeur émérite de littérature française à l'université de Nantes, est spécialiste de la poésie des XIXe et XXe siècles. Il a édité, dans la collection GF, les *Œuvres* de Rimbaud (3 vol.) et celles de Lautréamont, ainsi que les *Contrerimes. Nouvelles Contrerimes* de Toulet. Il est par ailleurs l'auteur de plusieurs biographies, dont celle de Rimbaud (*Arthur Rimbaud. Une question de présence*, Tallandier, 1991), d'une étude sur *Les Femmes de Rimbaud* (Zulma, 2000), et d'un journal de lecture d'*Une saison en enfer* intitulé *L'Autre Saison* (Éditions Cécile Defaut, 2013).

On lui doit également l'édition de la *Correspondance* de Rimbaud dans la collection GF (*Je ne suis pas venu ici pour être heureux*, 2015).

2e édition, corrigée et mise à jour, 2016.
© Éditions Flammarion, Paris, 2010.
ISBN : 978-2-0813-8272-5

RIMBAUD

ŒUVRES COMPLÈTES

*Établissement du texte, présentation, notices,
notes, chronologie et bibliographie
par*
Jean-Luc STEINMETZ

GF Flammarion

PRÉSENTATION

Introduire l'œuvre de Rimbaud suppose que l'on devienne pour un temps l'accompagnateur d'une destinée. Rimbaud est de ceux qui forcent à leur emboîter le pas. Bon gré mal gré il nous engage dans un parcours qui tire en avant et dont chaque étape, si surprenante soit-elle, semble juste.

Il fallut bien que tout commençât. Il s'agissait de la naissance. De la famille. Rimbaud, sa vie durant, tentera d'y échapper. Pour cela, il ira presque jusqu'au bout du monde, en Abyssinie.

Son tout premier texte, écrit à l'âge de dix ans, projette dans autrefois : l'an de grâce 1503, l'ambiance qui l'entourait. On y voit le père officier – ce qu'était effectivement le capitaine Rimbaud –, la mère aimante. Par là il reconstitue au fil de la plume un couple uni dont il est l'un des fils. Mais son premier poème connu, *Les Étrennes des orphelins*, prend des accents dramatiques. L'enfant songe déjà à un passé de bonheur révolu que remettent désormais en cause l'éloignement (réel) du père et la mort (imaginaire) de la mère. Sa vie débuta marquée par un malheur domestique (le départ définitif du géniteur), et les premiers essors de son écriture semblent y avoir répondu par une sorte de pratique conjuratoire.

Quant à savoir pourquoi la poésie devint la voie choisie, nul ne saurait le dire. La nécessité du poème ne s'imposa à lui – doit-on penser – qu'à la faveur d'exercices scolaires pareillement imposés à tous les collégiens de Charleville, sa cité natale. Rimbaud travaille, non pas encore pour se rendre *voyant*, mais tout bonnement pour satisfaire ses maîtres et sa mère. Le bonheur lui est chichement mesuré. La « mother », la « daromphe [1] », applique la plus étroite morale. Le frère Frédéric est une « caboche » bien dure. Il s'entend mieux avec ses sœurs, Vitalie et Isabelle. De distractions, guère. Quelques promenades avec l'ami Ernest Delahaye, et des lectures sévèrement contrôlées. Les Homère et Virgile, *La Chanson de Roland*. Les Racine et Boileau. Les Voltaire et Rousseau. Les romantiques : Lamartine, Musset et le Victor Hugo d'avant l'exil. À la faveur des rédactions ou dissertations dont le professeur impose les sujets, Rimbaud découvre une curieuse liberté. Mieux ! il se passionne pour ces incroyables compositions en vers latins de règle à l'époque, qui nous semblent aujourd'hui de purs instruments de torture intellectuelle. Il y excelle au point de remporter des premiers prix en cette matière au concours académique. Écrits dans la langue de Virgile, ses premiers poèmes paraîtront dans le *Bulletin académique de Douai* [2]. Mais il rêve surtout d'être publié dans une langue plus commune, le français tel qu'on le parle, et s'il envoie encore au jeune Prince impérial qui vient de faire sa première communion une poésie latine, il a maintenant la satisfaction de voir ses *Étrennes des orphelins* imprimées dans la *Revue pour tous* en janvier 1870 (il a quinze ans).

---

1. Rimbaud désigne ainsi sa mère dans certaines de ses lettres de jeunesse. « Daromphe » signifie la femme du daron, autrement dit du père ou du maître.

2. « Ver erat… », dans le *Bulletin académique de Douai*, n° 2, 15 janvier 1869, et « Jamque novus… », dans ce même bulletin, n° 11, 1er juin 1869. « Jugurtha », composition en vers latins, se lit dans le *Bulletin*, n° 22, 15 novembre 1869. André Guyaux, dans la nouvelle édition des *Œuvres* de Rimbaud (Gallimard, « Bibliothèque de la Pléiade », 2009), présente ces textes.

La même année, en mai, paraît dans *La Charge*, *Trois baisers*. Il entre vite en relation épistolaire avec Théodore de Banville, qui dirigeait avec quelques amis la publication anthologique du *Parnasse contemporain*. Rimbaud ne demande rien d'autre que de figurer dans le deuxième volume en gestation. Il se veut Parnassien – comme on fait ses classes. Il ne lui vient pas encore à l'esprit de contester cette école en vogue, issue de l'« art pour l'art » prôné par Gautier. Et il entonne, contre le *Credo* religieux gueulé le dimanche par les chantres à l'église, son *Credo in unam*. Il n'y en a qu'une seule en laquelle croire : la femme, la Vénus déjà célébrée dans le *De rerum natura*[1] de Lucrèce, la déesse nature.

Ingénieusement il invente avec le peu qui lui est donné. Les compositions scolaires : *Charles d'Orléans écrit à Louis XI pour obtenir la libération de François Villon*, une étude sur *Tartuffe*. En deux quatrains, ceux de *Sensation*, il s'éprouve et se trouve ; sa première personne d'écrivain prend forme au rythme d'une randonnée qui le mène jusqu'à son être propre, qu'il ignorait.

Mais il n'est pas simplement un amateur du sensible. Bientôt un désir de saccage l'accapare tout autant. La révolte le porte, comme l'entraîne la marche. Elle n'était qu'ironie dans le texte des dix ans où, se moquant de la loi du travail, il affirmait par bravade qu'il serait « rentier ». Or voici qu'elle se fonde dans les invectives du *Forgeron*. Rimbaud sent trembler les assises du second Empire, comme vacillait la royauté aux approches de la Révolution.

La déclaration de guerre à la Prusse durant l'été 1870, les premières défaites font chanceler l'édifice moral et social. Rimbaud franchit son adolescence quand l'Histoire passe

---

1. Grand poème didactique exposant la doctrine matérialiste du philosophe grec Épicure. Sully Prudhomme, jeune poète parnassien, venait de proposer une traduction en vers du premier chant (Lemerre, 1869).

certaines limites, et brusquement le monde devient plus grand, plus menaçant aussi. Les nouvelles que répandent les journaux lui apprennent plus irrémédiablement *Le Mal*, un tas de morts inutiles dont se détourne le Dieu indifférent. Il écoute, lit, dénonce à son tour ; il en profite pour composer plusieurs « cartes postales » en vers sur l'absurdité de la guerre, *Le Dormeur du Val*, par exemple, rouge de son sang dans la prairie.

La capitulation de Sedan, l'empereur captif en Prusse, la France envahie par l'ennemi, la IIIe République proclamée, les hésitations du nouveau pouvoir, autant de circonstances qui valent à tous les écoliers de France une période de grandes vacances. Rimbaud va en profiter. À plusieurs reprises, il fugue : une première fois, fin août, à Paris, pour voir les républicains. Il est vite emprisonné à Mazas et, libéré, revient à Douai, d'abord, où l'accueillent les tantes d'Izambard, son professeur. Incorrigible, il part de nouveau quelques semaines plus tard, après avoir réintégré entretemps Charleville. De courte durée sera cette deuxième fugue. *Ma Bohème* transcrit sur le vif ses expériences de liberté. Utilisant des légendes, celle du Petit Poucet par exemple, il façonne la sienne de son vivant, avec un sûr instinct d'éternité. Poésie de la marche, poésie en marche, l'écriture de Rimbaud se calque sur une poursuite. Ainsi apparaîtra la course de l'enfant derrière l'Aube d'été [1].

Rimbaud lors de ces fugues s'est retrouvé par deux fois chez les demoiselles Gindre, les tantes d'Izambard. Elles s'occupent de lui avec tendresse. Pendant quelques jours, à l'intention de Paul Demeny, un brave jeune homme que lui a fait connaître Izambard, mais un piètre poète, publié néanmoins à Paris, il recopie d'une écriture appliquée les poèmes qu'il a composés ces derniers mois – une trentaine de pages sur feuillets libres où déjà comptent des textes majeurs, même si l'on relève çà et là de nombreuses

---

1. Dans *Aube*, poème des *Illuminations*, p. 276.

influences : Hugo, Baudelaire, Banville. De cet ensemble se détache un sonnet, *Vénus anadyomène*, défiguration de la femme « belle hideusement d'un ulcère à l'anus ».

Dans le recueil de Douai confié à Paul Demeny, Rimbaud faisait le point sur son bref passé de poète. Une nouvelle période s'ouvre pour lui, commandée par les volontés de l'Histoire. Proclamée le 4 septembre 1870, la IIIe République met vite à nu les antagonismes sociaux. Après plusieurs mois où la résistance à l'ennemi tente de s'organiser, les élections du 8 février 1871 assurent à l'Assemblée nationale le succès massif des conservateurs face aux républicains. Bien vite le peuple incrimine les hommes au pouvoir. Au fur et à mesure que le corps de Rimbaud grandit, grandissent sa rancœur et sa révolte. Et comme pour y répondre, l'insurrection gronde à Paris. Rimbaud sent se préparer la Commune. Confiant dans un va-tout proche de l'inconnu, il vient sur place, en février 1871. C'est dans la grande ville que les choses se passent. Les choses ? Les journaux, en l'occurrence, dans lesquels il aimerait écrire. Ils ont trouvé un ton drôle et sarcastique, ces Vallès du *Cri du peuple*, ces Vermersch du *Père Duchêne*. Ils semblent parler une nouvelle langue. Lui cherche dans tout cela comme avec un croc de chiffonnier. Le nouveau pourrait advenir. Par quelle voie ?

Rimbaud, quant à lui, peu après la naissance de la Commune de Paris, éprouve vite le besoin de s'en faire l'écho [1]. C'est assez signifier que sa recherche solitaire avait trouvé là une occurrence rêvée et que sa rébellion individuelle se reconnaissait dans un mouvement qui la dépassait de beaucoup. Il compose alors des lettres-manifestes, l'une adressée à Georges Izambard, son professeur, le 13 mai 1871, l'autre, deux jours plus tard, au jeune poète Paul Demeny. La première est courte, illustrée par un seul poème. La seconde,

---

1. Sur cette question, voir le livre novateur de Steve Murphy, *Rimbaud et la Commune*, Classiques Garnier, 2010.

qui développe certains arguments de la première, a l'ampleur, mais non la rigueur, d'un exposé théorique, et trois poèmes l'accompagnent. Certaines formules retiennent par leur densité, et d'abord le terme de « voyant » (mais non celui de « voyance » utilisé par les seuls exégètes). Plus intéressante, la phrase « Je est un autre » n'offre cependant pas tous les gages d'originalité qu'on était en mesure d'en attendre. Citée dans les deux lettres, elle compte assurément dans la poétique rimbaldienne et, si elle ne présente, en fait, qu'une nouvelle version de l'« inspiration », elle expose aussi plus fermement l'intuition d'un sujet distinct du sujet cartésien. Ce n'est pas assurer que Rimbaud eut quelque idée de l'inconscient à venir (à découvrir en tant que tel), mais il était sensible aux « multiples » qui l'habitaient et dont il percevait de plus en plus la stéréophonie au fond de lui [1].

Assurément ces lettres de mai 1871 marquent un tournant dans sa vie. Il faut toutefois noter que les poèmes qu'il joint à titre d'exemples paraissent en retrait du programme qu'il affiche. On y trouve plutôt des « satires » comme il le dit lui-même (*Accroupissements*, *Mes Petites amoureuses*) ou des « psaumes d'actualité » (*Chant de guerre Parisien*, *Le Cœur supplicié*) [2]. En vertu d'une force révoltée, il met en jeu une forme de pulsion anale, comparable, symboliquement, à l'insurrection populaire. Tantôt il subit l'ordure (qui couvre son cœur, pur autrefois), tantôt il s'en sert, et voici frère Milotus, l'homme du ciel, le curé, soulageant son ventre, ou bien les « petites amoureuses » sauvagement dénaturées, alors que naguère il attendait d'elles une manière d'idylle. En d'autres poèmes, il atteint, pour une ultime fois, le comble du réel, auquel il sait donner un éclat

---

1. Voir Jean-Luc Steinmetz, « Le chant traverse l'identité », dans *La Poésie et ses raisons*, José Corti, 1990, p. 15-28.

2. On y voit donc plus l'« encrapulement » que la « voyance », que semblent exprimer plus tard *Le Bateau ivre* et les *Illuminations*.

particulier, comme Rembrandt faisait d'un bœuf écorché un temple d'entrailles. Les mots s'emparent du réel, que l'on sent à portée et touché, comme les « étoffes moisies » des *Pauvres à l'Église*, la « Bible à la tranche vert-chou » et les « galeux espaliers » des *Poètes de sept ans* ou les « latrines » des *Premières communions*.

La Semaine sanglante ayant fait ses milliers de morts, que lui reste-t-il désormais, alors qu'il croyait avoir tout découvert ? Il hésite entre ce qu'il faut détruire à force de poèmes – la croyance en Dieu, le Christ pleureur des Oliviers – et ce qu'il faut construire. Ceux à qui il avait envoyé les fameuses lettres de mai n'y ont vu qu'élucubrations. Incompris, il revient à la charge et, le 10 juin, il écrit à nouveau un courrier à Demeny, sans l'alourdir cette fois de réflexions générales. Il y joint deux poèmes et *Le Cœur du pitre*, autre version du *Cœur supplicié*, auquel il semble décidément tenir. Surtout, il recommande à son correspondant de « brûler tous les vers qu'[il fut] assez sot » pour lui donner « lors, de [s]on séjour à Douai », c'est-à-dire tout ce qu'il a écrit moins d'un an auparavant. Il trace ainsi une frontière, prend ses distances avec lui-même, se détache de l'ancienne poésie, évidemment subjective. Toutefois la rupture qu'il souhaite paraît, à le lire, moins évidente qu'il ne le crut.

Lui-même retiendra *Les Effarés* qu'il transmettra bientôt à Verlaine. Il est vrai, néanmoins, qu'il s'essaie à un « art nouveau ». L'image traque le réel jusqu'à le rendre irrationnel. La parole décape les apparences. Pour toujours nous entendrons son Poète de sept ans « pressentant violemment la voile ». Rimbaud nous accorde à sa violence et à ce qu'elle suppose aussi de désespoir. Car il sait qu'il se tient sur une crête d'où tout peut basculer. *Ma Bohème* prenait date et traçait de lui la silhouette d'un vagabond. *Les Poètes de sept ans* redit le passé proche et fonde les antécédents du « génie ». Dans *Les Sœurs de charité*, il devient encore le jeune homme de vingt ans « qu'eût [...] adoré, dans la Perse

un Génie inconnu » (ce sera, plus tard, l'histoire de *Conte*)
et qui, voué à la dégradation du monde moderne, doit bien
constater l'absence d'amour ou, du moins, l'absence de
charité.

Après la correspondance de mai restée sans écho, après
le nouvel envoi du 10 juin à Demeny, il adresse le 15 août
une lettre enjouée à Banville, à qui il avait écrit l'an passé,
le 24 mai. Le poème qui l'accompagne – et qu'il signe
« Alcide Bava » – permet de mesurer le chemin parcouru :
il est immense. Rimbaud est sorti de l'ornière. Revenant
sur ses pas, sur ceux des autres par moquerie, il n'en
devance que mieux. *Ce qu'on dit au Poète à propos de fleurs*
est une pièce de choix, un surprenant « art poétique ». Sous
le propos déluré et la manière arcimboldesque [1] (quelle foi-
son végétale développent ces octosyllabes et quel portrait
s'en dégage, vu de loin !), la décision tranche, au futur. Le
futur est le temps qu'aime Rimbaud, non d'ailleurs pour
rédiger une quelconque constitution communiste, mais
pour ouvrir ainsi la durée de l'œuvre-iris où les voyelles
voyantes allumeront bientôt leurs feux.

Un grand changement avait marqué la fin de ce pénible
été 1871 où ne l'accueillait que la surdité de ses proches et
où son désir d'encrapulement ne pouvait se donner que le
champ étroit de Charleville et de ses cafés. Il avait écrit à
l'auteur des *Poèmes saturniens* et des *Fêtes galantes*, Verlaine,
sa dernière chance. Et Verlaine lui avait répondu : « J'ai
comme un relent de votre lycanthropie » ou – ce qui valait
bien les trois coups d'un lever de rideau – « Venez, chère
grande âme, on vous appelle, on vous attend [2]. » Verlaine,
aux yeux de Rimbaud, représentait le plus remarquable des

---

1. Giuseppe Arcimboldo, peintre italien du XVIᵉ siècle, composait des
portraits par juxtaposition d'objets représentés : fleurs, fruits, livres, etc.,
donnant ainsi au maniérisme une dimension parodique.
2. Citations faites de mémoire par Delahaye. Voir Verlaine *Correspondance*, annotée par Michaël Pakenham, Fayard, 2005, t. I, p. 219-220.

jeunes poètes, un vrai *voyant*. Avant de partir pour Paris
(Madame mère s'étant laissé convaincre qu'une carrière littéraire attendait son fils), Rimbaud a donc pris soin de se
munir d'un viatique, message d'introduction qu'il s'offre
d'abord pour mieux franchir le seuil. Et de fait, *Le Bateau
ivre*, en dépit des sages rangées d'alexandrins qui le constituent, « trou[e] le ciel rougeoyant comme un mur ». Le
Poète de sept ans pressentait la voile ; il n'est plus besoin
d'elle désormais. Et cette « liberté libre » est ressentie
comme une purification. Le Bateau ivre, l'ivre moi se
plonge dans la mer, à l'endroit même du poème, *mobilis
in mobili*, selon la devise du *Nautilus* de Jules Verne, son
contemporain. Rimbaud émet ici un univers, il forme un
poème-monde où constamment se retremper.

L'« arrivée en sabots [1] », les quelques mois qu'il allait vivre
à Paris font pénétrer dans une période plus obscure de son
existence. Un premier silence – si l'on doit considérer que
l'absence de textes traduit le silence d'un écrivain. Nous
savons, du moins, qu'il récita ce *Bateau ivre* intronisateur et
souleva beaucoup moins la surprise (l'incompréhension) que
l'enthousiasme. « C'est un génie qui se lève », annonce Léon
Valade à son ami Émile Blémont qui n'a pu assister à la lecture
du jeune prodige [2]. Rimbaud se « produit » donc, accompagné par Verlaine, son « imprésario » dans la république des
lettres. C'est à cette époque que Mallarmé le voit sous les
traits d'un « ange en exil », « avec je ne sais quoi fièrement
poussé, ou mauvaisement, de fille du peuple, j'ajoute, de son
état blanchisseuse, à cause de vastes mains, par la transition
du chaud au froid rougies d'engelures [3] ».

---

1. Cette expression apparaît dans le texte *Vies II* des *Illuminations*,
p. 263.

2. Lettre de Léon Valade à Émile Blémont, datée du 5 octobre 1871
et conservée à la bibliothèque municipale de Bordeaux.

3. Dans son article consacré à Rimbaud publié dans la revue américaine *The Chap Book* du 15 mai 1871. Le texte en sera repris dans *Diva-*

Il commence une vie de bohème. Non plus la route à la belle étoile, mais les garnis interlopes, les réunions enfumées, l'absinthe, l'existence gâtée comme une mauvaise dent. On ignore les textes qu'il écrivit alors. Seule relique mémorable conservée par miracle, le sonnet des *Voyelles*, début de la vision autonome, des rêveries sur l'alphabet qu'annonçait la lettre dite du Voyant. Il est probable que Rimbaud le composa dans le milieu des Zutistes, ce cercle que venait de créer Charles Cros et qui tenait ses assises à l'Hôtel des Étrangers, à l'angle de la rue Racine et de la rue de l'École-de-Médecine. Les Zutistes, hormis Cabaner le musicien, rassemblaient surtout des poètes qui, sans dire non à la société, ni merde (comme le criait Rimbaud à tout venant), se réclamaient d'un zut tout aussi péremptoire. Les frères Cros, Verlaine, Blémont, Valade, parmi d'autres, formaient le gros d'une troupe que reliait un rituel d'impertinences : pratique du pastiche, détournement de textes en vogue, ironie s'en prenant aux plus graves des Parnassiens comme aux plus insipides (Coppée fournissait une tête de Turc d'autant plus moquée que la parfaite banalité de ses dizains réalistes confinait à la platitude absolue). Les nombreux poèmes que Rimbaud écrivit et signa de sa main sur l'*Album Zutique* constituent un trésor bizarre qu'il serait blâmable de soustraire à l'attention du lecteur. Œuvrettes réservées aux *happy few*, elles parachèvent l'inspiration sombre, entêtée, rabique dont témoignaient certains de ses textes du printemps et de l'été 1871. La volonté de saccage s'y poursuit, loin des beautés du *Bateau ivre* ; cette fois, tout un cénacle participe à une sorte d'orgie verbale, scatologique, voire pornographique.

Cependant l'œuvre haute, éblouie, se poursuivait sans doute, sans que l'on en sût rien, excepté quelques allusions

---

gations (1897). On lit dans cette même étude des expressions, devenues célèbres depuis, comme le « passant considérable » et la vision de Rimbaud qui se serait « opéré vivant de la poésie ».

de Verlaine. Et tandis que Rimbaud écrivait par désœuvrement les saletés mordorées de l'*Album Zutique*, il composait peut-être aussi *La Chasse spirituelle* [1] et ces *Veilleurs* dont Verlaine assure qu'ils étaient son plus beau poème [2]. Vivant au jour le jour, il n'allait guère pouvoir demeurer plus longtemps à Paris. Lasse des inconduites de Verlaine, Mathilde, sa jeune femme, avait quitté en tout bien tout honneur le domicile conjugal, emmenant avec elle Georges, qui venait de naître. Le remords n'allait pas tarder à s'emparer du poète « saturnien », qui engage bientôt Rimbaud (et pour ainsi dire le contraint) à revenir à Charleville.

Loin de Paris, Rimbaud ressent ce retour forcé comme un exil. Il imagine alors une poétique imprévue. Rien, du moins dans sa production antérieure, pour laisser envisager le recours aux « rythmes naïfs » qui bientôt l'enchanteront. Or ce sont bien eux qu'il découvre maintenant : refrains niais, opéras vieux, airs démodés, dira-t-il dans la plus fameuse partie d'*Une saison en enfer*, *Alchimie du verbe*, où rétrospectivement il jugera ses « Vers nouveaux ». Les brouillons de la *Saison* font débuter ce regain poétique avec le sonnet des *Voyelles* dont on a vu qu'il put être composé durant la période « zutiste », puis présentent dans l'ordre *Faim*, *Chanson de la plus haute tour*, *Éternité*, *Âge d'or* (?), *Mémoire*, *Confins du monde* (?) et *Bonr* [*sic*]. Mais cet ordre sera modifié dans la rédaction définitive, où certains poèmes, dont le titre seul avait été indiqué par Rimbaud,

---

1. *La Chasse spirituelle* est mentionnée dans une lettre de Verlaine à Lepelletier datée du 10 novembre 1872 : « un manuscrit sous pli cacheté intitulé la Chasse spirituelle, par Arthur Rimbaud ». Voir Jean-Luc Steinmetz, « Regains sur *La Chasse spirituelle* », *Europe*, octobre 2009, p. 139-151.
2. Verlaine, dans ses *Poètes maudits* (1884), évoque ce poème en ces termes : « C'est d'une vibration, d'une largeur, d'une tristesse sacrée ! Et d'un tel accent de sublime désolation, qu'en vérité nous osons croire que c'est ce que M. Arthur Rimbaud a écrit de plus beau. »

ne seront pas cités. Les mêmes brouillons assurent que cette originale tentative dura peu : « Un mois de cet exercice. » Rimbaud était parti fin février ou début mars 1872. En mai il est de retour à Paris.

Les surprenants écrits d'alors, traditionnellement désignés sous l'appellation de « Vers nouveaux » (ils se poursuivront durant l'été 1872, vraisemblablement), témoignent d'un allégement de la matière poétique. Ils manifestent ce que leur auteur lui-même nommera « le dégagement rêvé [1] ». Force est de constater que l'« on a touché au vers », pour reprendre l'expression de Mallarmé [2], quoique l'usage de la rime ne soit pas abandonné. Dans quelques-uns, comme *Mémoire*, l'alexandrin est encore utilisé, mais démembré, au point d'en être inidentifiable [3]. La plupart du temps, le vers impair et le mètre bref dominent, comme chez Verlaine, et la coloration tonale l'emporte sur la signification.

Verlaine laisse supposer que ces vers auraient appartenu à un projet d'« Études néantes [4] ». L'expression semble bien choisie. Étrangement, celui qui s'était présenté comme *voyant* (et qui le sera au plus haut point dans ses *Illuminations*) apparaît ici comme un auditif, sensible tantôt à la très simple ligne d'une chanson spirituelle (« Elle est retrouvée/ Quoi ? – L'Éternité »), tantôt à la polyphonie, quand dialoguent les voix de *Comédie de la Soif* ou d'*Âge d'or*.

---

1. *Génie*, dans les *Illuminations*, p. 288.

2. Mallarmé dans « La Musique et les Lettres », conférence prononcée le 2 mars 1894 à Cambridge et reprise dans *Divagations*.

3. Voir l'étude de Jacques Roubaud dans *La Vieillesse d'Alexandre*, Maspéro, 1978, p. 19-28, et le livre de Michel Murat, *L'Art de Rimbaud*, José Corti, 2002.

4. « Sur le tard, je veux dire vers dix-sept ans au plus tard, Rimbaud s'avisa d'assonances, de rythmes qu'il appelait "néants", et il avait même l'idée d'un recueil : *Études néantes*, qu'il n'écrivit à ma connaissance pas. » Verlaine, « Arthur Rimbaud », *The Senate*, octobre 1895.

Rimbaud agence certaines mises en scène émotionnelles qui, certes, pourraient confiner au suicide. Ainsi l'eau qui, océanique, entraînait *Le Bateau ivre*, de nouveau il souhaite s'y plonger, moins pour une purification que pour une dissolution. Ces « études » appréhendent ce qui n'a plus guère de signification. En quoi nous leur reconnaissons une teneur qui rappelle les ambitions et le dépouillement mystiques. L'ambition de Verlaine se dégageait mal d'un dolorisme trop vite confondu avec la poésie. Rimbaud, avec les moyens d'un langage réduit et d'une prosodie de cantilation, est pris dans un mouvement ascendant, non médiatisé (ou peu), d'autant plus irrésistible que tout cela s'arrache des « humains suffrages », et « vole selon » [1]. Ses textes sont tous sujets d'une lumière. Temps réel (saison ?) ? Temps créé ? La présence naturelle respire dans les *no man's land* qu'il constitue et où il semble aimer se perdre, loin de toute humanité servile et veule. Nul doute que, de retour à Paris (appelé de nouveau par Verlaine qui s'était provisoirement réconcilié avec Mathilde), il n'ait poursuivi résolument la voie légère, mais de grande altitude, qu'il avait découverte durant son séjour ardennais.

Déjà rejeté par la plupart de ses anciens amis parisiens, à l'exception du dessinateur Forain, dit « Gavroche », il connaît alors la troublante solitude de la grande ville. Il ne fait rien. Il se contente de fréquenter son « ami » et de vivre à ses dépens, moyennant sans doute quelque prêt de son corps. Il occupe une petite chambre rue Monsieur-le-Prince, puis loge à l'Hôtel de Cluny, moment évoqué dans sa lettre de « Jumphe » où il nomme « l'heure indicible, première du matin [2] ».

« Je disais adieu au monde dans d'espèces de romances », assurera-t-il dans *Une saison en enfer*, en pensant à cette

---

1. Voir *L'Éternité*, p. 169.
2. Voir la lettre de Rimbaud à Delahaye, « Jumphe 72 », p. 185.

époque. Et nous pouvons croire à la complicité poétique, qui, comme l'union charnelle, le rapprochait de Verlaine. Lequel influait sur l'autre ? Verlaine, en ce temps, commençait à rédiger ses *Romances sans paroles*, dont l'apparent mutisme avoisine celui des « Vers nouveaux ». Les raisons de Rimbaud différaient de celles de Verlaine qui ne songeait pas aux vertiges, aux délires. Mais il n'était pas de poètes plus proches dans leur projet, en cette année 1872, et qui, de presque rien, façonnassent des écrits si durables dans leur fragilité de surface. Au point que nous les sentons, en dépit de leurs différences, embarqués dans la même aventure. Il faut croire à la résolution du jeune homme de dix-sept ans qu'il était. Il garde en tête un projet qui, par-delà l'encrapulement, consiste à vivre pour que rien ne sépare plus l'existence de la poésie. Son idée, pour peu qu'on la cerne, est inéluctable, fatale comme une malédiction ; il ne peut s'y soustraire : « changer la vie [1] » est le point décisif à partir duquel l'art, lui aussi, sera transformé – « trouver le lieu et la formule », « rendre [son "pauvre frère"] à son état primitif de fils du soleil [2] » ! Fils du soleil, le furent-ils un été du moins, quand Verlaine, au début du mois de juillet 1872, quitta, sur un coup de tête, femme et enfant pour le suivre ? Bruxelles offrait un havre où, semble-t-il, du bonheur fut vécu.

De la vie que menèrent Verlaine et Rimbaud dans cette ville après la dernière tentative faite par Mathilde et Mme Verlaine pour les séparer, on doit penser qu'elle ne fut pas sans orages. Les deux comparses ont retrouvé les milieux communards réfugiés en Belgique. Eux-mêmes sont étroitement surveillés par la police. Le 7 septembre 1872, ils embarquent à Ostende pour l'Angleterre, comme s'ils souhaitaient quitter, à leur façon, la vieille Europe, mettre la mer entre eux et leur passé.

---

1. « Il a peut-être des secrets pour *changer la vie* ? », *Délires I*, dans *Une saison en enfer*, p. 217.

2. *Vagabonds*, dans *Illuminations*, p. 272.

Mais l'Angleterre, haut pays du capitalisme avancé où Marx croyait que se déchaîneraient les forces de la révolution prolétarienne, n'avait, à vrai dire, rien d'un monde si nouveau. À l'ombre des usines couvrant de leurs fumées un ciel déjà obscurci par le *fog*, l'univers ancien n'en finissait pas de pourrir. Le Londres de 1872 n'est pas seulement celui qui révèle une architecture flambant neuve et les trésors surprenants de l'avenir, le Crystal Palace et le métropolitain. Il correspond bien davantage à ce que Verlaine nommera une « ville de la Bible », en songeant aux cités maudites de Sodome et de Gomorrhe. Verlaine et Rimbaud fréquentent là-bas de grandes et de moins grandes figures des révoltés de l'an passé : Andrieu, Lissagaray, le peintre et dessinateur Félix Regamey, l'écrivain et publiciste Eugène Vermersch. C'est avec eux qu'ils ont des conversations quotidiennes, à une période où certains ruminaient l'échec de la récente révolution, tandis que d'autres, loin de renoncer à leurs espoirs, estimaient que la défaite de l'insurrection populaire n'en annonçait que mieux le triomphe de la « lutte finale ».

Les deux hommes vont dans les cafés, traînent dans les rues, notent bien des « choses vues », à telle enseigne que lorsqu'en 1874 Verlaine publiera ses *Romances sans paroles* il annoncera encore comme étant sous presse *Londres. Notes pittoresques*. Ils se rendent à la National Gallery. On les voit à la Reading Room du British Museum où ils perfectionnent leur anglais en lisant Poe et Robertson. Ils mènent aussi une vie nocturne bien remplie, comme il se doit pour des bohèmes. Parfois ils prennent place au théâtre et voient drames, opérettes, opéras-bouffes donnés par des troupes françaises.

On ne s'attachera pas outre mesure, pour ce que l'on en sait, aux phases de l'enfer vécu de septembre 1872 à juillet 1873. Relation passionnelle où le chercheur d'or (spirituel) rencontre un chercheur de corps, où le dépassement absolu se heurte aux exigences de la chair. Voici des élans, des réticences, une série de déchirements et l'amour en loques, tandis que monte le scandale possible, le scandale certain, terrifiant Verlaine, alarmant Rimbaud. De là des départs et ce qu'ils mettent à mal dans la fragile harmonie du couple. Rimbaud, pour la Noël 1872, est à Charleville. Verlaine manque en mourir (il exagère peut-être !). Bientôt ce sera lui qui voudra revenir en France. Il le fait une première fois en avril 1873, suivi de peu par Rimbaud. Mais ces victimes du « guignon » ne sont encore que provisoirement sorties de l'impasse d'une vie commune. Le pire – ou presque – est vite atteint. Un peu plus d'un mois de nouveau passé à Londres, en juin, suffit pour le prouver. Verlaine, derechef, prend les devants, quitte Rimbaud comme on fuirait un diable et s'en va droit à Bruxelles où successivement il veut faire venir sa femme, songe à se donner la mort, puis souhaite s'engager dans les volontaires carlistes. Il finit par provoquer la venue de sa mère, toujours attentive, et de Rimbaud, âme pitoyable. On connaît la suite, qui faillit nous priver d'un poète (Rimbaud eût été réduit à ses seules œuvres en vers, précisément) et voua l'autre à une prison voulue rédemptrice. Dans ces quelques jours de juillet 1873 vécus à Bruxelles, ce que la poésie draine de malédiction semble avoir produit sa plus éclatante preuve [1].

Une saison en enfer est le seul ouvrage que Rimbaud jugea bon de publier de son vivant [2]. Cette décision, venant de lui, peut surprendre. En effet, malgré le vif désir qu'il avait de voir imprimés ses écrits, il semble, la plupart du temps,

---

1. Voir, de Bernard Bousmanne, *Reviens, reviens, cher ami. Rimbaud, Verlaine. L'affaire de Bruxelles*, Calmann-Lévy, 2006.

2. Sur *Une saison en enfer*, voir l'édition critique proposée par le professeur Pierre Brunel (José Corti, 1987) ; *Combat spirituel ou immense dérision ? Essai d'analyse textuelle* par Yoshikazu Nakaji (José Corti, 1987) ; « Te voilà, c'est la force », *Essai sur Une saison en enfer*, par Yann Fremy (Classiques Garnier, 2009) ; et le numéro spécial de *Parade sauvage*, 2010-2011.

n'avoir rien fait pour obtenir pareil résultat. On ignore cependant les raisons profondes qui motivèrent un tel texte, même si certaines sont présumables, voire évidentes. La genèse d'*Une saison en enfer* offre matière à bien des suppositions. Sous la plume de Rimbaud, en tout cas, aucune référence au projet du livre (ou d'un livre) avant mai 1873 où il écrit une lettre à son ami Delahaye pour l'informer de ses quelques travaux en cours. Il est alors revenu d'Angleterre et, depuis le 11 avril, vit à Roche, la ferme que sa mère tenait de ses parents, les Cuif. Verlaine, lui aussi revenu, habite non loin de là dans le Luxembourg belge, à Jehonville. Les deux hommes se voient parfois le dimanche à Bouillon, près de la frontière, en compagnie de Delahaye. Durant cette période, Rimbaud s'ennuie beaucoup dans la morose campagne ardennaise. Cependant il a dans l'esprit de composer un ouvrage, dont son sort dépendrait, prétend-il. C'est dire l'importance, assurément excessive, qu'il lui accorde. Du sujet de cette œuvre en gestation nous savons peu : il s'agirait d'un *Livre païen* ou *nègre*, composé d'« histoires atroces », dont trois déjà rédigées et six autres qui resteraient à faire. Ces « histoires atroces », dont la teneur, à vrai dire, nous est inconnue, pourraient, du moins, être apparentées à l'affabulation de *Mauvais sang*. En avril 1873, Rimbaud semble avoir déjà pris le parti du païen, du barbare – ce qui, venant de lui, n'étonne guère. Mais nous verrons que la *Saison* ne résout pas aussi facilement les contradictions qu'impose l'affrontement du christianisme et de ceux qui le nient.

À quelle urgence cède l'ancien voyant durant ce printemps de 1873 ? Quelle fut, par exemple, cette *Chasse spirituelle* que Verlaine, partant impromptu avec lui, avait laissée dans ses papiers et qui, depuis, fut égarée, pour ne pas dire irrémédiablement perdue ?

Le *Mauvais sang* initial, dont je crois qu'il correspond au *Livre païen*, ou *nègre*, constitue une sorte d'essai d'anthropologie à l'échelle d'un individu. Rimbaud, par sa propre

marginalité, pratique l'auscultation de l'Occident. Il en
récrit l'histoire du point de vue de ceux qui jamais n'eurent
le droit à la parole. *Voyant* (mais il saura critiquer sa
voyance), il guette de son bord la société. Ses frères sont les
vagabonds, les forçats, les sorciers, les nègres. C'est dire qu'il
occupe désormais la place de l'irrécupérable et qu'il la
revendique, car elle fait partie d'une poétique existentielle
et non plus seulement rhétorique.

Une saison en enfer n'est pas, loin de là, le simple récit
d'une descente au fond du désespoir. Le « laissez toute espérance » placé au linteau de l'*Inferno* de Dante, Rimbaud l'a
déchiffré, assurément. Il ne s'en est pourtant pas enivré.
Chez lui la haine est moins présente que l'amour. L'issue
reste possible. On ne demeure en enfer qu'une saison. Sa
résolution, si dure qu'elle soit, s'accompagne encore d'un
pressentiment de joie qu'exalteront peut-être les plus claires
des *Illuminations*. Son enfoncement dans les « marais occidentaux », dans les profondeurs tout aussi obscures de son
proche passé, il est trop jeune encore pour le croire définitif.
Voilà pourquoi Claudel, à son tour, put lire dans *Une saison
en enfer* non pas l'ivresse de la noirceur, mais une affaire
d'âme éprouvée par Satan et pareillement aiguillonnée par
la grâce, cette « minute d'éveil » qui demeurera toujours un
mystère : « Arthur Rimbaud fut un mystique *à l'état sauvage*, une source perdue qui ressort d'un sol saturé. Sa vie,
un malentendu, la tentative en vain par la fuite d'échapper
à cette voix qui le sollicite et le relance, et qu'il ne veut pas
reconnaître[1]. » Ce *malentendu* dans lequel nous piétinons
encore à la lecture des pages de la *Saison*, Claudel, tout en
le nommant, l'a peut-être trop vite dissipé, pour avoir cru
« sur parole » celui qu'il appelle « l'ange de Charleville » ; et
la réécriture qu'il proposera en 1942 de la *Saison* opère un

---

1. Préface à l'édition des *Œuvres* de Rimbaud établie par Paterne Berrichon, Mercure de France, 1913. Le texte avait d'abord été publié dans la
Nouvelle Revue française d'octobre 1912.

tri significatif, unifiant un sens qu'il savait pourtant équivoque.

Pendant plusieurs décennies, divers aveuglements : engagement politique sans nuance, anticléricalisme outré empêcheront d'entendre ce Rimbaud-là, caricaturé dans l'image d'un saint rebelle. André Breton, en 1930, ne lui pardonnera pas d'avoir suscité des interprétations catholiques [1]. Il semble pourtant impossible de soustraire ce livre à l'emprise que le christianisme y exerce. Ce qui crée l'unité d'*Une saison* résulte d'une tension paradoxale entre l'ancienne foi imposée et de brutales résolutions cherchant à tout remettre en cause. Rimbaud – il trouve là sa force – ne parvient pas à dénouer une telle contradiction, qui fait saillir la syntaxe enchaînée. Il se reconnaît pris à ce nœud. Son langage lui-même doit consentir aux mots du monde qu'il exècre, et c'est sur un fond biblique qu'il trame continuellement sa confession d'enfer. Il ne peut échapper à l'enfer parce que celui-ci, tout comme le paradis, forme une réalité topique de la géographie spirituelle. Entre un « en bas » (Infernum) et un là-bas (Éden), ses moindres démarches sont comprises. La lecture d'*Une saison en enfer* enregistre les tractions continuelles d'un esprit (osera-t-on dire une âme ?) sur le point de rompre, mais ne le pouvant. Les salubres entités de cet univers – le Bien, la Beauté, la Charité – sont évoquées et, presque simultanément, leurs contraires. Le scandaleux désir de Rimbaud lui a suffisamment montré que les forces positives ne valaient plus que comme des masques, les images dégradées d'une pureté initiale, sans doute définitivement perdue. Mais il ne se résout pas à croire à ce naufrage… et sans arrêt des reflets d'évangile, des

---

1. « Inutile de discuter encore sur Rimbaud : Rimbaud s'est trompé, Rimbaud a voulu nous tromper. Il est coupable devant nous d'avoir permis, de ne pas avoir rendu tout à fait impossibles certaines interprétations déshonorantes de sa pensée, genre Claudel. » André Breton, *Second Manifeste du surréalisme* (1930), dans *Œuvres complètes*, Gallimard, « Bibliothèque de la Pléiade », t. I, p. 784.

souvenirs de bonté hantent sa pensée, comme un bonheur possible.

Entre le satanisme et l'écriture, il existe une vieille complicité que Rimbaud, presque en successeur de Baudelaire, n'a pas choisi de remettre en cause. Baudelaire assure que le lecteur ne comprendra pas ses *Fleurs du Mal* s'il n'a étudié la rhétorique « chez Satan, le rusé doyen [1] ». Rimbaud, reprenant cette tradition, n'hésite pas à dédier à Satan son « carnet de damné ». C'est dire que sa confession, si chevillée à son esprit, n'en adopte pas moins certains tours afin de prendre des distances avec elle-même. Là se reconnaît l'art d'un écrivain conscient de ses moyens et qui – le prologue se plaît à le souligner – choisit son mode de récitatif, en négligeant les « facultés descriptives ou instructives ». L'Enfer ne consiste pas seulement en un lieu de souffrances et de supplices. Il est aussi une zone interne où des images d'autrefois ont fait dépôt, de telle sorte qu'elles défient la mémoire. Inspiré par Satan, maître d'écriture et pourvoyeur d'enchantements, Rimbaud y entend surtout les paroles qui se partagent son âme en peine – et cela fait remonter en lui, plus ou moins voulue, l'expérience de ses damnations. Ce châtiment qu'il subit admet des causes multiples. Il y a, bien sûr, les folies les plus patentes : le couple formé avec la « vierge folle » (autrement dit Verlaine), ses déchirements, ses comédies, les essais déraisonnables d'écriture hallucinatoire que remémore *Alchimie du verbe*. Mais compte aussi dans ce poids des fautes la plus imprévisible, celle qui lui fait dire : « J'avais été damné par l'arc-en-ciel. » Excessif dans ses refus, rigoureux dans sa révolte, il pense en effet, avec une effrayante logique (Claudel ne voudra pas l'entendre), que l'existence même de la religion fut responsable de sa damnation. Il remonte ainsi aux causes et, comme Baudelaire,

---

1. « Épigraphe pour un livre condamné », éd. des *Fleurs du Mal* de 1868.

mais dans un tout autre esprit, considère le péché originel [1]. À s'éprouver marqué par une faute archaïque, il devient presque enragé contre le christianisme qui, finalement, inventa cette souillure initiale afin que la religion nous en exemptât. Sa révolte contre le baptême est un geste profond, décisif, pour comprendre sa revendication d'innocence. Le baptême, tout en étant un rite purificateur, suppose une tache première. Or, « l'enfer ne peut attaquer les païens ». Rimbaud se retourne donc aussi dans la *Saison* contre les « ruses » du christianisme. Il comprend le pacte avec Satan (qui tient compte du désir humain) et rejette tout contrat d'adoration qui le lierait à Dieu. Urgence du salut, appel de la vérité le soulèvent également, le ravagent et le rendent parfois incontrôlable.

La découverte de plusieurs brouillons d'*Une saison en enfer* n'a fait que confirmer la question, irritante malgré tout, que Jésus semble avoir posée à Rimbaud. En 1871, on pouvait penser l'affaire classée ; mais les « Vers nouveaux » témoignent çà et là d'un fonds biblique. À leur tour, les brouillons d'*Une saison* nous entraînent plus loin, puisque certains portent les fragments d'un texte que Rimbaud n'a pas repris dans son livre, mais qui pourraient fort bien lui être rattachés. Il s'agit de trois paraphrases de l'Évangile selon saint Jean. La famille Cuif possédait « une Bible à la tranche vert-chou », et il paraît vraisemblable qu'il la consulta quand il fut à Roche (il arrivait d'Angleterre en pleine semaine pascale, le vendredi saint). Ce qui nous aurait paru insensé quelque deux ans auparavant, nous sommes tentés de l'admettre en cette année 1873. D'ailleurs, ce ne sont pas n'importe quels épisodes qu'il prélève dans la Bible, mais ceux qui concernent les premières manifestations publiques du Christ, et notamment ses miracles. Certains y ont vu le dénigrement des pouvoirs du Christ, l'exercice d'un sarcasme supérieur ; et il est vrai

---

1. Pour Baudelaire le dogme du péché originel est essentiel, alors que Rimbaud cherche à s'en dégager absolument.

que Rimbaud transforme les phrases de l'Évangile, tout en les suivant. Par de tels miracles, par de semblables pouvoirs, le Christ lui posait problème. Ce n'était plus alors question de dogme, mais de magie. Rimbaud ne nie pas que les noces de Cana furent un « festin […] où tous les vins coulaient ». Il ne remet pas davantage en cause la guérison du fils de l'officier royal, ni du paralytique. Et certainement il envie la présence efficiente du Sauveur. On se condamnerait à ne pas comprendre sa propre « intervention » qui dépasse très évidemment et de façon presque insensée la poésie, si l'on ne voyait en lui qu'un écrivain, une « main à plume ». Rimbaud, dès la lettre du Voyant, songe à la force transformatrice de la parole, et il était normal qu'engagé sur une telle voie il rencontrât le Christ. Voulant changer l'ordre du monde (il commence, nous l'avons vu, par de modestes modifications dans l'ordre du poème), il finit par atteindre un orgueil sans mesure, qui n'est d'ailleurs pas sans rapport avec la toute centrale charité, si l'on réfléchit à l'exubérance du don qu'il voulait nous faire. À Rimbaud il semble évident que le Christ a manqué son tour de magicien, non qu'il ait raté les miracles, mais il a également confirmé une religion de la faute (la menace permanente du péché) et de la preuve propre à satisfaire l'esprit étroit de la bourgeoisie : « M. Prudhomme est né avec le Christ. » Rimbaud, quant à lui, manifeste ce que son comparse effaré, la « vierge folle », appellera une « charité ensorcelée ». *Délires I* en fournit quelques exemples, aussi bien que l'Illumination intitulée *Vagabonds*. La « charité ensorcelée » est produite par un éveilleur sarcastique. Elle implique peut-être une provocation pour sortir des enfers d'ici-bas, pour conquérir une surhumanité.

Car *Une saison en enfer* nous entretient bien de cette conquête de parfait « voleur de feu ». L'orgueil de Rimbaud n'en fait pas moins retour sur ses expériences extrêmes. À ce titre les deux *Délires* constituent dans son livret des moments exceptionnels, puisqu'ils nous font assister à sa vie passée. D'une part, une « confession » ou une « confidence » (les deux mots sont employés) prononcée par un « compagnon d'enfer ». D'autre part, une « histoire » racontée par un *moi* où, de tout évidence, l'auteur se projette.

Délires I enregistre les déplorations d'une « pauvre âme » (Verlaine) consciente d'avoir été entraînée dans une aventure sans pareille, démesurée pour son maigre courage. Témoin, écouteur, elle feint parfois de comprendre et nous rapporte, au vif, ce que l'autre, près d'elle, tente, espère, renie. Rimbaud, bien sûr, se dédouble pour tracer de lui un portrait de l'artiste en démon. Il note, au passage, ses principaux thèmes de vie : l'amour à réinventer, la barbarie comme manière d'être, la frénésie appliquée, et non moins le souci d'un devoir à accomplir au-delà de toute morale, d'un dévouement.

De la « vierge folle » à la « folie » de *Délires II*, la filiation est évidente, si l'on veut bien remarquer que la Vierge de la première parabole subit la démence de celui qui s'exprime dans le deuxième volet en scrupuleux annaliste de son extravagance, à moins de croire qu'en l'un et l'autre pans du diptyque s'affrontent l'âme sensible et l'esprit logique contenus dans un même corps. Rimbaud compose ici les pages les plus intrigantes de son œuvre ; elles renvoient au secret de son intelligence et de ses sensations et rappellent une expérience. Tout en narrant un moment prodigieux, il nous propose une anthologie de ses textes (volontairement défigurés). Il se juge : accession au for intérieur ou glose protectionniste ? Des poèmes sont cités (nous en connaissons des versions datées de 1872), déformés par négligence, par saccage ou par oubli. D'autres ne sont désignés que par des allusions. Avec un parti pris évident, il réfectionne son passé. Il insiste sur son goût pour la vieillerie poétique, sur l'expression bouffonne qu'il adoptait alors. L'hallucination prévaut, simple ou transposée par les mots.

Alchimie du verbe forme beaucoup plus qu'un commentaire pour des textes bizarrement rappelés, puis rejetés,

mauvais exemples, mauvais genres – et c'est façon pour lui
de régler ses comptes avec le Verlaine auteur des *Romances
sans paroles*, composées auprès de lui et que le malheureux
compagnon voulait lui dédier. Comment ne pas distinguer
là, en outre, une alchimie de la vie, une transformation
biographique où le poète modèle son image, de sorte que
le *mythe de Rimbaud* n'est pas celui que d'autres ont forgé
à ses dépens, mais l'identité que le tout premier il a façon-
née, se maquillant amoureusement en maudit, en damné,
jouant la comédie, *sa* comédie, pour des spectateurs souvent
effrayés, comme la « vierge folle » ?

Le livre aurait pu se conclure sur la phrase qui termine
Alchimie du verbe : « Je sais aujourd'hui saluer la beauté. »
Mais Rimbaud n'en était pas quitte pour autant. Il nous
devait encore, comme il se devait surtout, quatre temps de
réflexion pour tenter de sortir des flammes dans lesquelles
il était pris. *L'Impossible* et *L'Éclair* envisagent, après coup,
des solutions nouvelles, vite battues en brèche. *Matin*
remarque l'instant où le damné sort de sa nuit infernale :
l'aube enfin (l'aube encore). *Adieu* exprime un congé dont
nul n'est persuadé – et Rimbaud moins que tout autre.
Ainsi, le livre porte le fardeau de ses repentirs et la plus
forte inquiétude à l'heure du choix. Mais il affiche aussi
l'incapacité à se dérober. Rimbaud voit bien en face ce qu'il
lui reste à faire : partir de nouveau, aller vers une sorte
d'Orient de rêve, gardien de la primitive innocence – ou
concéder au travail, à cette loi imposée par Dieu quand il
chassa le premier couple de l'Éden.

Il s'est avancé, avant même de renoncer, jusqu'à l'endroit
où la littérature, ne pouvant que se taire, devait envisager
son aphasie moins par défaut d'inspiration qu'en raison
même d'un souffle trop fort, fouettant les mots et courrou-
çant la raison. Il nous importe aujourd'hui qu'il ait atteint
l'impossible. L'impossible que Rimbaud désigne à son insu
consiste surtout en ce geste hyperbolique que tentent parfois l'art et la littérature, jet, lancée impétueuse, cet acte de

souveraineté que Georges Bataille saura déchiffrer. Certes il entrouvre ainsi les zones les plus périlleuses [1], là où la création hésite à se faire, prise d'un vertige objectif ou subjectif. Découvrant un absolu qui n'est pas celui de l'esthétique, il craint de ne plus pouvoir parler. L'écoute la plus attentive d'*Une saison en enfer* ou sa lecture à voix haute apprennent que les mots s'y arrachent d'un corps, qu'à d'autres moments ils s'en retirent. Plus souvent encore le langage est en ignition. C'est une langue de feu qui le brûle. La littérature ici touche son tuf fondamental. Tout cela est scruté, radiographié – sans savoir le remède. Et ce n'est pas un salut chrétien qu'il convoite. Nullement ! Mais une manière (qui reste à trouver) de sauver ce corps, cette voix ; l'innocence qui ne sait ni le vice (vieille appellation contrôlée par une morale décrépite) ni la conformité aux lois de vie et de langage.

Rimbaud, tenant en main cinq ou six exemplaires de son livre, sort du magasin de l'Alliance typographique et s'en va par les rues de Bruxelles. Seul assurément. Non sans un geste qui vaut comme un salut. Ses pas le conduisent jusqu'à la prison des Petits-Carmes où il laisse pour Verlaine une *Saison* dédicacée. Verlaine la lira. Lui-même avait donné sa version personnelle des Enfers rimbaldiens. *Crimen amoris*, poème satanique [2], nous transporte dans un

---

1. « Si la poésie n'était pas accompagnée d'une affirmation de souveraineté (donnant le commentaire de son absence de sens), elle serait comme le rire ou le sacrifice, ou comme l'érotisme et l'ivresse, *insérée* dans la sphère de l'activité. » Georges Bataille, *L'Expérience intérieure*, Gallimard, 1954, p. 239.

2. Le poème sera redonné dans *Jadis et naguère* (1884). Verlaine indique dans *Mes prisons* (chapitre VI) qu'il fut écrit à la prison des Petits-Carmes à Bruxelles, qu'il quitta pour celle de Mons le 27 août. Le manuscrit de *Cellulairement* comporte ce poème daté de « juillet 1873 ». On a retrouvé, recopié de la main de Rimbaud, un premier état de *Crimen amoris*, alors sous-titré « Mystère ».

palais de rêve où le plus beau de tous les mauvais anges (il a seize ans, « l'œil plein de flammes et de pleurs ») proclame un évangile de sa façon : « Je serai celui-là qui créera Dieu ! » L'illuminé démoniaque, qui souhaite que se joignent les trois vertus théologales et les sept péchés capitaux, veut répondre à Jésus en annonçant la formule d'un nouvel Amour universel.

« Être absolument moderne », voilà ce que souhaitait le damné de fraîche date, au moment même où son ancien compagnon allait se convertir au catholicisme. La *Saison* permet-elle de passer le cap de l'adolescence ? Œuvre de *grand écart* : Rimbaud vaut certes mieux que Jacques Forestier, le versatile héros d'un roman de Jean Cocteau portant ce titre [1]. Il reste que « la clef du festin ancien » avait été perdue bel et bien, mais la fiole de poison non définitivement écartée. Rien, en réalité, n'avait été consommé, malgré l'épuisement de la lutte et l'illusoire éclaircie du matin : « — et il me sera loisible de *posséder la vérité dans une âme et un corps* ». Cette dernière phrase énonce un futur dont on peut craindre fausse la promesse. Il revient à chacun de la créditer de l'espoir qu'elle soulève en lui.

Si les poèmes cités dans *Alchimie du verbe* suffisent aux yeux de Rimbaud lui-même pour représenter son ancienne poésie, il n'empêche que le début de la *Saison* laisse entendre que, pour l'instant, plusieurs autres textes ont été passés sous silence et que l'auteur se réserve de les publier. Ce sont ces fameuses « petites lâchetés en retard » qu'il ne semble pas aberrant d'identifier avec plusieurs des *Illuminations*. Souvenons-nous que Rimbaud, écrivant à Delahaye en mai 1873, lui annonçait qu'il composait certaines « histoires en prose », mais parlait également de quelques « fraguemants en prose », à l'évidence bien distincts des « histoires atroces » mentionnées auparavant. Déjà, Verlaine,

---

1. *Le Grand Écart*, Stock, Delamain, Boutelleau et Cie, 1923.

dans une lettre de Londres à Edmond Lepelletier du 8 novembre 1872, avait indiqué parmi les affaires à lui renvoyer de Paris une « dizaine de lettres de Rimbaud contenant des vers et des poèmes en prose ».

Les *Illuminations* ? *Une saison en enfer* ? À première vue, nous avons affaire à des genres distincts. Mais cette dissemblance formelle ne consigne pas nécessairement des temps de composition différents. Certes, nous lisons séparément – et nous ne pouvons guère procéder autrement – ici des poèmes en prose, là les « hideux feuillets » d'un « carnet de damné ». Mais ce que tout lecteur est en mesure de découvrir à la longue, par la fréquentation des mots et des tournures dont il devient vite le familier, c'est la contiguïté, voire l'osmose qui existe entre les deux œuvres, comme si, d'instant en instant, de vocable en vocable, de situation en situation, se développaient des effets de résonance et comme si chaque texte renvoyait à l'autre, le réfléchissait, y scintillait.

Une saison en enfer veut coûte que coûte quérir le réel, s'écarter des faussetés, des images, des mirages : religion, poésie, tentations sentimentales. Mais Rimbaud garde sous le coude la mystérieuse liasse de ses « poèmes en prose » dont il ne se résout pas à détruire la beauté.

Le fait est là. Des *Illuminations* ont été recopiées, voire composées en 1874[1], peut-être plus tard. En outre, quelques témoignages prouvent le souci tardif qu'il eut (en 1875) de faire imprimer un ensemble de « poèmes en prose » – dont nous avons la mise au net, à défaut d'un ensemble homogène.

Des quelque cinquante textes qui nous sont parvenus, nous ne saurons sans doute jamais la vraie période de rédaction, bien que l'on devine certaines phases ou zones similaires. Retenons seulement qu'en plusieurs se lisent des

---

1. Voir André Guyaux, *Poétique du fragment*, Neuchâtel, La Baconnière, 1985, p. 109-134. Il s'agit de *Promontoire* et de *Ville*.

références à l'Angleterre – ce qui, certes, ne suffit pas pour
assurer qu'ils furent composés lorsque Rimbaud se trouvait
là-bas, mais tend à montrer que les séjours qu'il y fit lais-
sèrent des traces sémantiques dans son œuvre. Quant au
réel plan de l'ouvrage (qui n'en avait peut-être pas !), il faut
nous contenter de celui qu'instaura sur le tard le critique
Félix Fénéon, qui, chargé de les éditer, leur imposa un ordre
auquel l'habitude veut que l'on se conforme, encore que
bien des éléments révélés par l'analyse interne comme par
la graphologie conseillent de le remettre en cause. À commencer par le titre. Ne sommes-nous pas déjà placés devant
une incertitude ? Si opportun soit-il, si riche et désormais
si indispensable, jamais il n'apparut sous la plume de Rimbaud, et nous devons nous contenter à son endroit de
conjectures. Verlaine parle des « Illuminécheunes[1] » dans
une lettre à Charles de Sivry, laissant entendre ainsi une
prononciation anglaise du mot que, par ailleurs, il accompagne de précisions telles que « *painted plates* » ou « *coloured
plates* ». Nous n'avons aucune raison de mettre en cause le
bien-fondé de ses assertions. *Plates* veut dire « assiettes »,
« plaques » ou encore « planches ». Coloriées ? Peintes ? Je
serais tenté, pour ma part, d'y voir l'indication d'un dispositif plus complexe, assez proche du travail du rêve. Dans
Une saison en enfer, Rimbaud fait référence une fois à la
lanterne magique (« La lanterne nous le montra »). Par cet
objet, surtout jouet, on projetait sur une toile ou sur une
paroi lisse le motif de certaines *plaques coloriées*. Je me
demande si un certain nombre d'Illuminations ne fonc-
tionnent pas selon un tel dispositif – par analogie[2]. Je note-
rai d'abord la préexistence d'une scène interne illuminant

---

1. « Amitiés à Cabaner : ses musiques, les eaux-fortes, un tas de chinoi-
series (pardon, japonismes, et les illuminécheunes, donc !) per postas
payante "papa". » Verlaine à Charles de Sivry, 27 octobre 1878 (voir *Correspondance, op. cit.*, t. I, p. 633).

2. Jean-Luc Steinmetz, « La Lanterne magique des *Illuminations* », dans *La
Poésie et ses raisons, op. cit.*, p. 59-72.

Rimbaud lui-même et se répandant en lui, exactement comme le rêve (le film du rêve) investit l'esprit du rêveur. Il se trouverait qu'ensuite il en aurait « tiré » une plaque « littéraire » visuelle (ce qui suppose moins une reproduction qu'un *développement* par les mots). Chaque Illumination en serait la réplique et pour tout lecteur équivaudrait alors à une véritable scène hypnotique se mouvant sous son regard (et dans son audition).

À lui seul, le terme « Illuminations » indique donc, si on doit le conserver, une forme de style, de composition et, de ce fait, une perception du texte véritablement conçu pour le regard. Rimbaud, dans l'histoire du poème en prose, où il s'inscrit pleinement, trace un certain retour aux origines, pour un nouvel élan vers la modernité. Plus que dans le *Gaspard de la Nuit* d'Aloysius Bertrand, à l'origine du genre, le « donner à voir » offert par le texte s'inverse dans un texte donné à voir, sans jamais qu'une telle opération soit réductible à un geste métalinguistique. Le texte propose quelque chose d'autre que lui : il est transitif, en dépit des blocages qu'il impose et des commentaires dont il accompagne ce qu'il produit [1].

J'ai jusqu'à maintenant présenté les *Illuminations* comme des « plaques colorées ». De même, j'ai pensé avoir affaire, comme beaucoup d'autres, à des « poèmes en prose ». Verlaine cependant les a décrits comme une « série de superbes fragments » dans son article sur Rimbaud, d'abord paru dans *Lutèce* en 1883 et repris l'année suivante dans ses *Poètes maudits*. Or, dès le mois de mai 1873, Rimbaud, dans une lettre adressée à Delahaye [2], réclamait « quelques

---

1. Voir Tzvetan Todorov, « Une complication de texte : les *Illuminations* », *Poétique*, avril 1978 (n° 38), repris dans *La Notion de littérature*, Seuil, « Points », 1987, p. 160.
2. Voir lettre de Rimbaud à Delahaye, mai 1873, p. 189. On ne connaît que quelques poèmes en prose de Verlaine.

fraguemants [*sic*] en prose de moi ou de lui » (Verlaine).
Certes, rien ne prouve que l'objet de cette demande correspondait aux « superbes fragments » rappelés par Verlaine dix
ans plus tard, et cela d'autant moins que lesdits « fraguemants » par lesquels Rimbaud signalait alors certains de ses
textes nommaient également des écrits de Verlaine que nous
ignorons. Pourquoi, en ce cas, les « fraguemants » de Rimbaud désigneraient-ils ses *Illuminations* ?

La question est loin d'être résolue et l'esthétique même
du fragment, telle qu'elle fut pensée, à l'époque romantique
par exemple, par les théoriciens de l'*Athenaeum*, ne paraît
nullement confirmer l'utilisation d'un tel genre, même profondément modifié, par Rimbaud.

Je me suis attardé sur ce problème parce que de sa résolution aurait pu naître une vision d'ensemble des *Illuminations*, dont le classement, on le sait, demeure sujet à
caution. Leur lecture montre toutefois que nous sommes
en présence d'une même forme – définissable par l'étendue
et ce qu'on pourrait appeler les *partitions*. Le texte est le
plus souvent constitué de quatre ou cinq paragraphes ; il
est bref, à l'exception de quelques pièces comme *Villes* et
Promontoire. L'espace typographique est aéré de blancs
mesurés suggérant une organisation de la lecture. La progression narrative existe à l'intérieur du modèle tabulaire
adopté. Mais le mouvement l'emporte sur la linéarité. Fréquemment des sous-genres sont mis à l'épreuve : l'énigme
dans *H*, le conte dans le texte portant ce titre, la prière
dans *Dévotion*, la parade dans *Solde*, la nouvelle réaliste dans
Ouvriers, la description parnassienne dans *Antique* ou
Fleurs, etc. Rimbaud sait très bien assimiler des manières
différentes, mais il les rend siennes. On peut cependant
repérer plusieurs ensembles qui, bien entendu, ne sont pas
nettement délimités, mais paraissent appartenir à l'ordre
d'une décision. Des liens les apparient, des préoccupations
communes les rapprochent – et non pas seulement des
figures de style, des traits d'écriture.

Grande est la tentation, quand on parcourt les *Illumina-tions*, de conférer d'abord une certaine prédominance à plu-sieurs poèmes déjà considérés par Rimbaud comme séries. *Enfance* (cinq textes), *Vies* (trois textes), *Jeunesse* (quatre textes) composent une sorte de domaine biographique. Toute lecture de ces poèmes nous assure néanmoins que l'existence de Rimbaud, transparaissant comme un spectre, y est constamment modifiée, dévoyée, en sorte que j'ai pu proposer, pour nommer ce phénomène, le terme d'*anabio-graphie*[1], montrant par là que nous avons affaire à des vies ou à des fragments de vie entièrement transformés, obéis-sant à un principe de projection (comme les anamorphoses) opérée cette fois par le désir. Dans *Une saison en enfer*, Rim-baud affirme qu'à chaque être plusieurs vies lui semblent dues. Ainsi peut-on retrouver (et de même perdre de vue) Rimbaud. Car il y est et il n'y est pas. Exemplaires donc me paraissent ses poèmes pour mesurer un certain régime d'écriture. Dès lors, qui parle dans ces textes formateurs d'une ou de plusieurs existences ? La variation des pronoms personnels, où nous nous serions attendus à voir dominer le Je, reste en ce point confondante, et si, dans *Vies*, par exemple, les trois poèmes de la série dépendent bien d'une première personne qui nous rapproche de l'auteur, dans *Enfance*, deux textes sur cinq n'ont nullement besoin de cette autorité pronominale (bien qu'ils brassent des réfé-rences typiquement rimbaldiennes).

Rimbaud – son œuvre en offre maintes preuves depuis le « Cahier des dix ans » jusqu'à *Une saison en enfer*, en passant par *Les Poètes de sept ans*, *Comédie de la Soif* ou *Mémoire* – a toujours placé au centre de ses préoccupations un projet autobiographique et cherché à se recomposer lui-même. Ce programme, plus ou moins conscient selon les époques, dépend d'un « connais-toi toi-même » révélant

---

1. Voir « L'anabiographe », dans *La Poésie et ses raisons*, *op. cit.*, p. 43-58.

non plus l'autorité du sujet psychologique, mais sa pluralité. De là, dès 1872, la polyphonie d'*Âge d'or*, puis ce concert de voix contradictoires qui anime la *Saison*. Tout laisse penser que Rimbaud, dans ses *Illuminations*, n'a pas renoncé à cette mise en scène de ses virtualités. Il agite les silhouettes des vies qui lui sont dues – et les enfances et la jeunesse, prenant son bien, l'éparpillant, modelant son « génie », son tempérament, au gré des infortunes et des fortunes, réelles ou rêvées. L'ensemble autobiographique des *Illuminations*, qui déborde d'ailleurs les poèmes que j'ai dits, peut aussi bien se concevoir en contrepoint de la *Saison* que lui donner suite. Il est proche du légendaire auquel il a toujours aspiré. Le pseudo-réel de la *Saison* entrerait donc en concurrence avec l'imaginaire des *Illuminations*. Une parole, vraisemblable ici, serait là prise en relais par une parole problématique : « Dans une magnifique demeure cernée par l'Orient entier j'ai accompli mon immense œuvre. » Que vaut ce Je qui décrit ainsi sa vie et qui, en réalité, la forme ? La multiplication dans le texte d'éléments qui évoquent sa vraie vie n'est pas gratuite. Mais elle pose des pièges à la lecture ; elle forme une matière variable, tantôt fiable, tantôt égarante. Qualifions-la de *transférentielle*. En de nombreuses Illuminations apparaît, puis se cache, non point une signification, mais l'existence même de Rimbaud se donnant en spectacle crypté. Le même poème peut alors affirmer « Je suis le saint en prière sur la terrasse » et nous laisser entendre qu'il n'y a là qu'image, et « Je suis le piéton de la grand'route » et confirmer ainsi une expérience, celle des vagabondages. Dans le tableau projeté par Rimbaud, l'un vaut l'autre, mais le trait biographique résonne avec une évidence suffisante pour nous déconseiller de ne voir là que pure gratuité.

C'est pourquoi je ne pense pas qu'il faille considérer les *Illuminations* comme des sortes d'exercices de style supérieurs, dont l'unique résultat serait de nous enseigner un nouveau mode de lecture. Certes, leur lecture est souvent empêchée ; elle n'en demeure pas moins transitive. L'un des poèmes où domine le Je portait d'abord le titre de *Métamorphoses* avant de s'intituler *Bottom*. On y voit les mues d'une première personne prenant tour à tour plusieurs figures animales : oiseau gris-bleu, gros ours, âne braillant son grief. Cette manière de fable onirique de la déception amoureuse nous enjoint surtout de considérer à quel point les *Illuminations* baignent dans un climat de transformations à vue d'œil et d'opérations magiques par le fait du texte lui-même. Alchimie du verbe, qui se continuerait. Par le désir de Rimbaud se constitue « sur le chantier » un monde de la mobilité, du dynamisme, de l'énergie, de la mutation. Si le texte est en mutation, provoquant ainsi confusions, polyphonie, glissements sémantiques, anagrammes, brouillages du sens, il semble chercher prioritairement à changer. *Changer* absolument, et non pas se changer.

Il faut comprendre ce qu'a de philosophiquement *phénoménal* la dernière poétique de Rimbaud, nous mettant à l'heure de sa création, que les surréalistes confondront vite avec leur écriture automatique. Cette poétique *fait naître*. L'effort est, certes, inhumain, et sans doute beaucoup plus faustien que celui dont témoignaient les poèmes de 1872. Son caractère insensé tient dans la croyance que les mots pourraient avoir une vertu performative. La tentative de Rimbaud est extrême. On en lit l'orgueil dans *Génie* ; on la devine dans *Royauté* ; elle éclaire *À une Raison* ; elle explique *Conte* ; et l'on pressent par quelle espérance elle se rattache au motif biographique.

Les *Illuminations* ne présentent pas autre chose : la refonte du corps, le change de l'esprit, l'accroissement des quelques pouvoirs dont nous sommes les inexperts détenteurs. Dans le domaine de la poésie, le programme est assurément sans précédent. La particularité de Rimbaud consiste bien à tenter l'impossible avec les moyens de son art. Pourtant nous ne devons pas plus réduire sa poésie à un effet de langage. Elle valide, certes, une langue transformée (où nous reconnaissons la nôtre) ; là toutefois n'est pas son dessein majeur, puisqu'elle ambitionne au premier chef de changer le réel.

Si *Après le Déluge* (placé, depuis Fénéon, en tête du recueil) affirme l'inévitable retour du vieux monde et constate l'impossibilité du « dégagement rêvé », si le touriste naïf de *Soir historique* ne parvient pas à déciller sa « vision esclave », si *Solde* feint de brader les plus sûres merveilles, d'autres textes, en revanche, s'étendent brillamment dans un domaine nouveau : ils l'occupent d'une architecture, d'une flore ou d'une humanité imputrescibles. Par la construction de cet univers, qu'on ne saurait réduire à un simple agencement textuel, Rimbaud a atteint le « point sublime » de son projet poétique. Une vingtaine de poèmes donnent un aperçu sur un monde impensé jusqu'alors. En les fabriquant, il a pourvu la société d'objets inédits qui n'ont pas simplement une valeur esthétique, mais une force de communication, d'intersignes. Ils assurent une quatrième dimension dépassant les mesures de la logique rationnelle et de la géométrie commune.

Ornières définit le spectacle (d'écriture, de rêve), place ouverte pour l'« autre scène [1] », c'est-à-dire la féerie. À droite, l'aube d'été qui éveille le monde. À gauche, l'ombre des talus. De la droite à la gauche, de l'Orient à l'Occident, un faisceau de lumière balaie l'espace ainsi ouvert ; le défilé apparaît, la suite des imaginations devenues réelles, les saltimbanques, les enfants, les bêtes fabuleuses. Il serait faux de dire cependant que tout est groupé dans le cadre de ce

---

1. Soit ce que Freud en langue originale nomme « anderer Schauplatz ». Voir Alain de Mijolla, « L'ombre du capitaine Rimbaud », dans *Les Visiteur du moi*, Les Belles Lettres, « Confluents psychanalytiques », 1981, p. 35-80, nouvelle édition revue et augmentée en 1987 ; et le livre récent de Neal Oxenhandler, *Rimbaud. The Cost of Genius*, The Ohio State University, 2009, malgré une bibliographie qui n'est pas à jour.

poème. Il convient plutôt d'y percevoir une convergence infinie, un mouvement d'éveil en train de se produire et comme la vie et la mort constamment suscitées, elles-mêmes devenues métaphores d'un monde à venir. Une mise en place semblable apparaît dans *Mystique*. À gauche, les homicides, les désastres ; à droite, la ligne des orients, des progrès. Ici l'équilibre du tableau s'enrichit de notions d'habitude invisibles (excepté dans l'allégorie) ; les abstractions s'imposent, nettes et brillantes, au même titre que les objets, dans un panorama physique et métaphysique assurant l'épiphanie de notions spirituelles.

Rimbaud nous transmet non pas un message d'extraterrestre, mais bel et bien l'éveil. Il ouvre des portes, découvre avec violence et, sans les médiatiser par une quelconque théorie (la « lettre du Voyant » n'y suffirait évidemment plus), des possibilités endormies dans l'homme : possibilités de formulation d'abord, de présentation ensuite, puis, si l'on est plus réceptif, de présence. Il propose là un « être-au-monde ».

Loin de renoncer aux forces de l'artifice, il les convoque. *Parade* fait défiler sous nos yeux des « drôles très solides » doués pour interpréter les rôles les plus divers. Nul doute qu'il ne s'estime enrôlé parmi eux. Leur talent leur permet d'endosser toutes les défroques, d'être aussi bien des chanteurs de complaintes ou de chansons « bonnes filles » que les héros de tragédies ou de pièces nouvelles. Assumant de multiples personnalités, protéens, ils ne se contentent pas d'incarner des emplois connus, mais ils exposent sur scène « avec le goût du mauvais rêve » des actions imprévues qui prétendent peut-être servir de modèles à l'histoire à venir. *Scènes* évoque l'ancienne comédie (poursuivant ses accords) et suppose une comédie nouvelle, le véritable opéra des temps modernes. De même, *Soir historique*, traçant une démarcation entre autrefois et maintenant, signale la comédie qui « goutte sur les tréteaux de gazon ». *Bottom* se souvient du *Songe d'une nuit d'été* où, comme dans *Hamlet*, est

interprétée une pièce dans la pièce. La « représentation »
œuvre souvent les *Illuminations*. Elle révèle un espace autonome d'où s'élance un avenir qui ne sera plus seulement
« effet de légende ». Une certaine comédie correspond pour
Rimbaud à la répétition lassante des us et coutumes du
passé. Mais, à côté des conventions usées, des scènes fati-
guées, une « atmosphère » inédite peut se créer, donnant à
voir sur un présent requalifié, un futur magnétisé par l'uto-
pie. C'est sans doute dans ce contexte que s'élèvent certaines des *Villes*, les unes encore relatives, liées à des « choses
vues », Londres ou Paris, les autres mobiles, à transformations, offrant à l'éventuel lecteur un panthéon métamor-
phique digne des hallucinations de saint Antoine.

Parmi les figures mythiques et théâtrales, voici Hélène,
dont on ne sait si elle joue ou *nous* joue (de même, dans
Une saison en enfer, Rimbaud disait que l'homme *se* joue).
Vers d'autres, à la limite du théâtre et du monde vrai, se
porteront les élans des poèmes en prose, qu'il s'agisse de
l'entre toutes mystérieuse « H », prénommée Hortense, ce
qui n'est qu'une mince réponse pour l'énigme qu'elle pose,
ou de celles auxquelles s'adresse *Dévotion*, femmes arcanes
(quoique toujours pourvues d'attributs caractéristiques) :
Louise Vanaen de Voringhem, Léonie Aubois d'Ashby, Lulu
et quelques autres, dont l'apparition enchante aussi fortement notre souvenir que les adolescents qui peuplent *Les
Chants de Maldoror*. Actions érotiques, pratiques d'initia-
tion, noms propres et signifiants purs stimulent nos obscures demandes de lecteur. Nombreuses celles qui devraient
être ajoutées à leur groupe, à commencer par la Henrika
d'*Ouvriers*, que le locuteur a l'ironie d'appeler « ma femme »
et qu'il congédie vite. Rassemblées dans le premier texte
d'*Enfance*, « enfantes et géantes », elles persistent peut-être
à se donner comme « sœurs de charité », alors que d'autres
phases des *Illuminations* les élèvent vers les hauteurs de la
plénitude, d'un accomplissement dépassant de loin les

contingences de l'amour physique et de l'affection psychologique. Si, plus d'une fois, l'impasse sexuelle est pressentie,
heure du « cher corps » et « cher cœur », la femme n'est pas
pour autant évacuée ; elle se dresse dans sa vitalité anadyomène, c'est-à-dire surgissant de l'écume, et son amour ne
mène pas obligatoirement à un échec. Autant la Grande
Mère naturelle peut envelopper l'enfant dans un assentiment érotique (et c'est la fiction d'*Aube* où la déesse semble
assouvir tous les désirs), autant la vampire « qui nous rend
gentils » impose dans *Angoisse* sa présence démonique et
meurtrit le héros par d'innombrables blessures qui dislo-
quent son intégrité.

Au personnel féminin des *Illuminations* s'ajoutent, non
tant pour s'y opposer, plusieurs figures masculines où Rimbaud semble avoir plus nettement concentré l'absolu de son
désir. Comptent à ce titre *Antique, Being Beauteous, Génie*.
Il s'agit, dans les deux premiers textes, de l'inscription d'un
corps exceptionnel ; le « fils de Pan » porte un « double
sexe » ; l'« Être de Beauté » monte à vue d'œil, spectral,
Vision s'élevant « sur le chantier ». *Génie* constitue bien évidemment l'un des textes-sommes des *Illuminations*, l'un de
ceux où paraissent s'être concentrés les résultats de l'expérience. Superlatif, tendant à l'absolu, il réserve pour notre
satisfaction de lecteur une réalisation des souhaits : « car
c'est fait, lui étant ». Comme si toutes les approximations,
recherches, études trouvaient ici leur point d'aboutisse-
ment, non pas chute, mais assomption, dans un moment
qui intercepte les frontières temporelles : « Il est l'affection
et le présent. » « Il est l'affection et l'avenir. » « Il est l'amour
[…] et l'éternité ». *Génie* fournit enfin une réponse aux
hésitations d'*Une saison en enfer* et, en ce sens, pourrait
bien être postérieur aux lassitudes de ce carnet de damné.
Triomphant du christianisme, il hausse un chant de salut
au-delà des femmes et des hommes, dans un dépassement
des chairs et des sexes. *Une saison en enfer* laissait entrevoir
comme la nostalgie de la charité. Maintenant se proclame

le nouvel amour et règne la cruauté dont Artaud animera son théâtre[1]. Le Génie, où beaucoup de commentateurs ont voulu reconnaître la parfaite et la plus haute projection de Rimbaud, s'oppose consciemment aux « agenouillages anciens ». Il substitue à la charité chrétienne sa rigueur sans faille initiant au nouveau monde harmonique. Rimbaud y tente une redistribution des sensations. À la mesure de perceptions inouïes un monde se construit où nous n'aurons peut-être jamais d'autre accès que le texte.

Ce qu'il est convenu d'appeler « le silence de Rimbaud », l'absence de textes après 1875 hormis des lettres à fin commerciale ou d'ordre strictement privé, n'a sans doute pas d'autre cause que sa lucidité et sa désillusion au vu de la place marginale qu'il occupait et des faibles pouvoirs de la littérature. Le silence s'établit d'autant plus fermement que la parole avait été perçue comme magique, changeant les mesures d'ici-bas. Tout comme *Une saison en enfer*, les *Illuminations* contiennent le germe négatif du silence. Elles supposent que tout ne peut se dire. Quiconque défriche le présent de l'indicible devine quels obstacles l'attendent. D'où, assurément, les emportements du style, cette impatience à saisir comme à transmettre : phrases nominales, autorité du déictique, énumération affichant l'inventaire de l'immédiat, tout cela traduit une hâte, comme si Rimbaud n'avait plus le temps. Le lecteur sent proche le désastre, et l'écriture proférée à l'instant où la bouche va se refermer. Nul, à vrai dire, ne pouvait prévoir le silence qui survint, comme la vérification du risque encouru. La poésie de

---

1. « J'emploie le mot de cruauté dans le sens d'appétit de vie, de rigueur cosmique et de nécessité implacable, dans le sens gnostique de tourbillon de vie qui désire les ténèbres, dans le sens de cette douleur hors de la nécessité inéluctable de laquelle la vie ne saurait s'exercer. » Antonin Artaud, « Lettre sur la cruauté », deuxième lettre recueillie dans *Le Théâtre et son double* (1938).

Rimbaud en reçut un complément et, pour tout dire, une signature. Coupant court, pour toutes les raisons que l'œuvre sécrète et accumule, Rimbaud s'est comme innocenté. Nuisible devient la poésie quand, se multipliant dans des redites et captive d'un surmoi narcissique, elle bâillonne *son* poète dans les mailles d'un métier qui n'est plus que savoir-faire. Chez Rimbaud il y eut urgence, geste juste. Et sa rage de tout quitter, même si elle tendait à jeter un discrédit sur la poésie, donc à renvoyer dos à dos écrivains et critiques, s'entend moins comme un dédain que comme l'impossibilité atteinte. Pour être touché, l'impossible n'est pas détruit pour autant. Il continue d'affirmer une présence dont l'art agite les enseignes.

Si le Rimbaud abyssin a tiré désormais un trait sur la littérature, il n'en reste pas moins, à ses heures, quelqu'un qui écrit. C'est ainsi qu'en janvier 1882 il songe à « composer un ouvrage sur le Harar et les Gallas » et à le « soumettre à la Société de Géographie [1] ». Il souhaiterait d'ailleurs l'illustrer de photographies qu'il prendrait lui-même et de cartes également dressées par lui. Son *Rapport sur l'Ogadine* sera publié dans les *Comptes rendus des séances de la Société*, mais il n'a rien d'un livre et la sécheresse du style ne le distingue pas des articles rédigés par les explorateurs de ce temps. Le même dessein lui fera confier en août 1887 au *Bosphore égyptien*, journal du Caire de langue française, des notes sur son expédition au Choa. Aucune phrase toutefois pour laisser entendre le timbre, même affaibli, du poète d'autrefois. De son passé d'inventeur de langage, Rimbaud ne supportait pas même la plus légère évocation. « Tout cela n'était que des rinçures », confia-t-il un jour à André Tian, le fils de son employeur [2].

1. Lettre de Rimbaud à Delahaye, 18 janvier 1882. Sur cette période de la vie de Rimbaud, on lira les irremplaçables essais d'Alain Borer, *Rimbaud en Abyssinie* (Seuil, 1984) et *Rimbaud d'Arabie* (Seuil, 1991).

2. André Tian, « À propos de Rimbaud », *Mercure de France*, 1er octobre 1954.

Il est certain que ce dernier Rimbaud ne nous étonne que comme un étrange vivant, enferré dans une destinée « martyrique[1] » à laquelle il ne lui vint pas même à l'esprit de se dérober. Voulut-il se racheter ? Plusieurs lettres le donneraient à entendre. Mais comme il fallait que la courbe de cette vie fût juste et accomplie, loisir ne nous aura pas été accordé de le voir en piètre bourgeois « retour des pays chauds » à l'ancre à Charleville avec femme et enfants. Dans son corps se frayait, comme la mort, une voie de solitude intacte. Et sur son œuvre veillait une décision, jamais battue en brèche, celle de ne pas y revenir. Le tout forme une perfection. Littérature et vie coordonnent leurs traits. Avec celui-là fut tirée l'*épreuve*, où ne se lit plus le stupide visage du lieu commun (ce que pensait Baudelaire de la photographie)[2], mais l'énergie, à peu de chose près souveraine, qui porte l'homme au faîte de son désir et le projette plus loin que toute ligne d'horizon, « étincelle d'or de la lumière *nature*[3] ».

Jean-Luc STEINMETZ

---

1. Ce mot reprend l'adjectif qualifiant des lettres de Rimbaud en 1872. Voir *Correspondance* de Verlaine, *op. cit.*, t. I, p. 236 (lettre de Verlaine à Rimbaud de la fin avril).

2. « À partir de ce moment [*l'invention de la photographie*], la société immonde se rua, comme un seul Narcisse, pour contempler sa triviale image sur le métal. » Baudelaire, *Salon de 1859* (II. *Le Public moderne et la photographie*), repris dans *Curiosités esthétiques*, Michel Lévy frères, 1868.

3. *Une saison en enfer*, p. 226.

ŒUVRES COMPLÈTES

PREMIERS TEXTES

[RÉCIT]

texte du « Cahier des dix ans »

I
PROLOGUE

Le soleil était encore chaud ; cependant il n'éclairait presque plus la terre ; comme un flambeau placé devant les voûtes gigantesques ne les éclaire plus que par une faible lueur, ainsi le soleil, flambeau terrestre, s'éteignait en laissant échapper de son corps de feu une dernière et faible lueur, laissant encore cependant voir les feuilles vertes des arbres, les petites fleurs qui se flétrissaient, et le sommet gigantesque des pins, des peupliers et des chênes séculaires. Le vent rafraîchissant, c'est-à-dire une brise fraîche, agitait les feuilles des arbres avec un bruissement à peu près semblable à celui que faisait le bruit des eaux argentées du ruisseau qui coulait à mes pieds. Les fougères courbaient leur front vert devant le vent. Je m'endormis, non sans m'être abreuvé de l'eau du ruisseau.

II

Je rêvai que... j'étais né à Reims, l'an 1503[1]. Reims était alors une petite ville ou, pour mieux dire, un bourg cependant renommé à cause de sa belle cathédrale, témoin du sacre du roi Clovis. Mes parents étaient peu riches, mais très honnêtes : ils n'avaient pour tout bien qu'une petite maison qui leur avait toujours appartenu et qui était en leur possession vingt ans avant que je ne fusse encore né, en plus, quelque mille francs et il faut encore ajouter les petits louis provenant des économies de ma mère. Mon père était officier* dans les armées du roi. C'était un homme grand, maigre, chevelure noire, barbe, yeux, peau de même couleur[2]... Quoiqu'il n'eût guère, quand j'étais né, que 48 ou cinquante ans, on lui en aurait certainement bien donné 60 ou... 58. Il était d'un caractère vif, bouillant, souvent en colère et ne voulant rien souffrir qui lui déplût. Ma mère était bien différente : femme douce, calme, s'effrayant de peu de chose, et cependant tenant la maison dans un ordre parfait. Elle était si calme que mon père l'amusait comme une jeune demoiselle. J'étais le plus aimé. Mes frères étaient moins vaillants que moi et cependant plus grands. J'aimais peu l'étude, c'est-à-dire d'apprendre à lire, écrire et compter... Mais si c'était pour arranger une maison, cultiver un jardin, faire des commissions, à la bonne heure, je me plaisais à cela.

Je me rappelle qu'un jour mon père m'avait promis vingt sous, si je lui faisais bien une division ; je commençai ; mais je ne pus finir. Ah ! combien de fois ne m'a-t-il pas promis de sous, des jouets, des friandises, même une fois cinq francs, si je pouvais lui lire quelque chose. Malgré cela, mon père me mit en classe dès que j'eus 10 ans. Pourquoi — me disais-je — apprendre du grec, du latin ? Je ne le sais. Enfin, on n'a pas besoin de cela. Que m'importe à moi que je sois reçu... à quoi cela sert-il d'être reçu, à rien, n'est-ce pas ? Si, pourtant ; on dit qu'on n'a une place que lorsqu'on est reçu. Moi, je ne veux pas de place ; je serai rentier. Quand même on en voudrait une, pourquoi apprendre le latin ? Personne ne parle cette langue. Quelquefois j'en vois sur les journaux ; mais, dieu merci, je ne serai pas journaliste.

---

* Colonel des Cent-Gardes. [*Note de Rimbaud.*]

Pourquoi apprendre et de l'histoire et de la géographie ? On a, il est vrai, besoin de savoir que Paris est en France, mais on ne demande pas à quel degré de latitude. De l'histoire, apprendre la vie de Chinaldon, de Nabopolassar, de Darios, de Cyrus, et d'Alexandre, et de leurs autres compères remarquables par leurs noms diaboliques, est un supplice ?

Que m'importe à moi qu'Alexandre ait été célèbre ? Que m'importe... Que sait-on si les latins ont existé ? C'est peut-être quelque langue forgée ; et quand même ils auraient existé, qu'ils me laissent rentier et conservent leur langue pour eux. Quel mal leur ai-je fait pour qu'ils me flanquent au supplice ? Passons au grec... Cette sale langue n'est parlée par personne, personne au monde !...

Ah ! saperlipotte de saperlipopette ! sapristi ! moi je serai rentier ; il ne fait pas si bon de s'user les culottes sur les bancs, saperlipopettouille !

Pour être décrotteur, gagner la place de décrotteur, il faut passer un examen ; car les places qui vous sont accordées sont d'être ou décrotteur, ou porcher, ou bouvier. Dieu merci, je n'en veux pas, moi, saperlipouille ! Avec ça des soufflets vous sont accordés pour récompense ; on vous appelle animal, ce qui n'est pas vrai, bout d'homme, etc...

La suite prochainement.

ah ! saperpouillotte !...

arthur.

LES ÉTRENNES DES ORPHELINS

I

La chambre est pleine d'ombre ; on entend vaguement
De deux enfants le triste et doux chuchotement.
Leur front se penche, encor, alourdi par le rêve,

Sous le long rideau blanc qui tremble et se soulève...
5 — Au dehors les oiseaux se rapprochent frileux ;
Leur aile s'engourdit sous le ton gris des cieux ;
Et la nouvelle Année, à la suite brumeuse,
Laissant traîner les plis de sa robe neigeuse,
Sourit avec des pleurs, et chante en grelottant...

II

10 Or les petits enfants, sous le rideau flottant,
Parlent bas comme on fait dans une nuit obscure.
Ils écoutent, pensifs, comme un lointain murmure...
Ils tressaillent souvent à la claire voix d'or
Du timbre matinal, qui frappe et frappe encor
15 Son refrain métallique en son globe de verre...
— Puis, la chambre est glacée... on voit traîner à terre,
Épars autour des lits, des vêtements de deuil :
L'âpre bise d'hiver qui se lamente au seuil
Souffle dans le logis son haleine morose !
20 On sent, dans tout cela, qu'il manque quelque chose...
— Il n'est donc point de mère à ces petits enfants,
De mère au frais sourire, aux regards triomphants ?
Elle a donc oublié, le soir, seule et penchée,
D'exciter une flamme à la cendre arrachée,
25 D'amonceler sur eux la laine et l'édredon
Avant de les quitter en leur criant : pardon.
Elle n'a point prévu la froideur matinale,
Ni bien fermé le seuil à la bise hivernale ?...
— Le rêve maternel, c'est le tiède tapis,
30 C'est le nid cotonneux où les enfants tapis,
Comme de beaux oiseaux que balancent les branches,
Dorment leur doux sommeil plein de visions blanches !...
— Et là, — c'est comme un nid sans plumes, sans
                                                [chaleur,
Où les petits ont froid, ne dorment pas, ont peur ;
35 Un nid que doit avoir glacé la bise amère...

III

Votre cœur l'a compris : — ces enfants sont sans mère.
Plus de mère au logis ! — et le père est bien loin !...
— Une vieille servante, alors, en a pris soin.
Les petits sont tout seuls en la maison glacée ;
40 Orphelins de quatre ans, voilà qu'en leur pensée
S'éveille, par degrés, un souvenir riant...
C'est comme un chapelet qu'on égrène en priant :
— Ah ! quel beau matin, que ce matin des étrennes !
Chacun, pendant la nuit, avait rêvé des siennes
45 Dans quelque songe étrange où l'on voyait joujoux,
Bonbons habillés d'or, étincelants bijoux,
Tourbillonner, danser une danse sonore,
Puis fuir sous les rideaux, puis reparaître encore !
On s'éveillait matin, on se levait joyeux,
50 La lèvre affriandée, en se frottant les yeux...
On allait, les cheveux emmêlés sur la tête,
Les yeux tout rayonnants, comme aux grands jours de
[fête,
Et les petits pieds nus effleurant le plancher,
Aux portes des parents tout doucement toucher...
55 On entrait !... Puis alors les souhaits,... en chemise,
Les baisers répétés, et la gaîté permise !

IV

Ah ! c'était si charmant, ces mots dits tant de fois !
— Mais comme il est changé, le logis d'autrefois :
Un grand feu pétillait, clair, dans la cheminée,
60 Toute la vieille chambre était illuminée ;
Et les reflets vermeils, sortis du grand foyer,
Sur les meubles vernis aimaient à tournoyer...
— L'armoire était sans clefs !... sans clefs, la grande
[armoire !
On regardait souvent sa porte brune et noire...
65 Sans clefs !... c'était étrange !... on rêvait bien des fois

Aux mystères dormant entre ses flancs de bois,
Et l'on croyait ouïr, au fond de la serrure
Béante, un bruit lointain, vague et joyeux murmure…
— La chambre des parents est bien vide, aujourd'hui :
70 Aucun reflet vermeil sous la porte n'a lui ;
Il n'est point de parents, de foyer, de clefs prises :
Partant, point de baisers, point de douces surprises !
Oh ! que le jour de l'an sera triste pour eux !
— Et, tout pensifs, tandis que de leurs grands yeux bleus,
75 Silencieusement tombe une larme amère,
Ils murmurent : « Quand donc reviendra notre mère ? »
....

V

Maintenant, les petits sommeillent tristement :
Vous diriez, à les voir, qu'ils pleurent en dormant,
Tant leurs yeux sont gonflés et leur souffle pénible !
80 Les tout petits enfants ont le cœur si sensible !
— Mais l'ange des berceaux vient essuyer leurs yeux,
Et dans ce lourd sommeil met un rêve joyeux,
Un rêve si joyeux, que leur lèvre mi-close,
Souriante, semblait murmurer quelque chose…
85 — Ils rêvent que, penchés sur leur petit bras rond,
Doux geste du réveil, ils avancent le front,
Et leur vague regard tout autour d'eux se pose…
Ils se croient endormis dans un paradis rose…
Au foyer plein d'éclairs chante gaîment le feu…
90 Par la fenêtre on voit là-bas un beau ciel bleu ;
La nature s'éveille et de rayons s'enivre…
La terre, demi-nue, heureuse de revivre,
A des frissons de joie aux baisers du soleil…
Et dans le vieux logis tout est tiède et vermeil :
95 Les sombres vêtements ne jonchent plus la terre,
La bise sous le seuil a fini par se taire…
On dirait qu'une fée a passé dans cela !…

— Les enfants, tout joyeux, ont jeté deux cris… Là,
Près du lit maternel, sous un beau rayon rose,
100 Là, sur le grand tapis, resplendit quelque chose…
Ce sont des médaillons argentés, noirs et blancs,
De la nacre et du jais aux reflets scintillants ;
Des petits cadres noirs, des couronnes de verre,
Ayant trois mots gravés en or : « à notre mère » !
....

CHARLES D'ORLÉANS À LOUIS XI

Sire, le temps a laissé son manteau de pluie ; les fouriers
d'été sont venus : donnons l'huys au visage à Mérencolie !
Vivent les lays et ballades ! moralités et joyeulsetés ! Que les
clercs de la basoche nous montent les folles soties : allons ouyr
la moralité du Bien-Advisé et Maladvisé, et la conversion du
clerc Théophilus, et come alèrent à Rome Saint Père et Saint
Pol, et comment furent martires ! Vivent les dames à rebrassés
collets, portant atours et broderyes ! N'est-ce pas, sire, qu'il
fait bon dire sous les arbres, quand les cieux sont vêtus de
bleu, quand le soleil cler luit, les doux rondeaux, les ballades
haut et cler chantées ? *J'ai ung arbre de la plante d'amours*, ou
Une fois me dites ouy, ma dame, ou *Riche amoureux a toujours
l'advantage*… Mais me voilà bien esbaudi, Sire, et vous allez
l'être comme moi : Maistre François Villon, le bon folastre,
le gentil raillart qui rima tout cela, engrillonné, nourri d'une
miche et d'eau, pleure et se lamente maintenant au fond du
Châtelet ! Pendu serez ! lui a-t-on dit devant notaire : et le
pauvre folet tout transi a fait son épitaphe pour lui et ses compagnons : et les gratieux gallans dont vous aimez tant les
rimes, s'attendent danser à Montfaulcon, plus becquetés
d'oiseaux que dés à coudre, dans la bruine et le soleil !

Oh! Sire, ce n'est pas pour folle plaisance qu'est là Villon! Pauvres housseurs ont assez de peine! Clergeons attendant leur nomination de l'Université, musards, montreurs de synges, joueurs de rebec qui payent leur escot en chansons, chevaucheurs d'escuryes, sires de deux écus, reîtres cachant leur nez en pots d'étain mieux qu'en casques de guerre * ; tous ces pauvres enfants secs et noirs comme escouvillons, qui ne voient de pain qu'aux fenêtres, que l'hiver emmitoufle d'onglée, ont choisi maistre François pour mère nourricière! Or nécessité fait gens méprendre, et faim saillir le loup du bois : peut-être l'Escollier, ung jour de famine, a-t-il pris des tripes au baquet des bouchers, pour les fricasser à l'Abreuvoir Popin ou à la taverne du Pestel? Peut-être a-t-il pipé une douzaine de pains au boulanger, ou changé à la Pomme du Pin un broc d'eau claire pour un broc de vin de Baigneux? Peut-être, un soir de grande galle au Plat-d'Étain, a-t-il rossé le guet à son arrivée ; ou les a-t-on surpris, autour de Montfaulcon, dans un souper conquis par noise, avec une dixaine de ribaudes? Ce sont les méfaits de maistre François! Parce qu'il nous montre ung gras chanoine mignonnant avec sa dame en chambre bien nattée, parce qu'il dit que le chappelain n'a cure de confesser, sinon chambrières et dames, et qu'il conseille aux dévotes, par bonne mocque, de parler contemplation sous les courtines, l'escollier fol, si bien riant, si bien chantant, gent comme esmerillon, tremble sous les griffes des grands juges, ces terribles oiseaux noirs que suivent corbeaux et pies! Lui et ses compagnons, pauvres piteux! accrocheront un nouveau chapelet de pendus aux bras de la forêt : le vent leur fera chandeaux dans le doux feuillage sonore : et vous, Sire, et tous ceux qui aiment le poète ne pourront rire qu'en pleurs en lisant ses joyeuses ballades : ils songeront qu'ils ont laissé mourir le gentil clerc qui chantait si follement, et ne pourront chasser Mérencolie!

---

* Olivier Basselin, *Vaux-de-Vire.* [*Note de Rimbaud.*]

Pipeur, larron, maistre François est pourtant le meilleur fils du monde : il rit des grasses souppes jacobines : mais il honore ce qu'a honoré l'église de Dieu, et madame la vierge, et la très sainte trinité ! Il honore la Cour de Parlement, mère des bons, et sœur des benoitz anges ; aux médisants du royaume de France, il veut presque autant de mal qu'aux taverniers qui brouillent le vin. Et dea ! Il sait bien qu'il a trop gallé au temps de sa jeunesse folle ! L'hiver, les soirs de famine, auprès de la fontaine Maubuay ou dans quelque piscine ruinée, assis à croppetons devant petit feu de chenevottes, qui flambe par instants pour rougir sa face maigre, il songe qu'il aurait maison et couche molle, s'il eût estudié !... Souvent, noir et flou comme chevaucheur d'escovettes, il regarde dans les logis par des mortaises : « — Ô, ces morceaulx savoureux et frians ! ces tartes, ces flans, ces grasses gelines dorées ! — Je suis plus affamé que Tantalus ! — Du rost ! du rost ! — Oh ! cela sent plus doux qu'ambre et civettes ! — Du vin de Beaulne dans de grandes aiguières d'argent ! — Haro ! la gorge m'ard !... Ô, si j'eusse estudié !... — Et mes chausses qui tirent la langue, et ma hucque qui ouvre toutes ses fenêtres, et mon feautre en dents de scie ! — Si je rencontrais un piteux Alexander, pour que je puisse, bien recueilli, bien débouté, chanter à mon aise comme Orpheus le doux ménétrier ! Si je pouvais vivre en honneur une fois avant que de mourir !... » Mais, voilà : souper de rondeaux, d'effets de lune sur les vieux toits, d'effets de lanternes sur le sol, c'est très maigre, très maigre ; puis passent, en justes cottes, les mignottes villotières qui font chosettes mignardes pour attirer les passants ; puis le regret des tavernes flamboyantes, pleines du cri des buveurs heurtant les pots d'étain et souvent les flamberges, du ricanement des ribaudes, et du chant aspre des rebecs mendiants ; le regret des vieilles ruelles noires où saillent follement, pour s'embrasser, des étages de maisons et des poutres énormes ; où, dans la nuit épaisse, passent, avec des sons de rapières traînées, des rires et des braieries abominables... Et l'oiseau rentre au vieux nid : Tout aux tavernes et aux filles !...

Oh ! Sire, ne pouvoir mettre plumail au vent par ce temps de joie ! La corde est bien triste en mai, quand tout chante, quand tout rit, quand le soleil rayonne sur les murs les plus lépreux ! Pendus seront, pour une franche repeue ! Villon est aux mains de la Cour de Parlement : le corbel n'écoutera pas le petit oiseau ! Sire, ce serait vraiment méfait de pendre ces gentils clers : ces poètes-là, voyez-vous, ne sont pas d'ici-bas : laissez-les vivre leur vie étrange ; laissez-les avoir froid et faim, laissez-les courir, aimer et chanter : ils sont aussi riches que Jacques Cœur, tous ces fols enfants, car ils ont des rimes plein l'âme, des rimes qui rient et qui pleurent, qui nous font rire ou pleurer : Laissez-les vivre : Dieu bénit tous les miséricords, et le monde bénit les poètes.

A. Rimbaud (1870).

LETTRE À THÉODORE DE BANVILLE

du 24 mai 1870
comprenant

[Par les beaux soirs d'été, j'irai dans les sentiers…]
Ophélie
Credo in unam

Charleville (Ardennes), le 24 mai 1870.

À Monsieur Théodore de Banville.

Cher Maître,

Nous sommes aux mois d'amour ; j'ai presque dix-sept ans [1]. L'âge des espérances et des chimères, comme on dit, — et voici que je me suis mis, enfant touché par le doigt de la Muse, — pardon si c'est banal, — à dire mes bonnes croyances, mes espérances, mes sensations, toutes ces choses des poètes — moi j'appelle cela du printemps.

Que si je vous envoie quelques-uns de ces vers, — et cela en passant par Alph. Lemerre, le bon éditeur, — c'est que j'aime tous les poètes, tous les bons Parnassiens, — puisque le poète est un Parnassien, — épris de la beauté idéale ; c'est que j'aime en vous, bien naïvement, un descendant de Ronsard[2], un frère de nos maîtres de 1830[3], un vrai romantique, un vrai poète. Voilà pourquoi, — c'est bête, n'est-ce pas, mais enfin ?…

Dans deux ans, dans un an peut-être, je serai à Paris. — Anch'io[4], messieurs du journal, je serai Parnassien ! — Je ne sais ce que j'ai là… qui veut monter… — Je jure, cher maître, d'adorer toujours les deux déesses, Muse et Liberté.

Ne faites pas trop la moue en lisant ces vers : … Vous me rendriez fou de joie et d'espérance, si vous vouliez, cher Maître, *faire faire* à la pièce *Credo in unam* une petite place entre les Parnassiens… Je viendrais à la dernière série du *Parnasse*[5] : cela ferait le Credo des poètes !… — Ambition ! ô Folle !

Arthur Rimbaud.

— *** —

Par les beaux soirs d'été, j'irai dans les sentiers,
Picoté par les blés, fouler l'herbe menue ;
Rêveur, j'en sentirai la fraîcheur à mes pieds :
4 Je laisserai le vent baigner ma tête nue…

Je ne parlerai pas, je ne penserai rien…
Mais un amour immense entrera dans mon âme :
Et j'irai loin, bien loin, comme un bohémien,
8 Par la Nature, — heureux comme avec une femme !

20 avril 1870
A. R.

Ophélie

I

Sur l'onde calme et noire où dorment les étoiles
La blanche Ophélia flotte comme un grand lys,
Flotte très lentement, couchée en ses longs voiles…
4 — On entend dans les bois de lointains hallalis…

Voici plus de mille ans que la triste Ophélie
Passe, fantôme blanc sur le long fleuve noir :
Voici plus de mille ans que sa douce folie
8 Murmure sa romance à la brise du soir…

Le vent baise ses seins et déploie en corolle
Ses longs voiles bercés mollement par les eaux :
Les saules frissonnants pleurent sur son épaule,
12 Sur son grand front rêveur s'inclinent les roseaux.

Les nénuphars froissés soupirent autour d'elle ;
Elle éveille parfois dans un aune qui dort,
Quelque nid d'où s'échappe un léger frisson d'aile :
16 — Un chant mystérieux tombe des astres d'or…

II

Ô pâle Ophélia ! belle comme la neige !
Oui tu mourus, enfant, par un fleuve emporté !
— C'est que les vents tombant des grands monts de
                                                    [Norwège
20 T'avaient parlé tout bas de l'âpre liberté ;

C'est qu'un souffle du ciel, tordant ta chevelure
À ton esprit rêveur portait d'étranges bruits ;
Que ton cœur entendait le cœur de la Nature
24 Dans les plaintes de l'arbre et les soupirs des nuits ;

C'est que la voix des mers, comme un immense râle,
Brisait ton sein d'enfant trop humain et trop doux ;
— C'est qu'un matin d'avril, un beau cavalier pâle,
28 Un pauvre fou s'assit, muet, à tes genoux !

Ciel ! Amour ! Liberté ! quel rêve, ô pauvre folle !
Tu te fondais à lui comme une neige au feu :
Tes grandes visions étranglaient ta parole :
32 — Un infini terrible égara ton œil bleu !...
....

III

— Et le Poète dit qu'aux rayons des étoiles
Tu viens chercher, la nuit, les fleurs que tu cueillis,
Et qu'il a vu sur l'eau, couchée en ses longs voiles,
36 La blanche Ophélia flotter comme un grand lys.

                                   Arthur Rimbaud
                                   15 mai 1870

Credo in unam...

....
Le soleil, le foyer de tendresse et de vie
Verse l'amour brûlant à la terre ravie ;
Et quand on est couché sur la vallée, on sent
Que la terre est nubile et déborde de sang ;
5 Que son immense sein, soulevé par une âme,
Est d'amour comme Dieu, de chair comme la Femme,
Et qu'il renferme, gros de sève et de rayons,
Le grand fourmillement de tous les embryons !

Et tout vit ! et tout monte !... — Ô Vénus ! ô Déesse !
10 Je regrette les temps de l'antique jeunesse,
    Des Satyres lascifs, des faunes animaux,
    Dieux qui mordaient d'amour l'écorce des rameaux,
    Et dans les nénuphars baisaient la Nymphe blonde !
    Je regrette les temps où la sève du monde,
15 L'eau du fleuve jaseur, le sang des arbres verts,
    Dans les veines de Pan mettaient un univers !
    Où tout naissait, vivait, sous ses longs pieds de chèvre ;
    Où, baisant mollement le vert syrinx, sa lèvre
    Murmurait sous le ciel le grand hymne d'amour ;
20 Où, debout sur la plaine, il entendait autour
    Répondre à son appel la Nature vivante ;
    Où les arbres muets berçant l'oiseau qui chante,
    La Terre berçant l'Homme, et le long fleuve bleu,
    Et tous les Animaux aimaient aux pieds d'un Dieu !

25 Je regrette les temps de la grande Cybèle
    Qu'on disait parcourir, gigantesquement belle,
    Sur un grand char d'airain les splendides cités !...
    Son double sein versait dans les immensités
    Le pur ruissellement de la vie infinie
30 L'Homme suçait, heureux, sa Mamelle bénie,
    Comme un petit enfant, jouant sur ses genoux !

    — Parce qu'il était fort, l'Homme était chaste et doux !
    ....
    Misère ! maintenant, il dit : je sais les choses,
    Et va les yeux fermés et les oreilles closes !
35 S'il accepte des dieux, il est au moins un Roi !
    C'est qu'il n'a plus l'Amour, s'il a perdu la Foi !
    — Oh ! s'il savait encor puiser à ta mamelle,
    Grande Mère des Dieux et des Hommes, Cybèle !
    S'il n'avait pas laissé l'immortelle Astarté
40 Qui jadis, émergeant dans l'immense clarté
    Des flots bleus, fleur de chair que la vague parfume,

Montra son nombril rose où vint neiger l'écume,
Et fit chanter partout, Déesse aux yeux vainqueurs,
Le Rossignol aux bois et l'amour dans les cœurs !
....
45 Je crois en Toi ! Je crois en Toi ! Divine Mère !
Aphroditè marine ! Ô ! la vie est amère,
Depuis qu'un autre dieu nous attelle à sa croix !
Mais c'est toi la Vénus ! c'est en toi que je crois !
Oui, l'homme est faible et laid, le doute le dévaste ;
50 Il a des vêtements, parce qu'il n'est plus chaste,
Parce qu'il a sali son fier buste de Dieu,
Et qu'il a rabougri, comme une idole au feu,
Son corps Olympien aux servitudes sales !
Oui, même après la mort, dans les squelettes pâles
55 Il veut vivre, insultant la première Beauté !
Et l'Idole où tu mis tant de virginité,
Où tu divinisas notre argile, la Femme,
Afin que l'Homme pût éclairer sa pauvre âme
Et monter lentement dans un immense amour
60 De la prison terrestre à la beauté du jour,
— La Femme ne sait plus faire la courtisane !...
— C'est une bonne farce, et le monde ricane
Au nom doux et sacré de la grande Vénus !
....
Oh ! les temps reviendront ! les temps sont bien venus !
65 Et l'Homme n'est pas fait pour jouer tous ces rôles !
Au grand jour, fatigué de briser des idoles,
Il ressuscitera, libre de tous ses Dieux,
Et comme il est du ciel, il scrutera les cieux !...
Tout ce qu'il a de Dieu sous l'argile charnelle,
70 L'Idéal, la pensée invincible, éternelle,
Montera, montera, brûlera sous son front !
Et quand tu le verras sonder tout l'horizon,
Contempteur du vieux joug, libre de toute crainte,
Tu viendras lui donner la Rédemption sainte !...
75 Splendide, radieuse, au sein des grandes mers,

Tu surgiras, jetant sur le vaste Univers
L'Amour infini dans un infini sourire !
Le monde vibrera comme une immense lyre
Dans le frémissement d'un immense baiser !
80 — Le Monde a soif d'amour : tu viendras l'apaiser !…

Ô ! l'Homme a relevé sa tête libre et fière !
Et le rayon soudain de la beauté première
Fait palpiter le dieu dans l'autel de la chair !
Heureux du bien présent, pâle du mal souffert,
85 L'Homme veut tout sonder, — et savoir ! La Pensée,
La cavale longtemps, si longtemps oppressée
S'élance de son front ! Elle saura Pourquoi !…
Qu'elle bondisse libre, et l'Homme aura la Foi !
— Pourquoi l'azur muet et l'espace insondable ?
90 Pourquoi les astres d'or fourmillant comme un sable ?
Si l'on montait toujours, que verrait-on là-haut ?
Un Pasteur mène-t-il cet immense troupeau
De mondes cheminant dans l'horreur de l'espace ?
Et tous ces mondes-là, que l'éther vaste embrasse,
95 Vibrent-ils aux accents d'une éternelle voix ?
— Et l'Homme, peut-il voir ? peut-il dire : Je crois ?
La voix de la pensée est-elle plus qu'un rêve ?
Si l'homme naît si tôt, si la vie est si brève,
D'où vient-il ? Sombre-t-il dans l'Océan profond
100 Des Germes, des Fœtus, des Embryons, au fond
De l'immense Creuset d'où la Mère-Nature
Le ressuscitera, vivante créature,
Pour aimer dans la rose, et croître dans les blés ?…

Nous ne pouvons savoir ! — Nous sommes accablés
105 D'un manteau d'ignorance et d'étroites chimères !
Singes d'hommes tombés de la vulve des mères,
Notre pâle raison nous cache l'infini !
Nous voulons regarder : — le Doute nous punit !
Le doute, morne oiseau, nous frappe de son aile…

110   — Et l'horizon s'enfuit d'une fuite éternelle !...
....

Le grand ciel est ouvert ! les mystères sont morts
Devant l'Homme, debout, qui croise ses bras forts
Dans l'immense splendeur de la riche nature !
Il chante... et le bois chante, et le fleuve murmure
115 Un chant plein de bonheur qui monte vers le jour !...
  — C'est la Rédemption ! c'est l'amour ! c'est l'amour !...
....

Ô splendeur de la chair ! ô splendeur idéale !
Ô renouveau sublime, aurore triomphale,
Où, courbant à leurs pieds les Dieux et les Héros,
120 La blanche Kallypige et le petit Éros
Effleureront, couverts de la neige des roses,
Les femmes et les fleurs sous leurs beaux pieds écloses !
  — Ô grande Ariadnè, qui jettes tes sanglots
Sur la rive, en voyant fuir là-bas sur les flots,
125 Blanche sous le soleil, la voile de Thésée,
Ô douce vierge enfant qu'une nuit a brisée,
Tais-toi : sur son char d'or brodé de noirs raisins,
Lysios, promené dans les champs Phrygiens
Par les tigres lascifs et les panthères rousses,
130 Le long des fleuves bleus rougit les sombres mousses.
  — Zeus, Taureau, sur son cou berce comme un enfant
Le corps nu d'Europè, qui jette son bras blanc
Au cou nerveux du Dieu frissonnant dans la vague...
Il tourne longuement vers elle son œil vague...
135 Elle laisse traîner sa pâle joue en fleur
Au front du dieu ; ses yeux sont fermés ; elle meurt
Dans un divin baiser, et le flot qui murmure
De son écume d'or fleurit sa chevelure...
  — Entre le laurier rose et le lotus jaseur
140 Glisse amoureusement le grand cygne rêveur
Embrassant la Léda des blancheurs de son aile...
  — Et tandis que Cypris passe, étrangement belle,
Et, cambrant les rondeurs splendides de ses reins,

Étale fièrement l'or de ses larges seins,
145 Et son ventre neigeux brodé de mousse noire ;
Héraclès, le Dompteur, et, comme d'une gloire,
Couvrant son vaste corps de la peau du lion,
S'avance, front terrible et doux, à l'horizon !…

Par la lune d'été vaguement éclairée,
150 Debout, nue, et rêvant dans sa pâleur dorée
Que tache le flot lourd de ses longs cheveux bleus,
Dans la clairière sombre où la mousse s'étoile,
La Dryade regarde au ciel mystérieux…
— La blanche Selenè laisse flotter son voile,
155 Craintive, sur les pieds du bel Endymion,
Et lui jette un baiser dans un pâle rayon…
— La source pleure au loin dans une longue extase ;
C'est la Nymphe qui rêve, un coude sur son vase
Au beau jeune homme fort que son onde a pressé…
160 — Une brise d'amour dans la nuit a passé…
Et dans les bois sacrés, sous l'horreur des grands arbres,
Majestueusement debout, les sombres marbres,
Les Dieux au front desquels le bouvreuil fait son nid,
— Les Dieux écoutent l'Homme et le monde infini !…
....

29 avril 1870.
Arthur Rimbaud.

Si ces vers trouvaient place au Parnasse contemporain ?
— ne sont-ils pas la foi des poètes ?
— je ne suis pas connu ; qu'importe ? les poètes sont frères.
Ces vers croient ; ils aiment ; ils espèrent : c'est tout.
— Cher maître, à moi : levez-moi un peu : je suis jeune :
tendez-moi la main…

[RECUEIL DEMENY]

1870

NOTICE

Le « Recueil Demeny » est composé de deux ensembles, d'inégale importance, constitués par Rimbaud en septembre, puis octobre 1870. Accueilli par deux fois au terme de ses fugues chez les demoiselles Gindre, des tantes d'Izambard habitant Douai, Rimbaud s'était mis en devoir de copier ses poèmes à l'intention d'un poète de vingt-six ans, Paul Demeny, que Georges Izambard, son jeune professeur en classe de rhétorique (l'actuelle première), venait de lui faire connaître et qui avait eu les honneurs de la publication. Les feuilles du premier ensemble sont souvent écrites au recto comme au verso. Celles du second ne le sont qu'au recto, Rimbaud ayant appris entre-temps (nous confie Izambard) que l'on préparait ainsi la copie pour l'imprimeur.

Tous ces poèmes sont signés, et la plupart datés. Nous les donnons dans l'ordre du recueil autographe de la British Library (don fait en 1986 de l'ancienne collection Stefan Zweig) qui correspond aussi, pour la première série, à l'ordre indiqué par Paul Demeny, le premier possesseur de ces textes, dans une lettre datée du 25 octobre 1897 à Rodolphe Darzens, l'éditeur du Reliquaire (premier livre, publié chez L. Genonceaux, en 1891, regroupant des œuvres de Rimbaud). Sur la transmission du « Recueil Demeny », voir l'édition de Steve Murphy, Œuvres complètes. Poésies, Champion, 1999, p. 177 sq.

[PREMIÈRE SÉRIE]

Les reparties de Nina

....

Lui — Ta poitrine sur ma poitrine,
      Hein ? nous irions,
Ayant de l'air plein la narine,
4   Aux frais rayons

Du bon matin bleu, qui vous baigne
      Du vin de jour ?...
Quand tout le bois frissonnant saigne
8   Muet d'amour

De chaque branche, gouttes vertes,
      Des bourgeons clairs,
On sent dans les choses ouvertes
12   Frémir des chairs :

Tu plongerais dans la luzerne
      Ton blanc peignoir,
Rosant à l'air ce bleu qui cerne
16   Ton grand œil noir,

Amoureuse de la campagne,
      Semant partout,
Comme une mousse de champagne,
20   Ton rire fou :

Riant à moi, brutal d'ivresse,
      Qui te prendrais

Comme cela, — la belle tresse,
        Oh ! — qui boirais

Ton goût de framboise et de fraise,
        Ô chair de fleur !
Riant au vent vif qui te baise
        Comme un voleur,

Au rose églantier qui t'embête
        Aimablement :
Riant surtout, ô folle tête,
        À ton amant !... [a]
....

— Ta poitrine sur ma poitrine,
        Mêlant nos voix,
Lents, nous gagnerions la ravine,
        Puis les grands bois !...

Puis, comme une petite morte,
        Le cœur pâmé,
Tu me dirais que je te porte,
        L'œil mi-fermé...

Je te porterais, palpitante,
        Dans le sentier :
L'oiseau filerait son andante :
        Au Noisetier...

Je te parlerais dans ta bouche ;
        J'irais, pressant

a. [Dix-sept ans ! Tu seras heureuse !
        Oh ! les grands prés,
    La grande campagne amoureuse !
        — Dis, viens plus près !...]

Ton corps, comme une enfant qu'on couche,
                Ivre du sang

48

Qui coule, bleu, sous ta peau blanche
                Aux tons rosés :
Et te parlant la langue franche...
52   Tiens !... — que tu sais...

Nos grands bois sentiraient la sève
                Et le soleil
Sablerait d'or fin leur grand rêve
56   Vert et vermeil.
....

Le soir ?... Nous reprendrons la route
                Blanche qui court
Flânant, comme un troupeau qui broute,
60   Tout à l'entour.

Les bons vergers à l'herbe bleue
                Aux pommiers tors !
Comme on les sent toute une lieue
64   Leurs parfums forts !

Nous regagnerons le village
                Au ciel mi-noir ;
Et ça sentira le laitage
68   Dans l'air du soir ;

Ça sentira l'étable, pleine
                De fumiers chauds,
Pleine d'un lent rhythme d'haleine,
72   Et de grands dos

Blanchissant sous quelque lumière ;
                Et, tout là-bas,

Une vache fientera, fière,
      À chaque pas...

76

— Les lunettes de la grand'mère
      Et son nez long
Dans son missel ; le pot de bière
      Cerclé de plomb,

80

Moussant entre les larges pipes
      Qui, crânement,
Fument : les effroyables lippes
      Qui, tout fumant,

84

Happent le jambon aux fourchettes
      Tant, tant et plus :
Le feu qui claire les couchettes
      Et les bahuts :

88

Les fesses luisantes et grasses
      D'un gros enfant
Qui fourre, à genoux, dans les tasses,
      Son museau blanc

92

Frôlé par un mufle qui gronde
      D'un ton gentil,
Et pourlèche la face ronde
      Du cher petit...[a]

96

      ....

Que de choses verrons-nous, chère,
      Dans ces taudis,

---

a. [Noire, rogue au bord de sa chaise,
    Affreux profil,
  Une vieille devant la braise
    Qui fait du fil ;]

Quand la flamme illumine, claire,
Les carreaux gris !...

— Puis, petite et toute nichée
Dans les lilas
Noirs et frais : la vitre cachée,
Qui rit là-bas...

Tu viendras, tu viendras, je t'aime !
Ce sera beau.
Tu viendras, n'est-ce pas, et même...

Elle — *Et mon bureau ?*

Arthur Rimbaud

Vénus Anadyomène

Comme d'un cercueil vert en fer blanc, une tête
De femme à cheveux bruns fortement pommadés
D'une vieille baignoire émerge, lente et bête,
Avec des déficits assez mal ravaudés ;

Puis le col gras et gris, les larges omoplates
Qui saillent ; le dos court qui rentre et qui ressort ;
Puis les rondeurs des reins semblent prendre l'essor ;
La graisse sous la peau paraît en feuilles plates ;

L'échine est un peu rouge, et le tout sent un goût
Horrible étrangement ; on remarque surtout
Des singularités qu'il faut voir à la loupe...

12 Les reins portent deux mots gravés : *Clara Venus* ;
— Et tout ce corps remue et tend sa large croupe
Belle hideusement d'un ulcère à l'anus.

Arthur Rimbaud

« ... Français de soixante-dix, bonapartistes,
républicains, souvenez-vous de vos pères en 92, etc. »
....

— Paul de CASSAGNAC
Le Pays

Morts de Quatre-vingt-douze et de Quatre-vingt-treize,
Qui, pâles du baiser fort de la liberté,
Calmes, sous vos sabots, brisiez le joug qui pèse
4 Sur l'âme et sur le front de toute humanité ;

Hommes extasiés et grands dans la tourmente,
Vous dont les cœurs sautaient d'amour sous les haillons,
Ô Soldats que la Mort a semés, noble Amante,
8 Pour les régénérer, dans tous les vieux sillons ;

Vous dont le sang lavait toute grandeur salie,
Morts de Valmy, Morts de Fleurus, Morts d'Italie,
Ô million de Christs aux yeux sombres et doux ;

12 Nous vous laissions dormir avec la République,
Nous, courbés sous les rois comme sous une trique :
— Messieurs de Cassagnac nous reparlent de vous !

Arthur Rimbaud
fait à *Mazas*, 3 septembre 1870.

Première soirée

— Elle était fort déshabillée
Et de grands arbres indiscrets
Aux vitres jetaient leur feuillée
Malinement, tout près, tout près.

Assise sur ma grande chaise,
Mi-nue, elle joignait les mains.
Sur le plancher frissonnaient d'aise
Ses petits pieds si fins, si fins.

— Je regardai, couleur de cire
Un petit rayon buissonnier
Papillonner dans son sourire
Et sur son sein, — mouche au rosier.

— Je baisai ses fines chevilles.
Elle eut un doux rire brutal
Qui s'égrenait en claires trilles,
Un joli rire de cristal.

Les petits pieds sous la chemise
Se sauvèrent : « Veux-tu finir ! »
— La première audace permise,
Le rire feignait de punir !

— Pauvrets palpitants sous ma lèvre,
Je baisai doucement ses yeux :
— Elle jeta sa tête mièvre
En arrière : « Oh ! c'est encor mieux !…

« Monsieur, j'ai deux mots à te dire… »
— Je lui jetai le reste au sein

Dans un baiser, qui la fit rire
28   D'un bon rire qui voulait bien...

— Elle était fort déshabillée
Et de grands arbres indiscrets
Aux vitres jetaient leur feuillée
32   Malinement, tout près, tout près.

Arthur Rimbaud

Sensation

Par les soirs bleus d'été, j'irai dans les sentiers,
Picoté par les blés, fouler l'herbe menue :
Rêveur, j'en sentirai la fraîcheur à mes pieds.
4   Je laisserai le vent baigner ma tête nue.

Je ne parlerai pas, je ne penserai rien :
Mais l'amour infini me montera dans l'âme,
Et j'irai loin, bien loin, comme un bohémien,
8   Par la Nature, — heureux comme avec une femme.

Mars 1870. Arthur Rimbaud

Bal des pendus

Au gibet noir, manchot aimable,
Dansent, dansent les paladins
Les maigres paladins du diable,
4   Les squelettes de Saladins.

Messire Belzebuth tire par la cravate
Ses petits pantins noirs grimaçant sur le ciel,
Et, leur claquant au front un revers de savate,
8   Les fait danser, danser aux sons d'un vieux Noël !

Et les pantins choqués enlacent leurs bras grêles :
Comme des orgues noirs, les poitrines à jour
Que serraient autrefois les gentes damoiselles,
12 Se heurtent longuement dans un hideux amour.

Hurrah ! Les gais danseurs, qui n'avez plus de panse !
On peut cabrioler, les tréteaux sont si longs !
Hop ! qu'on ne sache plus si c'est bataille ou danse !
16 Belzebuth enragé racle ses violons !

Ô durs talons, jamais on n'use sa sandale !
Presque tous ont quitté la chemise de peau :
Le reste est peu gênant et se voit sans scandale.
20 Sur les crânes, la neige applique un blanc chapeau :

Le corbeau fait panache à ces têtes fêlées,
Un morceau de chair tremble à leur maigre menton :
On dirait, tournoyant dans les sombres mêlées,
24 Des preux, raides, heurtant armures de carton.

Hurrah ! La bise siffle au grand bal des squelettes !
Le gibet noir mugit comme un orgue de fer !
Les loups vont répondant des forêts violettes :
28 À l'horizon, le ciel est d'un rouge d'enfer...

Holà, secouez-moi ces capitans funèbres
Qui défilent, sournois, de leurs gros doigts cassés
Un chapelet d'amour sur leurs pâles vertèbres :
32 Ce n'est pas un moustier ici, les trépassés !

Oh ! voilà qu'au milieu de la danse macabre
Bondit dans le ciel rouge un grand squelette fou
Emporté par l'élan, comme un cheval se cabre :
36 Et, se sentant encor la corde raide au cou,

Crispe ses petits doigts sur son fémur qui craque
Avec des cris pareils à des ricanements,
Et, comme un baladin rentre dans la baraque,
40 Rebondit dans le bal au chant des ossements.

Au gibet noir, manchot aimable,
Dansent, dansent les paladins
Les maigres paladins du diable,
44 Les squelettes de Saladins.

Arthur Rimbaud

Les Effarés

Noirs dans la neige et dans la brume,
Au grand soupirail qui s'allume,
Leurs culs en rond,

À genoux, cinq petits — misère ! —
5 Regardent le boulanger faire
Le lourd pain blond…

Ils voient le fort bras blanc qui tourne
La pâte grise, et qui l'enfourne
Dans un trou clair.

10 Ils écoutent le bon pain cuire.
    Le boulanger au gras sourire
            Chante un vieil air.

    Ils sont blottis, pas un ne bouge,
    Au souffle du soupirail rouge,
15   Chaud comme un sein.

    Et quand, pendant que minuit sonne,
    Façonné, pétillant et jaune,
            On sort le pain,

    Quand, sous les poutres enfumées,
20 Chantent les croûtes parfumées,
            Et les grillons ;

    Quand ce trou chaud souffle la vie ;
    Ils ont leur âme si ravie
            Sous leurs haillons,

25 Ils se ressentent si bien vivre,
    Les pauvres petits pleins de givre !
            — Qu'ils sont là, tous,

    Collant leurs petits museaux roses
    Au grillage, chantant des choses,
30   Entre les trous,

    Mais bien bas, — comme une prière…
    Repliés vers cette lumière
            Du ciel rouvert,

    — Si fort, qu'ils crèvent leur culotte,
35 — Et que leur lange blanc tremblotte
            Au vent d'hiver…

                        Arthur Rimbaud
                        20 sept. 70.

Roman

I

On n'est pas sérieux, quand on a dix-sept ans.
— Un beau soir, foin des bocks et de la limonade,
Des cafés tapageurs aux lustres éclatants !
4 — On va sous les tilleuls verts de la promenade.

Les tilleuls sentent bon dans les bons soirs de juin !
L'air est parfois si doux, qu'on ferme la paupière ;
Le vent chargé de bruits, — la ville n'est pas loin, —
8 A des parfums de vigne et des parfums de bière...

II

— Voilà qu'on aperçoit un tout petit chiffon
D'azur sombre, encadré d'une petite branche,
Piqué d'une mauvaise étoile, qui se fond
12 Avec de doux frissons, petite et toute blanche...

Nuit de juin ! Dix-sept ans ! — On se laisse griser.
La sève est du champagne et vous monte à la tête...
On divague ; on se sent aux lèvres un baiser
16 Qui palpite là, comme une petite bête...

III

Le cœur fou Robinsonne à travers les romans,
— Lorsque, dans la clarté d'un pâle réverbère,
Passe une demoiselle aux petits airs charmants,
20 Sous l'ombre du faux-col effrayant de son père...

Et, comme elle vous trouve immensément naïf,
Tout en faisant trotter ses petites bottines,
Elle se tourne, alerte et d'un mouvement vif...
24 — Sur vos lèvres alors meurent les cavatines...

IV

Vous êtes amoureux. Loué jusqu'au mois d'août.
Vous êtes amoureux. — Vos sonnets La font rire.
Tous vos amis s'en vont, vous êtes mauvais goût.
28 — Puis l'adorée, un soir, a daigné vous écrire… !

— Ce soir-là,… — vous rentrez aux cafés éclatants,
Vous demandez des bocks ou de la limonade…
— On n'est pas sérieux, quand on a dix-sept ans
32 Et qu'on a des tilleuls verts sur la promenade.

                                        29 sept. 70. Arthur Rimbaud

Rages de Césars

L'Homme pâle, le long des pelouses fleuries,
Chemine, en habit noir, et le cigare aux dents :
L'Homme pâle repense aux fleurs des Tuileries
4 — Et parfois son œil terne a des regards ardents…

Car l'Empereur est soûl de ses vingt ans d'orgie !
Il s'était dit : « Je vais souffler la Liberté
Bien délicatement, ainsi qu'une bougie ! »
8 La Liberté revit ! Il se sent éreinté !

Il est pris. — Oh ! quel nom sur ses lèvres muettes
Tressaille ? Quel regret implacable le mord ?
On ne le saura pas. L'Empereur a l'œil mort.

12 Il repense peut-être au Compère en lunettes…
— Et regarde filer de son cigare en feu,
Comme aux soirs de Saint-Cloud, un fin nuage bleu.

                                              Arthur Rimbaud

Le Mal

Tandis que les crachats rouges de la mitraille
Sifflent tout le jour par l'infini du ciel bleu ;
Qu'écarlates ou verts, près du Roi qui les raille,
4 Croulent les bataillons en masse dans le feu ;

Tandis qu'une folie épouvantable, broie
Et fait de cent milliers d'hommes un tas fumant ;
— Pauvres morts ! dans l'été, dans l'herbe, dans ta joie,
8 Nature ! ô toi qui fis ces hommes saintement !... —

— Il est un Dieu, qui rit aux nappes damassées
Des autels, à l'encens, aux grands calices d'or ;
Qui dans le bercement des hosannah s'endort,

12 Et se réveille, quand des mères, ramassées
Dans l'angoisse, et pleurant sous leur vieux bonnet noir,
Lui donnent un gros sou lié dans leur mouchoir !

Arthur Rimbaud

Ophélie

I

Sur l'onde calme et noire où dorment les étoiles
La blanche Ophélia flotte comme un grand lys,
Flotte très lentement, couchée en ses longs voiles...
4 — On entend dans les bois lointains des hallalis.

Voici plus de mille ans que la triste Ophélie
Passe, fantôme blanc, sur le long fleuve noir ;

Voici plus de mille ans que sa douce folie
8 Murmure sa romance à la brise du soir.

Le vent baise ses seins et déploie en corolle
Ses grands voiles bercés mollement par les eaux ;
Les saules frissonnants pleurent sur son épaule,
12 Sur son grand front rêveur s'inclinent les roseaux.

Les nénuphars froissés soupirent autour d'elle ;
Elle éveille parfois, dans un aune qui dort,
Quelque nid, d'où s'échappe un petit frisson d'aile :
16 — Un chant mystérieux tombe des astres d'or.

II

Ô pâle Ophélia ! belle comme la neige !
Oui tu mourus, enfant, par un fleuve emporté !
— C'est que les vents tombant des grands monts de
[Norwège
20 T'avaient parlé tout bas de l'âpre liberté ;

C'est qu'un souffle, tordant ta grande chevelure,
À ton esprit rêveur portait d'étranges bruits ;
Que ton cœur écoutait le chant de la Nature
24 Dans les plaintes de l'arbre et les soupirs des nuits ;

C'est que la voix des mers folles, immense râle,
Brisait ton sein d'enfant, trop humain et trop doux ;
C'est qu'un matin d'avril, un beau cavalier pâle,
28 Un pauvre fou, s'assit muet à tes genoux !

Ciel ! Amour ! Liberté ! Quel rêve, ô pauvre Folle !
Tu te fondais à lui comme une neige au feu :
Tes grandes visions étranglaient ta parole
32 — Et l'Infini terrible effara ton œil bleu !

III

— Et le Poète dit qu'aux rayons des étoiles
Tu viens chercher, la nuit, les fleurs que tu cueillis,
Et qu'il a vu sur l'eau, couchée en ses longs voiles,
36 La blanche Ophélia flotter, comme un grand lys.

Arthur Rimbaud

Le Châtiment de Tartufe

Tisonnant, tisonnant son cœur amoureux sous
Sa chaste robe noire, heureux, la main gantée,
Un jour qu'il s'en allait, effroyablement doux,
4 Jaune, bavant la foi de sa bouche édentée,

Un jour qu'il s'en allait, « Oremus », — un Méchant
Le prit rudement par son oreille benoîte
Et lui jeta des mots affreux, en arrachant
8 Sa chaste robe noire autour de sa peau moite !

Châtiment !… Ses habits étaient déboutonnés,
Et le long chapelet des péchés pardonnés
S'égrenant dans son cœur, Saint Tartufe était pâle !…

12 Donc, il se confessait, priait, avec un râle !
L'homme se contenta d'emporter ses rabats…
— Peuh ! Tartufe était nu du haut jusques en bas !

Arthur Rimbaud

À la Musique

Place de la gare, à Charleville.

Sur la place taillée en mesquines pelouses,
Square où tout est correct, les arbres et les fleurs,
Tous les bourgeois poussifs qu'étranglent les chaleurs
4 Portent, les jeudis soirs, leurs bêtises jalouses.

— L'orchestre militaire, au milieu du jardin,
Balance ses schakos dans la *Valse des fifres* :
— Autour, aux premiers rangs, parade le gandin ;
8 Le notaire pend à ses breloques à chiffres.

Des rentiers à lorgnons soulignent tous les couacs :
Les gros bureaux bouffis traînent leurs grosses dames
Auprès desquelles vont, officieux cornacs,
12 Celles dont les volants ont des airs de réclames ;

Sur les bancs verts, des clubs d'épiciers retraités
Qui tisonnent le sable avec leur canne à pomme,
Fort sérieusement discutent les traités,
16 Puis prisent en argent, et reprennent : « En somme !... »

Épatant sur son banc les rondeurs de ses reins,
Un bourgeois à boutons clairs, bedaine flamande,
Savoure son onnaing d'où le tabac par brins
20 Déborde — vous savez, c'est de la contrebande ; —

Le long des gazons verts ricanent les voyous ;
Et, rendus amoureux par le chant des trombones,
Très naïfs, et fumant des roses, les pioupious
24 Caressent les bébés pour enjôler les bonnes...

— Moi, je suis, débraillé comme un étudiant,
Sous les marronniers verts les alertes fillettes :

Elles le savent bien ; et tournent en riant,
28 Vers moi, leurs yeux tout pleins de choses indiscrètes.

Je ne dis pas un mot : je regarde toujours
La chair de leurs cous blancs brodés de mèches folles :
Je suis, sous le corsage et les frêles atours,
32 Le dos divin après la courbe des épaules.

J'ai bientôt déniché la bottine, le bas…
— Je reconstruis les corps, brûlé de belles fièvres.
Elles me trouvent drôle et se parlent tout bas…
36 — Et je sens les baisers qui me viennent aux lèvres.

                                             Arthur Rimbaud

Le Forgeron

Palais des Tuileries,
vers le 10 août 92

Le bras sur un marteau gigantesque, effrayant
D'ivresse et de grandeur, le front vaste, riant
Comme un clairon d'airain, avec toute sa bouche,
Et prenant ce gros-là dans son regard farouche,
5 Le Forgeron parlait à Louis Seize, un jour
Que le Peuple était là, se tordant tout autour,
Et sur les lambris d'or traînant sa veste sale.
Or le bon roi, debout sur son ventre, était pâle,
Pâle comme un vaincu qu'on prend pour le gibet,
10 Et, soumis comme un chien, jamais ne regimbait
Car ce maraud de forge aux énormes épaules
Lui disait de vieux mots et des choses si drôles,
Que cela l'empoignait au front, comme cela !

« Or, tu sais bien, Monsieur, nous chantions tra la la
15 Et nous piquions les bœufs vers les sillons des autres :
Le Chanoine au soleil filait des patenôtres
Sur des chapelets clairs grenés de pièces d'or.
Le Seigneur, à cheval, passait, sonnant du cor
Et l'un avec la hart, l'autre avec la cravache
20 Nous fouaillaient. — Hébétés comme des yeux de vache,
Nos yeux ne pleuraient plus ; nous allions, nous allions,
Et quand nous avions mis le pays en sillons,
Quand nous avions laissé dans cette terre noire
Un peu de notre chair… nous avions un pourboire :
25 On nous faisait flamber nos taudis dans la nuit ;
Nos petits y faisaient un gâteau fort bien cuit.

… « Oh ! je ne me plains pas. Je te dis mes bêtises,
C'est entre nous. J'admets que tu me contredises.
Or, n'est-ce pas joyeux de voir, au mois de juin
30 Dans les granges entrer des voitures de foin
Énormes ? De sentir l'odeur de ce qui pousse,
Des vergers quand il pleut un peu, de l'herbe rousse ?
De voir des blés, des blés, des épis pleins de grain,
De penser que cela prépare bien du pain ?…
35 Oh ! plus fort, on irait, au fourneau qui s'allume,
Chanter joyeusement en martelant l'enclume,
Si l'on était certain de pouvoir prendre un peu
Étant homme, à la fin ! de ce que donne Dieu !
— Mais voilà, c'est toujours la même vieille histoire !

40 « Mais je sais, maintenant ! Moi, je ne peux plus croire,
Quand j'ai deux bonnes mains, mon front et mon

                                     [marteau,
Qu'un homme vienne là, dague sur le manteau,
Et me dise : Mon gars, ensemence ma terre ;
Que l'on arrive encor, quand ce serait la guerre,
45 Me prendre mon garçon comme cela, chez moi !

— Moi, je serais un homme, et toi, tu serais roi,
Tu me dirais : Je veux !... — Tu vois bien, c'est stupide.

Tu crois que j'aime voir ta baraque splendide,
Tes officiers dorés, tes mille chenapans,
50 Tes palsembleu bâtards tournant comme des paons :
Ils ont rempli ton nid de l'odeur de nos filles
Et de petits billets pour nous mettre aux Bastilles,
Et nous dirons : C'est bien : les pauvres à genoux !
Nous dorerons ton Louvre en donnant nos gros sous !
55 Et tu te soûleras, tu feras belle fête.
— Et ces Messieurs riront, les reins sur notre tête !

« Non. Ces saletés-là datent de nos papas !
Oh ! Le Peuple n'est plus une putain. Trois pas
Et, tous, nous avons mis ta Bastille en poussière.
60 Cette bête suait du sang à chaque pierre
Et c'était dégoûtant, la Bastille debout
Avec ses murs lépreux qui nous racontaient tout
Et, toujours, nous tenaient enfermés dans leur ombre !
— Citoyen ! citoyen ! c'était le passé sombre
65 Qui croulait, qui râlait, quand nous prîmes la tour !
Nous avions quelque chose au cœur comme l'amour.
Nous avions embrassé nos fils sur nos poitrines.
Et, comme des chevaux, en soufflant des narines
Nous allions, fiers et forts, et ça nous battait là...
70 Nous marchions au soleil, front haut, — comme cela —,
Dans Paris ! On venait devant nos vestes sales.
Enfin ! Nous nous sentions Hommes ! Nous étions pâles,
Sire, nous étions soûls de terribles espoirs :
Et quand nous fûmes là, devant les donjons noirs,
75 Agitant nos clairons et nos feuilles de chêne,
Les piques à la main ; nous n'eûmes pas de haine,
— Nous nous sentions si forts, nous voulions être doux !
....
....

« Et depuis ce jour-là, nous sommes comme fous !
Le tas des ouvriers a monté dans la rue,
80 Et ces maudits s'en vont, foule toujours accrue
De sombres revenants, aux portes des richards.
Moi, je cours avec eux assommer les mouchards :
Et je vais dans Paris, noir, marteau sur l'épaule,
Farouche, à chaque coin balayant quelque drôle,
85 Et, si tu me riais au nez, je te tuerais !
— Puis, tu peux y compter, tu te feras des frais
Avec tes hommes noirs, qui prennent nos requêtes
Pour se les renvoyer comme sur des raquettes
Et, tout bas, les malins ! se disent : "Qu'ils sont sots !"
90 Pour mitonner des lois, coller de petits pots
Pleins de jolis décrets roses et de droguailles,
S'amuser à couper proprement quelques tailles,
Puis se boucher le nez quand nous marchons près d'eux,
— Nos doux représentants qui nous trouvent
                                    [crasseux ! —
95 Pour ne rien redouter, rien, que les baïonnettes...,
C'est très-bien. Foin de leur tabatière à sornettes !
Nous en avons assez, là, de ces cerveaux plats
Et de ces ventres-dieux. Ah ! ce sont là les plats
Que tu nous sers, bourgeois, quand nous sommes féroces,
100 Quand nous brisons déjà les sceptres et les crosses !... »
....
Il le prend par le bras, arrache le velours
Des rideaux, et lui montre en bas les larges cours
Où fourmille, où fourmille, où se lève la foule,
La foule épouvantable avec des bruits de houle,
105 Hurlant comme une chienne, hurlant comme une mer,
Avec ses bâtons forts et ses piques de fer,
Ses tambours, ses grands cris de halles et de bouges,
Tas sombre de haillons saignant de bonnets rouges :
L'Homme, par la fenêtre ouverte, montre tout
110 Au roi pâle et suant qui chancelle debout,
Malade à regarder cela !

« C'est la Crapule,
Sire. Ça bave aux murs, ça monte, ça pullule :
— Puisqu'ils ne mangent pas, Sire, ce sont des gueux !
Je suis un forgeron : ma femme est avec eux,
115 Folle ! Elle croit trouver du pain aux Tuileries !
— On ne veut pas de nous dans les boulangeries.
J'ai trois petits. Je suis crapule. — Je connais
Des vieilles qui s'en vont pleurant sous leurs bonnets
Parce qu'on leur a pris leur garçon ou leur fille :
120 C'est la crapule. — Un homme était à la bastille,
Un autre était forçat : et tous deux, citoyens
Honnêtes. Libérés, ils sont comme des chiens :
On les insulte ! Alors, ils ont là quelque chose
Qui leur fait mal, allez ! C'est terrible, et c'est cause
125 Que se sentant brisés, que, se sentant damnés,
Ils sont là, maintenant, hurlant sous votre nez !
Crapule. — Là-dedans sont des filles, infâmes
Parce que, — vous saviez que c'est faible, les femmes, —
Messeigneurs de la cour, — que ça veut toujours bien, —
130 Vous [leur] avez craché sur l'âme, comme rien !
Vos belles, aujourd'hui, sont là. C'est la crapule.

....

« Oh ! tous les Malheureux, tous ceux dont le dos brûle
Sous le soleil féroce, et qui vont, et qui vont,
Qui dans ce travail-là sentent crever leur front,
135 Chapeau bas, mes bourgeois ! Oh ! ceux-là, sont les
                                     [Hommes !
Nous sommes Ouvriers, Sire ! Ouvriers ! Nous sommes
Pour les grands temps nouveaux où l'on voudra savoir,
Où l'Homme forgera du matin jusqu'au soir,
Chasseur des grands effets, chasseur des grandes causes,
140 Où, lentement vainqueur, il domptera les choses
Et montera sur Tout, comme sur un cheval !
Oh ! splendides lueurs des forges ! Plus de mal,
Plus ! — Ce qu'on ne sait pas, c'est peut-être terrible :

Nous saurons ! — Nos marteaux en main, passons au
[crible
145 Tout ce que nous savons : puis, Frères, en avant !
Nous faisons quelquefois ce grand rêve émouvant
De vivre simplement, ardemment, sans rien dire
De mauvais, travaillant sous l'auguste sourire
D'une femme qu'on aime avec un noble amour :
150 Et l'on travaillerait fièrement tout le jour,
Écoutant le devoir comme un clairon qui sonne :
Et l'on se sentirait très heureux : et personne,
Oh ! personne, surtout, ne vous ferait ployer !
On aurait un fusil au-dessus du foyer...
....
155 « Oh ! mais l'air est tout plein d'une odeur de bataille !
Que te disais-je donc ? Je suis de la canaille !
Il reste des mouchards et des accapareurs.
Nous sommes libres, nous ! Nous avons des terreurs
Où nous nous sentons grands, oh ! si grands ! Tout à
[l'heure
160 Je parlais de devoir calme, d'une demeure...
Regarde donc le ciel ! — C'est trop petit pour nous,
Nous crèverions de chaud, nous serions à genoux !
Regarde donc le ciel ! — Je rentre dans la foule,
Dans la grande canaille effroyable, qui roule,
165 Sire, tes vieux canons sur les sales pavés :
— Oh ! quand nous serons morts, nous les aurons lavés
— Et si, devant nos cris, devant notre vengeance,
Les pattes des vieux rois mordorés, sur la France
Poussent leurs régiments en habits de gala,
170 Eh bien, n'est-ce pas, vous tous ? Merde à ces chiens-là ! »
....
— Il reprit son marteau sur l'épaule.
La foule
Près de cet homme-là se sentait l'âme soûle,
Et, dans la grande cour, dans les appartements,
Où Paris haletait avec des hurlements,

175 Un frisson secoua l'immense populace.
Alors, de sa main large et superbe de crasse,
Bien que le roi ventru suât, le Forgeron,
Terrible, lui jeta le bonnet rouge au front !

Arthur Rimbaud

Soleil et Chair

I

Le Soleil, le foyer de tendresse et de vie,
Verse l'amour brûlant à la terre ravie,
Et, quand on est couché sur la vallée, on sent
Que la terre est nubile et déborde de sang ;
5 Que son immense sein, soulevé par une âme,
Est d'amour comme dieu, de chair comme la femme,
Et qu'il renferme, gros de sève et de rayons,
Le grand fourmillement de tous les embryons !

Et tout croît, et tout monte !

— Ô Vénus, ô Déesse !
10 Je regrette les temps de l'antique jeunesse,
Des satyres lascifs, des faunes animaux,
Dieux qui mordaient d'amour l'écorce des rameaux
Et dans les nénufars baisaient la Nymphe blonde !
Je regrette les temps où la sève du monde,
15 L'eau du fleuve, le sang rose des arbres verts
Dans les veines de Pan mettaient un univers !
Où le sol palpitait, vert, sous ses pieds de chèvre ;
Où, baisant mollement le clair syrinx, sa lèvre
Modulait sous le ciel le grand hymne d'amour ;
20 Où, debout sur la plaine, il entendait autour

Répondre à son appel la Nature vivante ;
Où les arbres muets, berçant l'oiseau qui chante,
La terre berçant l'homme, et tout l'Océan bleu
Et tous les animaux aimaient, aimaient en Dieu !

25 Je regrette les temps de la grande Cybèle
Qu'on disait parcourir, gigantesquement belle,
Sur un grand char d'airain, les splendides cités ;
Son double sein versait dans les immensités
Le pur ruissellement de la vie infinie.
30 L'Homme suçait, heureux, sa mamelle bénie,
Comme un petit enfant, jouant sur ses genoux.
— Parce qu'il était fort, l'Homme était chaste et doux.

Misère ! Maintenant il dit : Je sais les choses,
Et va, les yeux fermés et les oreilles closes.
35 — Et pourtant, plus de dieux ! plus de dieux ! l'Homme
                                                    [est Roi,
L'Homme est Dieu ! Mais l'Amour, voilà la grande Foi !
Oh ! si l'homme puisait encore à ta mamelle,
Grande mère des dieux et des hommes, Cybèle ;
S'il n'avait pas laissé l'immortelle Astarté
40 Qui jadis, émergeant dans l'immense clarté
Des flots bleus, fleur de chair que la vague parfume,
Montra son nombril rose où vint neiger l'écume,
Et fit chanter, Déesse aux grands yeux noirs vainqueurs,
Le rossignol aux bois et l'amour dans les cœurs !

II

45 Je crois en toi ! je crois en toi ! Divine mère,
Aphrodité marine ! — Oh ! la route est amère
Depuis que l'autre Dieu nous attelle à sa croix ;
Chair, Marbre, Fleur, Vénus, c'est en toi que je crois !
— Oui, l'Homme est triste et laid, triste sous le ciel vaste.
50 Il a des vêtements, parce qu'il n'est plus chaste,

Parce qu'il a sali son fier buste de dieu,
Et qu'il a rabougri, comme une idole au feu,
Son corps Olympien aux servitudes sales !
Oui, même après la mort, dans les squelettes pâles
55 Il veut vivre, insultant la première beauté !
— Et l'Idole où tu mis tant de virginité,
Où tu divinisas notre argile, la Femme,
Afin que l'Homme pût éclairer sa pauvre âme
Et monter lentement, dans un immense amour,
60 De la prison terrestre à la beauté du jour,
La Femme ne sait plus même être Courtisane !
— C'est une bonne farce ! et le monde ricane
Au nom doux et sacré de la grande Vénus !

III

Si les temps revenaient, les temps qui sont venus !
65 — Car l'Homme a fini ! l'Homme a joué tous les rôles !
Au grand jour, fatigué de briser des idoles
Il ressuscitera, libre de tous ses Dieux,
Et, comme il est du ciel, il scrutera les cieux !
L'Idéal, la pensée invincible, éternelle,
70 Tout le dieu qui vit, sous son argile charnelle,
Montera, montera, brûlera sous son front !
Et quand tu le verras sonder tout l'horizon,
Contempteur des vieux jougs, libre de toute crainte,
Tu viendras lui donner la Rédemption sainte !
75 — Splendide, radieuse, au sein des grandes mers
Tu surgiras, jetant sur le vaste Univers
L'Amour infini dans un infini sourire !
Le Monde vibrera comme une immense lyre
Dans le frémissement d'un immense baiser !

80 — Le Monde a soif d'amour : tu viendras l'apaiser.
....

IV

Ô splendeur de la chair ! ô splendeur idéale !
Ô renouveau d'amour, aurore triomphale
Où, courbant à leurs pieds les Dieux et les Héros,
Kallipige la blanche et le petit Éros
85   Effleureront, couverts de la neige des roses,
Les femmes et les fleurs sous leurs beaux pieds écloses !
Ô grande Ariadné, qui jettes tes sanglots
Sur la rive, en voyant fuir là-bas sur les flots,
Blanche sous le soleil, la voile de Thésée,
90   Ô douce vierge enfant qu'une nuit a brisée,
Tais-toi ! Sur son char d'or brodé de noirs raisins,
Lysios, promené dans les champs Phrygiens
Par les tigres lascifs et les panthères rousses,
Le long des fleuves bleus rougit les sombres mousses.
95   Zeus, Taureau, sur son cou berce comme une enfant
Le corps nu d'Europé, qui jette son bras blanc
Au cou nerveux du Dieu frissonnant dans la vague,
Il tourne lentement vers elle son œil vague ;
Elle, laisse traîner sa pâle joue en fleur
100   Au front de Zeus ; ses yeux sont fermés ; elle meurt
Dans un divin baiser, et le flot qui murmure
De son écume d'or fleurit sa chevelure.
       — Entre le laurier rose et le lotus jaseur
Glisse amoureusement le grand Cygne rêveur
105   Embrassant la Léda des blancheurs de son aile ;
       — Et tandis que Cypris passe, étrangement belle,
Et, cambrant les rondeurs splendides de ses reins,
Étale fièrement l'or de ses larges seins
Et son ventre neigeux brodé de mousse noire,
110   — Héraclès, le Dompteur, qui, comme d'une gloire
Fort, ceint son vaste corps de la peau du lion,
S'avance, front terrible et doux, à l'horizon !

Par la lune d'été vaguement éclairée,
Debout, nue, et rêvant dans sa pâleur dorée
115 Que tache le flot lourd de ses longs cheveux bleus,
Dans la clairière sombre où la mousse s'étoile,
La Dryade regarde au ciel silencieux…
— La blanche Séléné laisse flotter son voile,
Craintive, sur les pieds du bel Endymion,
120 Et lui jette un baiser dans un pâle rayon…
— La Source pleure au loin dans une longue extase…
C'est la Nymphe qui rêve, un coude sur son vase,
Au beau jeune homme blanc que son onde a pressé.
— Une brise d'amour dans la nuit a passé,
125 Et, dans les bois sacrés, dans l'horreur des grands arbres,
Majestueusement debout, les sombres Marbres,
Les Dieux, au front desquels le Bouvreuil fait son nid,
— Les Dieux écoutent l'Homme et le Monde infini !

Arthur Rimbaud
Mai 70.

[SECONDE SÉRIE]

Le Dormeur du Val

C'est un trou de verdure où chante une rivière
Accrochant follement aux herbes des haillons
D'argent ; où le soleil, de la montagne fière,
4 Luit : c'est un petit val qui mousse de rayons.

Un soldat jeune, bouche ouverte, tête nue,
Et la nuque baignant dans le frais cresson bleu,

Dort ; il est étendu dans l'herbe, sous la nue,
8 Pâle dans son lit vert où la lumière pleut.

Les pieds dans les glaïeuls, il dort. Souriant comme
Sourirait un enfant malade, il fait un somme :
Nature, berce-le chaudement : il a froid.

12 Les parfums ne font pas frissonner sa narine ;
Il dort dans le soleil, la main sur sa poitrine
Tranquille. Il a deux trous rouges au côté droit.

                    Octobre 1870. Arthur Rimbaud

Au Cabaret-Vert, cinq heures du soir

Depuis huit jours, j'avais déchiré mes bottines
Aux cailloux des chemins. J'entrais à Charleroi.
— *Au Cabaret-Vert* : je demandai des tartines
4 De beurre et du jambon qui fût à moitié froid.

Bienheureux, j'allongeai les jambes sous la table
Verte : je contemplai les sujets très naïfs
De la tapisserie. — Et ce fut adorable,
8 Quand la fille aux tétons énormes, aux yeux vifs,

— Celle-là, ce n'est pas un baiser qui l'épeure ! —
Rieuse, m'apporta des tartines de beurre,
Du jambon tiède, dans un plat colorié,

12 Du jambon rose et blanc parfumé d'une gousse
D'ail, — et m'emplit la chope immense, avec sa mousse,
Que dorait un rayon de soleil arriéré.

                    Octobre 70. Arthur Rimbaud

La Maline

Dans la salle à manger brune, que parfumait
Une odeur de vernis et de fruits, à mon aise
Je ramassais un plat de je ne sais quel met
4 Belge, et je m'épatais dans mon immense chaise.

En mangeant, j'écoutais l'horloge, — heureux et coi.
La cuisine s'ouvrit avec une bouffée
— Et la servante vint, je ne sais pas pourquoi,
8 Fichu moitié défait, malinement coiffée

Et, tout en promenant son petit doigt tremblant
Sur sa joue, un velours de pêche rose et blanc,
En faisant, de sa lèvre enfantine, une moue,

12 Elle arrangeait les plats, près de moi, pour m'aiser ;
— Puis, comme ça, — bien sûr pour avoir un baiser, —
Tout bas : « Sens donc : j'ai pris *une* froid sur la joue… »

Charleroi, octobre 70. Arthur Rimbaud

L'éclatante victoire de Sarrebrück, —

remportée aux cris de vive l'Empereur ! gravure belge
brillamment coloriée, se vend à Charleroi, 35 centimes.

Au milieu, l'Empereur, dans une apothéose
Bleue et jaune, s'en va, raide, sur son dada
Flamboyant ; très heureux, — car il voit tout en rose,
4 Féroce comme Zeus et doux comme un papa ;

En bas, les bons Pioupious qui faisaient la sieste
Près des tambours dorés et des rouges canons,
Se lèvent gentiment. Pitou remet sa veste,
8   Et, tourné vers le Chef, s'étourdit de grands noms !

À droite, Dumanet, appuyé sur la crosse
De son chassepot, sent frémir sa nuque en brosse,
Et : « Vive l'Empereur !! » — Son voisin reste coi...

12 Un schako surgit, comme un soleil noir... Au centre,
Boquillon rouge et bleu, très naïf, sur son ventre
Se dresse, et, — présentant ses derrières — : « De quoi ?... »

Octobre 70. Arthur Rimbaud.

À *** Elle

Rêvé Pour l'hiver

L'hiver, nous irons dans un petit wagon rose
          Avec des coussins bleus.
Nous serons bien. Un nid de baisers fous repose
4   Dans chaque coin moelleux.

Tu fermeras l'œil, pour ne point voir, par la glace,
          Grimacer les ombres des soirs,
Ces monstruosités hargneuses, populace
8   De démons noirs et de loups noirs.

Puis tu te sentiras la joue égratignée...
Un petit baiser, comme une folle araignée,
          Te courra par le cou...

12 Et tu me diras : « Cherche ! » en inclinant la tête,
— Et nous prendrons du temps à trouver cette bête
— Qui voyage beaucoup…

En Wagon, le 7 octobre 70. Arthur Rimbaud.

Le buffet

C'est un large buffet sculpté ; le chêne sombre,
Très vieux, a pris cet air si bon des vieilles gens ;
Le buffet est ouvert, et verse dans son ombre
4 Comme un flot de vin vieux, des parfums engageants ;

Tout plein, c'est un fouillis de vieilles vieilleries,
De linges odorants et jaunes, de chiffons
De femmes ou d'enfants, de dentelles flétries,
8 De fichus de grand-mère où sont peints des griffons ;

— C'est là qu'on trouverait les médaillons, les mèches
De cheveux blancs ou blonds, les portraits, les fleurs
[sèches
Dont le parfum se mêle à des parfums de fruits.

12 — Ô buffet du vieux temps, tu sais bien des histoires,
Et tu voudrais conter tes contes, et tu bruis
Quand s'ouvrent lentement tes grandes portes noires.

Octobre 70. Arthur Rimbaud.

Ma Bohème
(Fantaisie)

Je m'en allais, les poings dans mes poches crevées ;
Mon paletot aussi devenait idéal ;
J'allais sous le ciel, Muse ! et j'étais ton féal ;
4 Oh ! là là ! que d'amours splendides j'ai rêvées !

Mon unique culotte avait un large trou.
— Petit-Poucet rêveur, j'égrenais dans ma course
Des rimes. Mon auberge était à la Grande-Ourse.
8 Mes étoiles au ciel avaient un doux frou-frou

Et je les écoutais, assis au bord des routes,
Ces bons soirs de septembre où je sentais des gouttes
De rosée à mon front, comme un vin de vigueur ;

12 Où, rimant au milieu des ombres fantastiques,
Comme des lyres, je tirais les élastiques
De mes souliers blessés, un pied près de mon cœur !

                                     Arthur Rimbaud

UN CŒUR SOUS UNE SOUTANE

NOTICE

*Le manuscrit d'*Un cœur sous une soutane *appartenait à Georges Izambard qui l'aurait reçu, en 1870, des mains de Rimbaud. Verlaine en connaissait l'existence, puisqu'il le mentionne dans une lettre à l'éditeur Léon Vanier, mais il ne l'a jamais cité dans ses textes consacrés à Rimbaud. Quand Paterne Berrichon fit paraître sa vie de Rimbaud aux éditions du Mercure de France, Henri Saffrey lui adressa (le 28 mai 1912) une lettre lui signalant qu'il avait « un récit assez long (25 pages) intitulé* Un cœur sous une soutane (prose) ». *Berrichon prit copie du texte, mais ne le publia pas. Ce n'est qu'en juin 1924 que la revue surréaliste* Littérature *(nouvelle série) en présenta dans sa treizième livraison un important fragment. La même année, le texte intégral, préfacé par Louis Aragon et André Breton, paraissait aux éditions Ronald Davis*[a].

Un cœur sous une soutane est inspiré par une réalité : depuis 1868, en effet, le collège de Charleville était fréquenté par les jeunes gens du séminaire proche. On avait inauguré un régime de cours mixtes donnés par des professeurs de l'un et l'autre établissement. Rimbaud voyait d'un mauvais œil cette promiscuité. Il s'était donc empressé de faire la charge d'un de ces condisciples imposés, tout en se souvenant — comme le montre

---

a. Voir André Breton, *Œuvres complètes*, Gallimard, « Bibliothèque de la Pléiade », 1988, t. I, p. 475-477. En le publiant, Aragon et Breton voulaient faire « chavirer la légende de *Rimbaud catholique* ».

une lecture attentive du texte – du Jocelyn *de Lamartine,
journal d'un prêtre racontant un amour de jeunesse.*

    *Passé dans la collection Jean Hugues, le manuscrit, qui
contient 12 feuillets (23 pages écrites recto-verso), a été mis en
vente le 20 mars 1998 à l'hôtel Drouot (succession Jean
Hugues, Arthur Rimbaud – Paul Verlaine). Steve Murphy en
a donné une édition critique dans la «Bibliothèque sauvage»
(Musée-bibliothèque Arthur Rimbaud, Charleville-Mézières,
1991).*

UN CŒUR SOUS UNE SOUTANE

Nouvelle

UN CŒUR SOUS UNE SOUTANE
— INTIMITÉS D'UN SÉMINARISTE —

… Ô Thimothina Labinette ! Aujourd'hui que j'ai revêtu
la robe sacrée, je puis rappeler la passion, maintenant refroi-
die et dormant sous la soutane, qui l'an passé, fit battre
mon cœur de jeune homme sous ma capote de séminariste !…

1er mai 18…

… Voici le printemps. Le plant de vigne de l'abbé bourgeonne dans son pot de terre : l'arbre de la cour a de petites
pousses tendres comme des gouttes vertes sur ses branches ;
l'autre jour, en sortant de l'étude, j'ai vu à la fenêtre du
second quelque chose comme le champignon nasal du
sup*** [1]. Les souliers de J*** sentent un peu ; et j'ai remarqué que les élèves sortent fort souvent pour… dans la cour ;
eux qui vivaient à l'étude comme des taupes, rentassés,

enfoncés dans leur ventre, tendant leur face rouge vers le poêle, avec une haleine épaisse et chaude comme celle des vaches ! Ils restent fort longtemps à l'air, maintenant, et, quand ils reviennent, ricanent, et referment l'isthme de leur pantalon fort minutieusement, — non, je me trompe, fort lentement, — avec des manières, en semblant se complaire, machinalement, à cette opération qui n'a rien en soi que de très futile...

2 mai. Le sup*** est descendu hier de sa chambre, et, en fermant les yeux, les mains cachées, craintif et frileux, il a traîné à quatre pas dans la cour ses pantoufles de chanoine !...

Voici mon cœur qui bat la mesure dans ma poitrine, et ma poitrine qui bat contre mon pupitre crasseux ! Oh ! je déteste maintenant le temps où les élèves étaient comme de grosses brebis suant dans leurs habits sales, et dormaient dans l'atmosphère empuantie de l'étude, sous la lumière du gaz, dans la chaleur fade du poêle !... J'étends mes bras ! je soupire, j'étends mes jambes... je sens des choses dans ma tête, oh ! des choses...

4 mai... ...Tenez, hier, je n'y tenais plus : j'ai étendu, comme l'ange Gabriel, les ailes de mon cœur. Le souffle de l'esprit sacré a parcouru mon être ! J'ai pris ma lyre, et j'ai chanté :

> Approchez-vous,
> Grande Marie !
> Mère chérie !
> Du doux Jhésus !
> Sanctus Christus !
> Ô vierge enceinte
> Ô mère sainte
> Exaucez-nous !

Ô ! si vous saviez les effluves mystérieuses[2] qui secouaient mon âme pendant que j'effeuillais cette rose poétique ! Je pris ma cithare, et comme le Psalmiste[3], j'élevai ma voix innocente et pure dans les célestes altitudes !!! *O altitudo altitudinum !* [4]…

7 mai… Hélas ! Ma poésie a replié ses ailes, mais, comme Galilée, je dirai, accablé par l'outrage et le supplice : Et pourtant elle se meut ![5] — lisez : elles se meuvent ! — J'avais commis l'imprudence de laisser tomber la précédente confidence… J*** l'a ramassée, J***, le plus féroce des jansénistes, le plus rigoureux des séides du sup***, et l'a portée à son maître, en secret ; mais le monstre, pour me faire sombrer sous l'insulte universelle, avait fait passer ma poésie dans les mains de tous ses amis !

Hier, le sup*** me mande : j'entre dans son appartement, je suis debout devant lui, fort de mon intérieur[6]. Sur son front chauve frissonnait comme un éclair furtif son dernier cheveu roux : ses yeux émergeaient de sa graisse, mais calmes, paisibles ; son nez semblable à une batte était mû par son branle habituel : il chuchotait un *oremus* : il mouilla l'extrémité de son pouce, tourna quelques feuilles de livre, et sortit un petit papier crasseux, plié…

> Grananande Maarieie !…
> Mèèèree chééérieie !

Il ravalait ma poésie ! il crachait sur ma rose ! il faisait le Brid'oison, le Joseph[7], le bêtiot, pour salir, pour souiller ce chant virginal ; il bégayait et prolongeait chaque syllabe avec un ricanement de haine concentré : et quand il fut arrivé au cinquième vers,… *Vierge enceininte !* il s'arrêta, contourna sa nasale, et ! il éclata ! *Vierge enceinte ! Vierge enceinte !* il disait cela avec un ton, en fronçant avec un frisson son abdomen proéminent, avec un ton si affreux, qu'une pudique rougeur couvrit mon front. Je tombai à genoux, les bras vers le plafond, et je m'écriai : Ô mon père !...

....

— Votre lyyyre ! votre cithâre ! jeune homme ! votre cithâre ! des effluves mystérieuses ! qui vous secouaient l'âme ! J'aurais voulu voir ! Jeune âme, je remarque là dedans, dans cette confession impie, quelque chose de mondain, un abandon dangereux, de l'entraînement, enfin ! —

Il se tut, fit frissonner de haut en bas son abdomen : puis, solennel :

— Jeune homme, avez-vous la foi ?...

— Mon père, pourquoi cette parole ? Vos lèvres plaisantent-elles ?... Oui, je crois à tout ce que dit ma mère... la Sainte Église !

— Mais... Vierge enceinte !... C'est la conception, ça, jeune homme ; c'est la conception !...

— Mon père ! je crois à la conception !...

— Vous avez raison ! jeune homme ! C'est une chose...

... Il se tut... — Puis : Le jeune J*** m'a fait un rapport où il constate chez vous un écartement de jambes, de jour en jour plus notoire, dans votre tenue à l'étude ; il affirme vous avoir vu vous étendre de tout votre long sous la table, à la façon d'un jeune homme... dégingandé. Ce sont des faits auxquels vous n'avez rien à répondre... Approchez-vous, à genoux, tout près de moi ; je veux vous interroger avec douceur ; répondez : vous écartez beaucoup vos jambes, à l'étude ?

Puis il me mettait la main sur l'épaule, autour du cou, et ses yeux devenaient clairs, et il me faisait dire des choses sur cet écartement des jambes... Tenez, j'aime mieux vous dire que ce fut dégoûtant, moi qui sais ce que cela veut dire, ces scènes-là !... Ainsi, on m'avait mouchardé, on avait calomnié mon cœur et ma pudeur, — et je ne pouvais rien dire à cela, les rapports, les lettres Anonymes des élèves les

uns contre les autres, au sup***, étant autorisées, et com-
mandées, — et je venais dans cette chambre, me f… sous
la main de ce gros !… Oh ! le séminaire !…
....

10 mai — Oh ! mes condisciples sont effroyablement
méchants et effroyablement lascifs ! À l'étude, ils savent
tous, ces profanes, l'histoire de mes vers, et, aussitôt que je
tourne la tête, je rencontre la face du poussif D***, qui me
chuchote : Et ta cithare, et ta cithare ? et ton journal ? Puis
l'idiot L*** reprend : Et ta lyre ? et ta cithare ? Puis trois
ou quatre chuchotent en chœur : Grande Marie… Mère
chérie !

Moi, je suis un grand benêt : — Jésus, je ne me donne
pas de coups de pied ! — Mais enfin, je ne moucharde pas,
je n'écris pas d'ânonymes [8], et j'ai pour moi ma sainte poésie
et ma pudeur !……..

12 mai…

> Ne devinez-vous pas pourquoi je meurs d'amour ?
> La fleur me dit : salut : l'oiseau me dit bonjour :
> Salut ; c'est le printemps ! c'est l'ange de tendresse !
> Ne devinez-vous pas pourquoi je bous d'ivresse ?
> Ange de ma grand'mère, ange de mon berceau,
> Ne devinez-vous pas que je deviens oiseau,
> Que ma lyre frissonne et que je bats de l'aile
>   Comme hirondelle ?…

J'ai fait ces vers-là hier, pendant la récréation ; je suis
entré dans la chapelle, je me suis enfermé dans un confes-
sionnal, et là, ma jeune poésie a pu palpiter et s'envoler,
dans le rêve et le silence, vers les sphères de l'amour. Puis,
comme on vient m'enlever mes moindres papiers dans mes
poches, la nuit et le jour, j'ai cousu ces vers en bas de mon
dernier vêtement, celui qui touche immédiatement à ma

peau, et, pendant l'étude, je tire, sous mes habits, ma poésie sur mon cœur, et je la presse longuement en rêvant...

15 mai. — Les événements se sont bien pressés, depuis ma dernière confidence, et des événements bien solennels, des événements qui doivent influer sur ma vie future et intérieure d'une façon sans doute bien terrible !

Thimothina Labinette, je t'adore !

Thimothina Labinette, je t'adore ! je t'adore ! laisse-moi chanter sur mon luth, comme le divin Psalmiste sur son Psaltérion, comment je t'ai vue, et comment mon cœur a sauté sur le tien pour un éternel amour !

Jeudi, c'était jour de sortie : nous, nous sortons deux heures ; je suis sorti : ma mère, dans sa dernière lettre, m'avait dit : « ... tu iras, mon fils, occuper superficiellement ta sortie chez monsieur Césarin Labinette, un habitué à ton feu père, auquel il faut que tu sois présenté un jour ou l'autre avant ton ordination... »

... Je me présentai à monsieur Labinette, qui m'obligea beaucoup en me reléguant, sans mot dire, dans sa cuisine : sa fille, Thimothine, resta seule avec moi, saisit un linge, essuya un gros bol ventru en l'appuyant contre son cœur, et me dit tout à coup, après un long silence : Eh bien, monsieur Léonard ?...

Jusque-là, confondu de me voir avec cette jeune créature dans la solitude de cette cuisine, j'avais baissé les yeux et invoqué dans mon cœur le nom sacré de Marie : je relevai le front en rougissant, et, devant la beauté de mon interlocutrice, je ne pus que balbutier un faible : Mademoiselle ?...

Thimothine ! tu étais belle ! Si j'étais peintre, je reproduirais sur la toile tes traits sacrés sous ce titre : La Vierge au bol ! Mais je ne suis que poète, et ma langue ne peut te célébrer qu'incomplètement...

La cuisinière noire, avec ses trous où flamboyaient les braises comme des yeux rouges, laissait échapper, de ses casseroles à minces filets de fumée, une odeur céleste de soupe aux choux et de haricots ; et devant elle, aspirant avec ton doux nez l'odeur de ces légumes, regardant ton gros chat avec tes beaux yeux gris, ô Vierge au bol, tu essuyais ton vase ! les bandeaux plats et clairs de tes cheveux se collaient pudiquement sur ton front jaune comme le soleil ; de tes yeux courait un sillon bleuâtre jusqu'au milieu de ta joue, comme à Santa Teresa[9] ! ton nez, plein de l'odeur des haricots, soulevait ses narines délicates ; un duvet léger, serpentant sur tes lèvres, ne contribuait pas peu à donner une belle énergie à ton visage ; et, à ton menton, brillait un beau signe brun où frissonnaient de beaux poils follets : tes cheveux étaient sagement retenus à ton occiput par des épingles ; mais une courte mèche s'en échappait… Je cherchai vainement tes seins ; tu n'en as pas : tu dédaignes ces ornements mondains : ton cœur est tes seins !… Quand tu te retournas pour frapper de ton pied large ton chat doré, je vis tes omoplates saillant et soulevant ta robe, et je fus percé d'amour, devant le tortillement gracieux des deux arcs prononcés de tes reins !…

Dès ce moment, je t'adorai : j'adorais, non pas tes cheveux, non pas tes omoplates, non pas ton tortillement inférieurement postérieur : ce que j'aime en une femme, en une vierge, c'est la modestie sainte ; ce qui me fait bondir d'amour, c'est la pudeur et la piété ; c'est ce que j'adorai en toi, jeune bergère !…

Je tâchais de lui faire voir ma passion ; et, du reste, mon cœur, mon cœur me trahissait ! Je ne répondais que par des paroles entrecoupées à ses interrogations ; plusieurs fois, je lui dis Madame, au lieu de Mademoiselle, dans mon trouble ! Peu à peu, aux accents magiques de sa voix, je me sentais succomber ; enfin je résolus de m'abandonner, de lâcher tout ; et, à je ne sais plus quelle question qu'elle m'adressa, je me renversai en arrière sur ma chaise, je mis une main sur mon cœur, de l'autre, je saisis dans ma poche un chapelet dont je laissai passer la croix blanche, et, un œil vers Thimothine, l'autre au ciel, je répondis douloureusement et tendrement, comme un cerf à une biche :

— Oh ! oui ! Mademoiselle… Thimothina !!!!

Miserere ! miserere ! — Dans mon œil ouvert délicieusement vers le plafond tombe tout à coup une goutte de saumure, dégouttant d'un jambon planant au-dessus de moi, et, lorsque, tout rouge de honte, réveillé dans ma passion, je baissai mon front, je m'aperçus que je n'avais dans ma main gauche, au lieu d'un chapelet, qu'un biberon brun ; — ma mère me l'avait confié l'an passé pour le donner au petit de la mère chose ! — De l'œil que je tendais au plafond découla la saumure amère : — mais, de l'œil qui te regardait, ô Thimothina, une larme coula, larme d'amour, et larme de douleur !…

....

Quelque temps, une heure après, quand Thimothina m'annonça une collation composée de haricots et d'une omelette au lard, tout ému de ses charmes, je répondis à mi-voix : — J'ai le cœur si plein, voyez-vous, que cela me ruine l'estomac ! — Et je me mis à table ; oh ! je le sens encore, son cœur avait répondu au mien dans son appel : pendant la courte collation, elle ne mangea pas : — Ne trouves-tu pas qu'on sent un goût ? répétait-elle ; son père ne comprenait pas ; mais mon cœur le comprit : c'était la Rose de David, la Rose de Jessé, la Rose mystique de l'écriture ; c'était l'Amour !

Elle se leva brusquement, alla dans un coin de la cuisine, et, me montrant la double fleur de ses reins, elle plongea son bras dans un tas informe de bottes, de chaussures diverses, d'où s'élança son gros chat ; et jeta tout cela dans un vieux placard vide ; puis elle retourna à sa place, et interrogea l'atmosphère d'une façon inquiète ; tout à coup, elle fronça le front, et s'écria :

— Cela sent encore !…

— Oui, cela sent, répondit son père assez bêtement : (il ne pouvait comprendre, lui, le profane !)

Je m'aperçus bien que tout cela n'était dans ma chair vierge que les mouvements intérieurs de sa passion ! je l'adorais et je savourais avec amour l'omelette dorée, et mes mains battaient la mesure avec la fourchette, et, sous la table, mes pieds frissonnaient d'aise dans mes chaussures !...

Mais, ce qui me fut un trait de lumière, ce qui me fut comme un gage d'amour éternel, comme un diamant de tendresse de la part de Thimothina, ce fut l'adorable obligeance qu'elle eut, à mon départ, de m'offrir une paire de chaussettes blanches, avec un sourire et ces paroles :

— Voulez-vous cela pour vos pieds, Monsieur Léonard ?

....

16 mai — Thimothina ! je t'adore, toi et ton père, toi et ton chat :...

Thimothina : $\left\{ \begin{array}{l} \text{... Vas devotionis,} \\ \text{Rosa mystica,} \\ \text{Turris davidica,} \\ \text{Cœli porta,} \\ \text{Stella maris}^{10}, \end{array} \right.$ Ora pro nobis !

17 mai — Que m'importent à présent les bruits du monde et les bruits de l'étude ? Que m'importent ceux que la paresse et la langueur courbent à mes côtés ? Ce matin, tous les fronts, appesantis par le sommeil, étaient collés aux tables ; un ronflement, pareil au cri du clairon du jugement dernier, un ronflement sourd et lent s'élevait de ce vaste Gethsémani. Moi, stoïque, serein, droit, et m'élevant au-dessus de tous ces morts comme un palmier au-dessus des ruines, méprisant les odeurs et les bruits incongrus, je portais ma tête dans ma main, j'écoutais battre mon cœur plein de Thimothina, et mes yeux se plongeaient dans l'azur du ciel, entrevu par la vitre supérieure de la fenêtre !...

— 18 mai : Merci à l'Esprit Saint qui m'a inspiré ces vers charmants : ces vers, je vais les enchâsser dans mon cœur ; et, quand le ciel me donnera de revoir Thimothina, je les lui donnerai, en échange de ses chaussettes !...

Je l'ai intitulée *La Brise* :

> Dans sa retraite de coton
> Dort le zéphyr à douce haleine :
> Dans son nid de soie et de laine
> Dort le zéphyr au gai menton !
>
> Quand le zéphyr lève son aile
> Dans sa retraite de coton,
> Quand il court où la fleur l'appelle,
> Sa douce haleine sent bien bon !
>
> Ô brise quintessenciée !
> Ô quintessence de l'amour !
> Quand la rosée est essuyée,
> Comme ça sent bon dans le jour !
>
> Jésus ! Joseph ! Jésus ! Marie !
> C'est comme une aile de condor
> Assoupissant celui qui prie !
> Ça nous pénètre et nous endort !

....

La fin est trop intérieure et trop suave : je la conserve dans le tabernacle de mon âme. À la prochaine sortie, je lirai cela à ma divine et odorante Thimothina.

Attendons dans le calme et le recueillement.

....

Date incertaine. Attendons !...

16 juin ! — Seigneur, que votre volonté se fasse : je n'y mettrai aucun obstacle ! Si vous voulez détourner de votre serviteur l'amour de Thimothina, libre à vous, sans doute :

mais, Seigneur Jésus, n'avez-vous pas aimé vous-même, et la lance de l'amour [11] ne vous a-t-elle pas appris à condescendre aux souffrances des malheureux ! Priez pour moi !

Oh ! j'attendais depuis longtemps cette sortie de deux heures du 15 juin : j'avais contraint mon âme, en lui disant : Tu seras libre ce jour-là : le 15 juin, je m'étais peigné mes quelques cheveux modestes, et, usant d'une odorante pommade rose, je les avais collés sur mon front, comme les bandeaux de Thimothina ; je m'étais pommadé les sourcils ; j'avais minutieusement brossé mes habits noirs, comblé adroitement certains déficits fâcheux dans ma toilette, et je me présentai à la sonnette espérée de monsieur Césarin Labinette. Il arriva, après un assez long temps, la calotte un peu crânement sur l'oreille, une mèche de cheveux raides et fort pommadés lui cinglant la face comme une balafre, une main dans la poche de sa robe de chambre à fleurs jaunes, l'autre sur le loquet… Il me jeta un bonjour sec, fronça le nez en jetant un coup d'œil sur mes souliers à cordons noirs, et s'en alla devant moi, les mains dans ses deux poches, ramenant en devant sa robe de chambre, comme fait l'abbé*** avec sa soutane, et modelant ainsi à mes regards sa partie inférieure.

Je le suivis.

Il traversa la cuisine, et j'entrai après lui dans son salon. Oh ! ce salon ! je l'ai fixé dans ma mémoire avec les épingles du souvenir ! La tapisserie était à fleurs brunes ; sur la cheminée, une énorme pendule en bois noir, à colonnes ; deux vases bleus avec des roses ; sur les murs, une peinture de la bataille d'Inkermann [12], et un dessin au crayon, d'un ami de Césarin, représentant un moulin avec sa meule souffletant un petit ruisseau semblable à un crachat, dessin que charbonnent tous ceux qui commencent à dessiner. La poésie est bien préférable !…

Au milieu du salon, une table à tapis vert, autour de laquelle mon cœur ne vit que Thimothina, quoiqu'il s'y trouvât un ami de monsieur Césarin, ancien exécuteur des œuvres sacristaines dans la paroisse de ***, et son épouse madame de Riflandouille [13], et que monsieur Césarin lui-même vint s'y accouder de nouveau, aussitôt mon entrée.

Je pris une chaise rembourrée, songeant qu'une partie de moi-même allait s'appuyer sur une tapisserie faite sans doute par Thimothina, je saluai tout le monde, et, mon chapeau noir posé sur la table, devant moi, comme un rempart, j'écoutai...

Je ne parlais pas, mais mon cœur parlait ! Les messieurs continuèrent la partie de cartes commencée : je remarquai qu'ils trichaient à qui mieux mieux, et cela me causa une surprise assez douloureuse. — La partie terminée, ces personnes s'assirent en cercle autour de la cheminée vide ; j'étais à un des coins, presque caché par l'énorme ami de Césarin, dont la chaise seule me séparait de Thimothina : je fus content en moi-même du peu d'attention que l'on faisait à ma personne ; relégué derrière la chaise du sacristain honoraire, je pouvais laisser voir sur mon visage les mouvements de mon cœur sans être remarqué de personne : je me livrai donc à un doux abandon ; et je laissai la conversation s'échauffer et s'engager entre ces trois personnes ; car Thimothina ne parlait que rarement ; elle jetait sur son séminariste des regards d'amour, et, n'osant le regarder en face, elle dirigeait ses yeux clairs vers mes souliers bien cirés !... Moi, derrière le gros sacristain, je me livrais à mon cœur.

Je commençai par me pencher du côté de Thimothina en levant les yeux au ciel. Elle était retournée. Je me relevai, et, la tête baissée vers ma poitrine, je poussai un soupir ; elle ne bougea pas. Je remis mes boutons, je fis aller mes lèvres, je fis un léger signe de croix ; elle ne vit rien. Alors, transporté, furieux d'amour, je me baissai très fort vers elle, en tenant mes mains comme à la communion, et en poussant un ah !... prolongé et douloureux ; Miserere ! tandis que je gesticulais, que je priais, je tombai de ma chaise avec un bruit sourd, et le gros sacristain se retourna en ricanant, et Thimothina dit à son père :

— Tiens, monsieur Léonard qui coule par terre !

Son père ricana ! Miserere !

Le sacristain me repiqua, rouge de honte et faible d'amour, sur ma chaise rembourrée, et me fit une place. Mais je baissai les yeux, je voulus dormir ! Cette société m'était importune, elle ne devinait pas l'amour qui souffrait là dans l'ombre : je voulus dormir ! mais j'entendis la conversation se tourner sur moi !...

Je rouvris faiblement les yeux...

Césarin et le sacristain fumaient chacun un cigare maigre, avec toutes les mignardises possibles, ce qui rendait leurs personnes effroyablement ridicules ; madame la sacristaine, sur le bord de sa chaise, sa poitrine cave penchée en avant, ayant derrière elle tous les flots de sa robe jaune qui lui bouffaient jusqu'au cou, et épanouissant autour d'elle son unique volant, effeuillait délicieusement une rose : un sourire affreux entr'ouvrait ses lèvres, et montrait à ses gencives maigres deux dents noires, jaunes, comme la faïence d'un vieux poêle. — Toi, Thimothina, tu étais belle, avec ta collerette blanche, tes yeux baissés, et tes bandeaux plats !

— C'est un jeune homme d'avenir : son présent inaugure son futur, disait en laissant aller un flot de fumée grise le sacristain...

— Oh ! monsieur Léonard illustrera la robe ! nasilla la sacristaine : les deux dents parurent !...

Moi je rougissais, à la façon d'un garçon de bien ; je vis que les chaises s'éloignaient de moi, et qu'on chuchotait sur mon compte...

Thimothina regardait toujours mes souliers ; les deux sales dents me menaçaient... le sacristain riait ironiquement : j'avais toujours la tête baissée !...

— Lamartine[14] est mort... dit tout à coup Thimothina.

Chère Thimothine ! C'était pour ton adorateur, pour ton pauvre poète Léonard, que tu jetais dans la conversation ce

nom de Lamartine ; alors, je relevai le front, je sentis que
la pensée seule de la poésie allait refaire une virginité à tous
ces profanes, je sentais mes ailes palpiter, et je dis, rayon-
nant, l'œil sur Thimothina :

— Il avait de beaux fleurons à sa couronne, l'auteur des
Méditations poétiques !

— Le cygne des vers est défunt ! dit la sacristaine !

— Oui, mais il a chanté son chant funèbre, repris-je
enthousiasmé.

— Mais, s'écria la sacristaine, monsieur Léonard est
poète aussi ! Sa mère m'a montré l'an passé des essais de sa
muse…

Je jouai d'audace :

— Oh ! Madame, je n'ai apporté ni ma lyre ni ma
cithare ; mais…

— Oh ! votre cithare ! vous l'apporterez un autre jour…

— Mais, ce néanmoins, si cela ne déplaît pas à l'hono-
rable, — et je tirai un morceau de papier de ma poche, —
je vais vous lire quelques vers… Je les dédie à mademoiselle
Thimothina.

— Oui ! oui ! jeune homme ! très bien ! récitez, récitez,
mettez-vous au bout de la salle…

Je me reculai… Thimothina regardait mes souliers… La
sacristaine faisait la Madone ; les deux messieurs se pen-
chaient l'un vers l'autre… Je rougis, je toussai, et je dis en
chantant tendrement

> Dans sa retraite de coton
> Dort le zéphyr à douce haleine…
> Dans son nid de soie et de laine
> Dort le zéphyr au gai menton.

Toute l'assistance pouffa de rire : les messieurs se pen-
chaient l'un vers l'autre en faisant de grossiers calembours ;
mais ce qui était surtout effroyable, c'était l'air de la sacristaine, qui, l'œil au ciel, faisait la mystique, et souriait avec
ses dents affreuses ! Thimothina, Thimothina crevait de

rire! Cela me perça d'une atteinte mortelle, Thimothina se
tenait les côtes!... — Un doux zéphyr dans du coton, c'est
suave, c'est suave!... faisait en reniflant le père Césarin...
Je crus m'apercevoir de quelque chose... mais cet éclat de
rire ne dura qu'une seconde : tous essayèrent de reprendre
leur sérieux, qui pétait encore de temps en temps...

— Continuez, jeune homme, c'est bien, c'est bien!

> Quand le zéphyr lève son aile
> Dans sa retraite de coton,...
> Quand il court où la fleur l'appelle,
> Sa douce haleine sent bien bon...

Cette fois, un gros rire secoua mon auditoire; Thimothina regarda mes souliers : j'avais chaud, mes pieds brû-
laient sous son regard, et nageaient dans la sueur; car je me
disais : ces chaussettes que je porte depuis un mois, c'est
un don de son amour, ces regards qu'elle jette sur mes pieds,
c'est un témoignage de son amour : elle m'adore!

Et voici que je ne sais quel petit goût me parut sortir de
mes souliers : oh! je compris les rires horribles de l'assemblée! Je compris qu'égarée dans cette société méchante,
Thimothina Labinette, Thimothina ne pourrait jamais
donner un libre cours à sa passion! Je compris qu'il me
fallait dévorer, à moi aussi, cet amour douloureux éclos dans
son cœur une après-midi de mai, dans une cuisine des Labinette, devant le tortillement postérieur de la Vierge au bol!

— Quatre heures, l'heure de la rentrée, sonnaient à la
pendule du salon; éperdu, brûlant d'amour et fou de douleur, je saisis mon chapeau, je m'enfuis en renversant une
chaise, je traversai le corridor en murmurant : J'adore Thimothine, et je m'enfuis au séminaire sans m'arrêter...

Les basques de mon habit noir volaient derrière moi,
dans le vent, comme des oiseaux sinistres!...

....
....

30 juin. Désormais, je laisse à la muse divine le soin de bercer ma douleur ; martyr d'amour à dix-huit ans, et, dans mon affliction, pensant à un autre martyr du sexe qui fait nos joies et nos bonheurs, n'ayant plus celle que j'aime, je vais aimer la foi ! Que le Christ, que Marie me pressent sur leur sein : je les suis : je ne suis pas digne de dénouer les cordons des souliers de Jésus ; mais ma douleur ! mais mon supplice ! Moi aussi, à dix-huit ans et sept mois, je porte une croix, une couronne d'épines ! mais, dans la main, au lieu d'un roseau, j'ai une cithare ! Là sera le dictame à ma plaie !...
....

— Un an après, 1er août —

Aujourd'hui, on m'a revêtu de la robe sacrée ; je vais servir Dieu ; j'aurai une cure et une modeste servante dans un riche village. J'ai la foi ; je ferai mon salut, et sans être dispendieux, je vivrai comme un bon serviteur de Dieu avec sa servante. Ma mère la sainte Église me réchauffera dans son sein : qu'elle soit bénie ! que Dieu soit béni !

... Quant à cette passion cruellement chérie que je renferme au fond de mon cœur, je saurai la supporter avec constance : sans la raviver précisément, je pourrai m'en rappeler quelquefois le souvenir : ces choses-là sont bien douces ! — Moi, du reste, j'étais né pour l'amour et pour la foi ! — Peut-être un jour, revenu dans cette ville, aurai-je le bonheur de confesser ma chère Thimothina ?... Puis, je conserve d'elle un doux souvenir : depuis un an, je n'ai pas défait les chaussettes qu'elle m'a données...

Ces chaussettes-là, mon Dieu ! je les garderai à mes pieds jusque dans votre saint Paradis !...

LE RÊVE DE BISMARCK

(Fantaisie)

NOTICE

En 2008, Patrick Taliercio a découvert à Charleville même un numéro du Progrès des Ardennes *daté du 25 novembre 1870 et contenant le texte de Rimbaud. La collection de ce journal régional fondé le 8 novembre 1870 et dirigé par le photographe Émile Jacoby reste à l'heure présente incomplète. Le* Progrès des Ardennes, *quotidien radical, dont l'existence fut brève, avait été créé pour concurrencer* Le Courrier des Ardennes, *conservateur et dévoué auparavant au second Empire. Rimbaud et son ami Ernest Delahaye, tentés par le journalisme, s'étaient empressés de proposer des articles et des notes à la rédaction, mais ils avaient pris soin de se cacher sous un pseudonyme, Dhayle pour Delahaye, Jean Baudry pour Rimbaud qui, tout en reprenant ainsi la plupart des lettres de son nom, endossait aussi celui du héros d'une pièce d'Auguste Vacquerie, créée le 19 octobre 1863.*

Dès le 9 novembre, Jacoby, qui venait de recevoir de lui un poème (sans doute « Le Dormeur du Val »), lui avait répondu dans son journal par ces lignes : « À M. J. Baudry, à Charleville. Impossible d'insérer vos vers en ce moment. Ce qu'il nous faut, ce sont des articles d'actualité et ayant une utilité immédiate. Quand l'ennemi ne sera plus sur notre sol, nous aurons peut-être le temps de prendre les pipeaux et de chanter les suites de la paix. Mais aujourd'hui, nous avons autre chose à faire. »

Le témoignage tardif de Charles-Marie Des Granges présentant, dans ses Poètes français : 1820-1920 *(Hatier, 1932), « Le Dormeur du Val » comme publié dans le même journal en novembre 1870 (numéro non retrouvé) semblerait prouver cependant que Jacoby admit finalement le sonnet de Rimbaud. Quant au « Rêve de Bismarck », Delahaye, dans ses* Souvenirs familiers *(1913), en a bien signalé l'envoi et la publication et en a offert un résumé on ne peut plus précis repris intégralement dans notre biographie de Rimbaud (*Arthur Rimbaud : une question de présence, *Tallandier, 1991).*

Cette prose de Rimbaud, considérée par lui comme une « fantaisie », à l'instar de « Ma Bohème » (voir p. 62), donne à voir sur son activité littéraire prête à tenir compte de l'actualité la plus immédiate.

> « Nous garantissons l'authenticité de ce fait. »
> (*Peuple français*)

C'est le soir. Sous sa tente, pleine de silence et de rêve, Bismarck, un doigt sur la carte de France, médite ; de son immense pipe s'échappe un filet bleu.

Bismarck médite. Son petit index crochu chemine sur le vélin du Rhin à la Moselle, de la Moselle à la Seine ; de l'ongle, il a rayé imperceptiblement le papier autour de Strasbourg ; il passe outre.

À Sarrebruck [1], à Wissembourg, à Woerth, à Sedan, il tressaille, le petit doigt crochu : il caresse Nancy, égratigne Bitche et Phalsbourg [2], raie Metz, trace sur les frontières de petites lignes brisées, – et s'arrête…

Triomphant, Bismarck a couvert de son index l'Alsace et la Lorraine ! – Oh ! sous son crâne jaune, quels délires d'avare ! Quels délicieux nuages de fumée répand sa pipe bienheureuse !…

*
* *

Bismarck médite. Tiens ! un gros point noir semble arrêter l'index frétillant. C'est Paris.

Donc, le petit ongle mauvais, de rayer, de rayer le papier, de ci, de là, avec rage, – enfin, de s'arrêter… Le doigt reste là, moitié plié, immobile.

Paris ! Paris ! – Puis, le bonhomme a tant rêvé l'œil ouvert, que, doucement, la somnolence s'empare de lui : son front penche vers le papier ; machinalement, le fourneau de sa pipe, échappée à ses lèvres, s'abat sur le vilain point noir…

Hi ! povero[3] ! en abandonnant sa pauvre tête, son nez, le nez de M. Otto de Bismarck, s'est plongé dans le fourneau ardent… *Hi ! povero ! va povero !* dans le fourneau incandescent de la pipe…, *hi ! povero !* Son index était sur Paris… Fini, le rêve glorieux !

*
* *

Il était si fin, si spirituel, si heureux, ce nez de vieux premier[4] diplomate ! – Cachez, cachez ce nez[5] !…

Eh bien ! mon cher, quand, pour partager la choucroute royale, vous rentrerez au palais, [………..] avec des cris de… dame […] dans l'histoire, vous porterez éternellement ce nez carbonisé entre vos yeux stupides !…

Voilà ! fallait pas rêvasser !

Jean Baudry

POÉSIES
(fin 1870-année 1871)

NOTICE

Le nouvel ensemble de poèmes que nous présentons aurait souhaité respecter un ordre chronologique. Mais si plusieurs textes de Rimbaud sont datés, si d'autres suggèrent par certaines expressions des repères temporels, il reste que de tels éléments ne donnent que des informations sujettes à caution, Rimbaud, par exemple, portant au bas de ses poèmes la date à laquelle il en faisait la copie et non pas celle où il les composait.

Le regroupement que nous proposons s'organise du moins autour de quatre lettres dont la date n'est pas contestable : celles que Rimbaud adressa, le 13 mai 1871, à Georges Izambard, le 15 mai à Paul Demeny, le 10 juin à ce même Demeny, enfin le 15 août à Théodore de Banville. Elles contiennent des poèmes notoires que, contrairement à l'habitude de la plupart des éditeurs, nous n'avons pas voulu dissocier de leur contexte épistolaire. Autour de ces pôles chronologiques fiables (de mai à août 1871), nous avons rassemblé plusieurs poèmes dont la date demeure discutée. En amont, donc avant mai 1871, « Les Corbeaux », « Les Assis », « Les Douaniers ». En aval (autour et au-delà d'août 1871), « Les Premières Communions », « Le Bateau ivre », « Les Chercheuses de poux », « Tête de faune », « Oraison du soir », « Voyelles » [a]. *Enfin, dans une partie*

---

a. « Les Chercheuses de poux » était récité dans le milieu des Zutistes que Rimbaud fréquenta à partir d'octobre 1871 (voir le roman *Dinah*

médiane, des textes d'inspiration insurrectionnelle, plus ou moins contemporains de la Commune de Paris, comme « Paris se repeuple[a] » ou « Les mains de Jeanne-Marie ». Tous ces textes présentent de nettes caractéristiques qui les apparentent et prouvent que leur auteur était entré dans une nouvelle phase de sa création – ce que confirme la recommandation qu'il adressera à Demeny le 10 juin 1871 de brûler le « Cahier de Douai » (ou « Recueil Demeny »), considéré désormais comme une œuvre dépassée.

Début septembre 1871, Rimbaud écrivant à Verlaine enverra à celui-ci, recopiés par E. Delahaye, « Les Effarés », « Accroupissements », « Les Douaniers », « Le Cœur volé », « Les Assis », puis, dans un second courrier, « Mes Petites amoureuses », « Les Premières Communions », « Paris se repeuple »[b].

Par la suite, Verlaine constituera un recueil manuscrit des textes de Rimbaud. Ce cahier[c] de douze feuillets paginés, auquel manquent plusieurs pages, comprend : « Les Assis », « L'Homme juste », « Tête de faune », « Le Cœur volé », « Les mains de Jeanne-Marie », « Les Effarés », « Voyelles », « L'étoile a pleuré rose au cœur de tes oreilles », « Les Douaniers », « Oraison du soir », « Les Sœurs de charité », « Les Premières Communions ». Un tel

---

Samuel de Félicien Champsaur, qui décrit ce milieu et cite pour la première fois des vers de ce poème). « Oraison du soir », proche des parodies de l'*Album Zutique* et dont une copie fut donnée à Valade, pourrait avoir été composé à cette époque également. Quant à « Voyelles », un texte de Cabaner dans l'*Album Zutique* y fait aussi allusion. Ces raisons motivent la place que nous avons donnée à ces trois poèmes.

a. La discussion reste cependant ouverte en ce qui concerne la date de « Paris se repeuple » (voir note p. 316-317).

b. Voir Ernest Delahaye, *Souvenirs familiers à propos de Rimbaud*, recueillis dans *Delahaye témoin de Rimbaud*, La Baconnière, 1974, p. 135-136.

c. Pour la description de ce cahier, ou plutôt dossier (les feuillets étant libres), voir Roger Pierrot, « Verlaine copiste de Rimbaud », *RHLF*, avril-mai 1987, p. 213-220, et André Vial, *Verlaine et les siens. Heures retrouvées*, Nizet, 1975.

ensemble, qui se trouve depuis 1985 au département des Manuscrits de la Bibliothèque nationale, ne reflète évidemment pas une
évolution chronologique, puisqu'il présente, par exemple, « Les
mains de Jeanne-Marie », poème communard, avant « Les Effarés », qui date du début de 1870.

Les Corbeaux

Seigneur, quand froide est la prairie,
Quand dans les hameaux abattus,
Les longs angelus se sont tus…
4   Sur la nature défleurie
Faites s'abattre des grands cieux
Les chers corbeaux délicieux.

Armée étrange aux cris sévères,
8   Les vents froids attaquent vos nids !
Vous, le long des fleuves jaunis,
Sur les routes aux vieux calvaires,
Sur les fossés et sur les trous
12   Dispersez-vous, ralliez-vous !

Par milliers, sur les champs de France,
Où dorment des morts d'avant-hier,
Tournoyez, n'est-ce pas, l'hiver,
16   Pour que chaque passant repense !
Sois donc le crieur du devoir,
Ô notre funèbre oiseau noir !

Mais, saints du ciel, en haut du chêne,
20   Mât perdu dans le soir charmé,
Laissez les fauvettes de mai

Pour ceux qu'au fond du bois enchaîne,
Dans l'herbe d'où l'on ne peut fuir,
24   La défaite sans avenir.

Les Assis

Noirs de loupes, grêlés, les yeux cerclés de bagues
Vertes, leurs doigts boulus crispés à leurs fémurs
Le sinciput plaqué de hargnosités vagues
4 Comme les floraisons lépreuses des vieux murs ;

Ils ont greffé dans des amours épileptiques
Leur fantasque ossature aux grands squelettes noirs
De leurs chaises ; leurs pieds aux barreaux rachitiques
8 S'entrelacent pour les matins et pour les soirs !

Ces vieillards ont toujours fait tresse avec leurs sièges,
Sentant les soleils vifs percaliser leur peau,
Ou, les yeux à la vitre où se fanent les neiges,
12 Tremblant du tremblement douloureux du crapaud.

Et les Sièges leur ont des bontés : culottée
De brun, la paille cède aux angles de leurs reins ;
L'âme des vieux soleils s'allume emmaillotée
16 Dans ces tresses d'épis où fermentaient les grains.

Et les Assis, genoux aux dents, verts pianistes
Les dix doigts sous leur siège aux rumeurs de tambour
S'écoutent clapoter des barcarolles tristes,
20 Et leurs caboches vont dans des roulis d'amour.

— Oh! ne les faites pas lever! C'est le naufrage...
Ils surgissent, grondant comme des chats giflés,
Ouvrant lentement leurs omoplates, ô rage!
24 Tout leur pantalon bouffe à leurs reins boursouflés.

Et vous les écoutez, cognant leurs têtes chauves
Aux murs sombres, plaquant et plaquant leurs pieds tors.
Et leurs boutons d'habit sont des prunelles fauves
28 Qui vous accrochent l'œil du fond des corridors!

Puis ils ont une main invisible qui tue :
Au retour, leur regard filtre ce venin noir
Qui charge l'œil souffrant de la chienne battue
32 Et vous suez pris dans un atroce entonnoir.

Rassis, les poings noyés dans des manchettes sales
Ils songent à ceux-là qui les ont fait lever
Et, de l'aurore au soir, des grappes d'amygdales
36 Sour leurs mentons chétifs s'agitent à crever.

Quand l'austère sommeil a baissé leurs visières
Ils rêvent sur leur bras de sièges fécondés,
De vrais petits amours de chaises en lisière
40 Par lesquelles de fiers bureaux seront bordés ;

Des fleurs d'encre crachant des pollens en virgule
Les bercent, le long des calices accroupis
Tels qu'au fil des glaïeuls le vol des libellules
44 — Et leur membre s'agace à des barbes d'épis.

Les Douaniers

Ceux qui disent : Cré Nom, ceux qui disent macache,
Soldats, marins, débris d'Empire, retraités
Sont nuls, très nuls, devant les Soldats des Traités
4   Qui tailladent l'azur frontière à grands coups d'hache.

Pipe aux dents, lame en main, profonds, pas embêtés
Quand l'ombre bave aux bois comme un mufle de vache
Ils s'en vont, amenant leurs dogues à l'attache,
8   Exercer nuitamment leurs terribles gaîtés !

Ils signalent aux lois modernes les faunesses.
Ils empoignent les Fausts et les Diavolos.
« Pas de ça, les anciens ! Déposez les ballots ! »

12   Quand sa sérénité s'approche des jeunesses,
Le Douanier se tient aux appas contrôlés !
Enfer aux Délinquants que sa paume a frôlés !

Lettres dites « du voyant »

NOTICE

    Les deux lettres dites « du voyant » n'ont été révélées que tardivement. Toutes deux méritent ce titre qui insiste sur un mot que Rimbaud assimile à la fonction poétique et qu'il tente de définir aussi bien à la lumière des récents événements (la

Commune de Paris) qu'à partir de l'histoire littéraire univer-
selle.

Nous avons tenu à les publier intégralement. Elles
contiennent, en effet, plusieurs poèmes[a] *qui souhaitent illustrer*
leur propos.

LETTRE À GEORGES IZAMBARD

Charleville, [13] mai 1871.

Cher Monsieur !

Vous revoilà professeur. On se doit à la Société, m'avez-vous dit ; vous faites partie des corps enseignants : vous roulez dans la bonne ornière. — Moi aussi, je suis le principe[1] : je me fais cyniquement *entretenir* ; je déterre d'anciens imbéciles de collège : tout ce que je puis inventer de bête, de sale, de mauvais, en action et en paroles, je le leur livre : on me paie en bocks et en filles[2] — Stat mater dolorosa, dum pendet filius[3], — Je me dois à la Société, c'est juste, — et j'ai raison. — Vous aussi, vous avez raison, pour aujourd'hui. Au fond, vous ne voyez en votre principe que poésie subjective : votre obstination à regagner le râtelier universitaire, — pardon ! — le prouve ! Mais vous finirez toujours comme un satisfait qui n'a rien fait, n'ayant rien voulu faire. Sans compter que votre poésie subjective sera toujours horriblement fadasse. Un jour, j'espère, — bien d'autres espèrent la même chose, — je verrai dans votre principe la poésie objective, je la verrai plus sincèrement que vous ne le feriez ! — Je serai un travailleur : c'est l'idée qui me retient, quand les colères folles me poussent

---

a. Les poèmes que contient la seconde seront publiés à part dans *Reliquaire*, 1891, puis dans les *Poésies complètes*, Vanier, 1895.

vers la bataille de Paris, — où tant de travailleurs meurent pourtant encore tandis que je vous écris ! Travailler maintenant, jamais, jamais ; je suis en grève.

Maintenant je m'encrapule le plus possible. Pourquoi ? Je veux être poète, et je travaille à me rendre *voyant* : vous ne comprendrez pas du tout, et je ne saurais presque vous expliquer. Il s'agit d'arriver à l'inconnu par le dérèglement de *tous les sens*. Les souffrances sont énormes, mais il faut être fort, être né poète, et je me suis reconnu poète. Ce n'est pas du tout ma faute. C'est faux de dire : Je pense : on devrait dire : On me pense. — Pardon du jeu de mots. —

Je est un autre[4]. Tant pis pour le bois qui se trouve violon, et Nargue aux inconscients, qui ergotent[5] sur ce qu'ils ignorent tout à fait !

Vous n'êtes pas Enseignant pour moi. Je vous donne ceci : est-ce de la satire, comme vous diriez ? Est-ce de la poésie ? C'est de la fantaisie, toujours. — Mais, je vous en supplie, ne soulignez ni du crayon, ni trop de la pensée :

Le Cœur supplicié

Mon triste cœur bave à la poupe…
Mon cœur est plein de caporal !
Ils y lancent des jets de soupe,
4   Mon triste cœur bave à la poupe…
Sous les quolibets de la troupe
Qui lance un rire général,
Mon triste cœur bave à la poupe,
8   Mon cœur est plein de caporal !

Ithyphalliques et pioupiesques
Leurs insultes l'ont dépravé :

À la vesprée, ils font des fresques
12   Ithyphalliques et pioupiesques :
Ô flots abracadabrantesques,
Prenez mon cœur, qu'il soit sauvé !
Ithyphalliques et pioupiesques
16   Leurs insultes l'ont dépravé !

Quand ils auront tari leurs chiques,
Comment agir, ô cœur volé ?
Ce seront des refrains bachiques
20   Quand ils auront tari leurs chiques !
J'aurai des sursauts stomachiques,
Si mon cœur triste est ravalé !
Quand ils auront tari leurs chiques
24   Comment agir, ô cœur volé ?

Ça ne veut pas rien dire. — *Répondez-moi* : chez Mr Deverrière, pour A. R.
        Bonjour de cœur,   Art. Rimbaud

LETTRE À PAUL DEMENY

Charleville, 15 mai 1871.

J'ai résolu de vous donner une heure de littérature nouvelle ; je commence de suite par un psaume d'actualité :

Chant de guerre Parisien

Le Printemps est évident, car
Du cœur des Propriétés vertes,
Le vol de Thiers et de Picard
Tient ses splendeurs grandes ouvertes !

Ô Mai ! quels délirants cul-nus !
Sèvres, Meudon, Bagneux, Asnières,
Écoutez donc les bienvenus
Semer les choses printanières !

Ils ont schako, sabre et tam-tam
Non la vieille boîte à bougies
Et des yoles qui n'ont jam, jam…
Fendent le lac aux eaux rougies !

Plus que jamais nous bambochons
Quand arrivent sur nos tanières
Crouler les jaunes cabochons
Dans des aubes particulières !

Thiers et Picard sont des Éros,
Des enleveurs d'héliotropes,
Au pétrole ils font des Corots :
Voici hannetonner leurs tropes…

Ils sont familiers du Grand Truc !…
Et couché dans les glaïeuls, Favre
Fait son cillement aqueduc,
Et ses reniflements à poivre !

La Grand ville a le pavé chaud,
Malgré vos douches de pétrole,

Quelles rimes ! ô ! quelles rimes !

Et décidément, il nous faut
Vous secouer dans votre rôle…

28

———

Et les Ruraux qui se prélassent
Dans de longs accroupissements,
Entendront des rameaux qui cassent
Parmi les rouges froissements !

32

A. Rimbaud.

— Voici de la prose sur l'avenir de la poésie — Toute poésie antique aboutit à la poésie grecque ; Vie harmonieuse. — De la Grèce au mouvement romantique, — moyen âge, — il y a des lettrés, des versificateurs. D'Ennius[1] à Théroldus[2], de Théroldus à Casimir Delavigne[3], tout est prose rimée, un jeu, avachissement et gloire d'innombrables générations idiotes : Racine est le pur, le fort, le grand. — On eût soufflé sur ses rimes, brouillé ses hémistiches, que le Divin Sot[4] serait aujourd'hui aussi ignoré que le premier venu auteur d'*Origines*. — Après Racine, le jeu moisit. Il a duré deux mille ans !

Ni plaisanterie, ni paradoxe. La raison m'inspire plus de certitudes sur le sujet que n'aurait jamais eu de colères un jeune-France[5]. Du reste, libre aux *nouveaux*! d'exécrer les ancêtres : on est chez soi et l'on a le temps.

On n'a jamais bien jugé le romantisme ; qui l'aurait jugé ? Les critiques !! Les romantiques, qui prouvent si bien que la chanson est si peu souvent l'œuvre, c'est-à-dire la pensée chantée *et comprise* du chanteur[6] ?

Car Je est un autre. Si le cuivre s'éveille clairon, il n'y a rien de sa faute. Cela m'est évident : j'assiste à l'éclosion de ma pensée : je la regarde, je l'écoute : je lance un coup d'archet : la symphonie fait son remuement dans les profondeurs, ou vient d'un bond sur la scène.

Si les vieux imbéciles n'avaient pas trouvé du moi que la signification fausse, nous n'aurions pas à balayer ces millions de squelettes qui, depuis un temps infini, ! ont accumulé les produits de leur intelligence borgnesse[7], en s'en clamant les auteurs !

En Grèce, ai-je dit, vers et lyres *rhythment l'Action*[8]. Après, musique et rimes sont jeux, délassements. L'étude de ce passé charme les curieux : plusieurs s'éjouissent à renouveler ces antiquités : — c'est pour eux. L'intelligence universelle a toujours jeté ses idées, naturellement ; les hommes ramassaient une partie de ces fruits du cerveau : on agissait par, on en écrivait des livres : telle allait la marche, l'homme ne se travaillant pas, n'étant pas encore éveillé, ou pas encore dans la plénitude du grand songe. Des fonctionnaires, des écrivains : auteur, créateur, poète, cet homme n'a jamais existé !

La première étude de l'homme qui veut être poète est sa propre connaissance, entière ; il cherche son âme, il l'inspecte, il la tente, l'apprend. Dès qu'il la sait, il doit la cultiver ; cela semble simple : en tout cerveau s'accomplit un développement naturel ; tant d'*égoïstes* se proclament auteurs ; il en est bien d'autres qui s'attribuent leur progrès intellectuel ! — Mais il s'agit de faire l'âme monstrueuse : à l'instar des comprachicos[9], quoi ! Imaginez un homme s'implantant et se cultivant des verrues sur le visage.

Je dis qu'il faut être *voyant*, se faire *voyant*[10].

Le Poète se fait *voyant* par un long, immense et raisonné *dérèglement* de *tous les sens*. Toutes les formes d'amour, de souffrance, de folie ; il cherche lui-même, il épuise en lui tous les poisons, pour n'en garder que les quintessences. Ineffable torture où il a besoin de toute la foi, de toute la force surhumaine, où il devient entre tous le grand malade, le grand criminel, le grand maudit, — et le suprême Savant ! — Car il arrive à l'*inconnu* ! Puisqu'il a cultivé son âme, déjà riche, plus qu'aucun ! Il arrive à l'inconnu[11], et quand, affolé, il finirait par perdre l'intelligence de ses visions, il les a vues ! Qu'il crève dans son bondissement par les choses inouïes et innommables : viendront d'autres horribles travailleurs ; ils commenceront par les horizons où l'autre s'est affaissé !

— La suite à six minutes —

Ici j'intercale un second psaume, *hors du texte* : veuillez tendre une oreille complaisante, — et tout le monde sera charmé. — J'ai l'archet en main, je commence :

Mes Petites amoureuses

Un hydrolat lacrymal lave
    Les cieux vert-chou :
Sous l'arbre tendronnier qui bave,
4   Vos caoutchoucs

Blancs de lunes particulières
    Aux pialats ronds,
Entrechoquez vos genouillères
8   Mes laiderons !

Nous nous aimions à cette époque,
    Bleu laideron !
On mangeait des œufs à la coque
12   Et du mouron !

Un soir, tu me sacras poète,
    Blond laideron :
Descends ici, que je te fouette
16   En mon giron ;

J'ai dégueulé ta bandoline,
    Noir laideron ;
Tu couperais ma mandoline
20   Au fil du front.

Quelles rimes ! ô ! quelles rimes !

Pouah ! mes salives desséchées,
    Roux laideron
Infectent encor les tranchées
24   De ton sein rond !

Ô mes petites amoureuses,
    Que je vous hais !
Plaquez de fouffes douloureuses
28   Vos tétons laids !

Piétinez mes vieilles terrines
    De sentiment ;
— Hop donc ! Soyez-moi ballerines
32   Pour un moment !...

Vos omoplates se déboîtent,
    Ô mes amours !
Une étoile à vos reins qui boitent,
36   Tournez vos tours !

Et c'est pourtant pour ces éclanches
    Que j'ai rimé !
Je voudrais vous casser les hanches
40   D'avoir aimé !

Fade amas d'étoiles ratées,
    Comblez les coins !
— Vous crèverez en Dieu, bâtées
44   D'ignobles soins !

Sous les lunes particulières
    Aux pialats ronds,
Entrechoquez vos genouillères
48   Mes laiderons !

                A. R.

Voilà. Et remarquez bien que, si je ne craignais de vous faire débourser plus de 60 c. de port, — moi pauvre effaré qui, depuis sept mois, n'ai pas tenu un seul rond de bronze ! — je vous livrerais encore mes *Amants de Paris*[12], cent hexamètres, Monsieur, et ma *Mort de Paris*, deux cents hexamètres ! —

Je reprends :

Donc le poète est vraiment voleur de feu[13].

Il est chargé de l'humanité, des *animaux* même ; il devra faire sentir, palper, écouter ses inventions ; si ce qu'il rapporte *de là-bas* a forme, il donne forme ; si c'est informe, il donne de l'informe. Trouver une langue ;

— Du reste, toute parole étant idée, le temps d'un langage universel viendra ! Il faut être académicien, — plus mort qu'un fossile, — pour parfaire un dictionnaire, de quelque langue que ce soit. Des faibles se mettraient à *penser* sur la première lettre de l'alphabet, qui pourraient vite ruer dans la folie ! —

Cette langue sera de l'âme pour l'âme, résumant tout, parfums, sons, couleurs[14], de la pensée accrochant la pensée et tirant. Le poète définirait la quantité d'inconnu s'éveillant en son temps dans l'âme universelle : il donnerait plus — que la formule de sa pensée, que la notation *de sa marche au* Progrès[15]. Énormité devenant norme, absorbée par tous, il serait vraiment *un multiplicateur de progrès* !

Cet avenir sera matérialiste, vous le voyez. — Toujours pleins du *Nombre* et de l'*Harmonie*, ces poèmes seront faits pour rester. — Au fond, ce serait encore un peu la Poésie grecque.

L'art éternel aurait ses fonctions ; comme les poètes sont citoyens. La Poésie ne rhythmera plus l'action ; elle *sera en avant*.

Ces poètes seront ! Quand sera brisé l'infini servage de la femme, quand elle vivra pour elle et par elle, l'homme, — jusqu'ici abominable, — lui ayant donné son renvoi, elle sera poète, elle aussi ! La femme trouvera de l'inconnu !

Ses mondes d'idées différeront-ils des nôtres ? — Elle trouvera des choses étranges, insondables, repoussantes, délicieuses ; nous les prendrons, nous les comprendrons.

En attendant, demandons aux *poètes* du *nouveau*, — idées et formes. Tous les habiles croiraient bientôt avoir satisfait à cette demande. — Ce n'est pas cela !

Les premiers romantiques ont été *voyants* sans trop bien s'en rendre compte ; la culture de leurs âmes s'est commencée aux accidents : locomotives abandonnées, mais brûlantes, que prennent quelque temps les rails. — Lamartine est quelquefois voyant, mais étranglé par la forme vieille[16]. — Hugo, *trop cabochard*, a bien du *vu* dans les derniers volumes ; Les Misérables sont un vrai *poème*. J'ai *Les Châtiments* sous la main ; *Stella* donne à peu près la mesure de la *vue* de Hugo[17]. Trop de Belmontet[18] et de Lamennais, de Jéhovahs et de colonnes, vieilles énormités crevées.

Musset[19] est quatorze fois exécrable pour nous, générations douloureuses et prises de visions, — que sa paresse d'ange a insultées ! Ô ! les contes et les proverbes fadasses ! ô les nuits ! ô Rolla, ô Namouna, ô la Coupe ! Tout est français, c'est-à-dire haïssable au suprême degré ; français, pas parisien ! Encore une œuvre de cet odieux génie qui a inspiré Rabelais, Voltaire, Jean lafontaine, commenté par M. Taine[20] ! Printanier, l'esprit de Musset ! Charmant, son amour ! En voilà, de la peinture à l'émail, de la poésie solide ! On savourera longtemps la poésie *française*, mais en France. Tout garçon épicier est en mesure de débobiner une apostrophe Rollaque, tout séminariste en porte les cinq cents rimes dans le secret d'un carnet. À quinze ans, ces élans de passion mettent les jeunes en rut ; à seize ans, ils se contentent déjà de les réciter avec *cœur* ; à dix-huit ans, à dix-sept même, tout collégien qui a le moyen, fait le Rolla, écrit un Rolla ! Quelques-uns en meurent peut-être encore. Musset n'a rien su faire : il y avait des visions derrière la gaze des rideaux : il a fermé les yeux. Français, panadif[21], traîné de l'estaminet au pupitre de collège, le beau mort est mort, et, désormais, ne nous donnons même plus la peine de le réveiller par nos abominations !

Les seconds romantiques sont très *voyants* : Th. Gautier, Lec[onte] de Lisle, Th. de Banville. Mais inspecter l'invisible et entendre l'inouï étant autre chose que reprendre l'esprit des choses mortes, Baudelaire est le premier voyant, roi des poètes, *un vrai Dieu*. Encore a-t-il vécu dans un milieu trop artiste ; et la forme si vantée en lui est mesquine : les inventions d'inconnu réclament des formes nouvelles.

Rompue aux formes vieilles, parmi les innocents, A. Renaud, — a fait son rolla ; — L. Grandet, — a fait son Rolla ; — les gaulois et les Musset, G. Lafenestre, Coran, Cl. Popelin, Soulary, L. Salles ; Les écoliers, Marc, Aicard, Theuriet ; les morts et les imbéciles, Autran, Barbier, L. Pichat, Lemoyne, les Deschamps, les Desessarts ; les journalistes, L. Cladel, Robert Luzarches, X. de Ricard ; les fantaisistes, C. Mendès ; les bohêmes ; les femmes ; les talents, Léon Dierx et Sully Prudhomme, Coppée ; — la nouvelle école, dite parnassienne, a deux voyants, Albert Mérat et Paul Verlaine, un vrai poète. — Voilà[22]. — Ainsi je travaille à me rendre *voyant*. — Et finissons par un chant pieux.

— Accroupissements —

Bien tard, quand il se sent l'estomac écœuré,
Le frère Milotus, un œil à la lucarne
D'où le soleil, clair comme un chaudron récuré,
Lui darde une migraine et fait son regard darne,
5   Déplace dans les draps son ventre de curé.

Il se démène sous sa couverture grise
Et descend, ses genoux à son ventre tremblant,
Effaré comme un vieux qui mangerait sa prise,
Car il lui faut, le poing à l'anse d'un pot blanc,
10 À ses reins largement retrousser sa chemise !

Or, il s'est accroupi, frileux, les doigts de pied
Repliés, grelottant au clair soleil qui plaque
Des jaunes de brioche aux vitres de papier ;
Et le nez du bonhomme où s'allume la laque
15 Renifle aux rayons, tel qu'un charnel polypier.

....

Le bonhomme mijote au feu, bras tordus, lippe
Au ventre : il sent glisser ses cuisses dans le feu,
Et ses chausses roussir, et s'éteindre sa pipe ;
Quelque chose comme un oiseau remue un peu
20 À son ventre serein comme un monceau de tripe !

Autour, dort un fouillis de meubles abrutis
Dans des haillons de crasse et sur de sales ventres ;
Des escabeaux, crapauds étranges, sont blottis
Aux coins noirs : des buffets ont des gueules de chantres
25 Qu'entrouvre un sommeil plein d'horribles appétits.

L'écœurante chaleur gorge la chambre étroite ;
Le cerveau du bonhomme est bourré de chiffons.
Il écoute les poils pousser dans sa peau moite,
Et, parfois, en hoquets fort gravement bouffons
30 S'échappe, secouant son escabeau qui boite...

....

Et le soir, aux rayons de lune, qui lui font
Aux contours du cul des bavures de lumière,
Une ombre avec détails s'accroupit, sur un fond
De neige rose ainsi qu'une rose trémière...
35 Fantasque, un nez poursuit Vénus au ciel profond.

Quelles rimes ! ô ! quelles rimes !

Vous seriez exécrable de ne pas répondre : vite, car dans huit jours, je serai à Paris, peut-être.

Au revoir.

A. Rimbaud.

L'Orgie parisienne
ou
Paris se repeuple

Ô lâches, la voilà ! dégorgez dans les gares !
Le soleil expia de ses poumons ardents
Les boulevards qu'un soir comblèrent les Barbares.
4 Voilà la Cité belle, assise à l'occident !

Allez ! on préviendra les reflux d'incendie,
Voilà les quais ! voilà les boulevards ! voilà,
Sur les maisons, l'azur léger qui s'irradie,
8 Et qu'un soir la rougeur des bombes étoila.

Cachez les palais morts dans des niches de planches !
L'ancien jour effaré rafraîchit vos regards.
Voici le troupeau roux des tordeuses de hanches,
12 Soyez fous, vous serez drôles, étant hagards !

Tas de chiennes en rut mangeant des cataplasmes.
Le cri des maisons d'or vous réclame. Volez !
Mangez ! voici la nuit de joie aux profonds spasmes
16 Qui descend dans la rue, ô buveurs désolés,

Buvez ! Quand la lumière arrive intense et folle,
Fouillant à vos côtés les luxes ruisselants,
Vous n'allez pas baver, sans geste, sans parole,
20 Dans vos verres, les yeux perdus aux lointains blancs,

Avalez, pour la Reine aux fesses cascadantes !
Écoutez l'action des stupides hoquets
Déchirants. Écoutez sauter aux nuits ardentes
24 Les idiots râleux, vieillards, pantins, laquais !

Ô cœurs de saleté, bouches épouvantables,
Fonctionnez plus fort, bouches de puanteurs !
Un vin pour ces torpeurs ignobles, sur ces tables…
28 Vos ventres sont fondus de hontes, ô Vainqueurs !

Ouvrez votre narine aux superbes nausées !
Trempez de poisons forts les cordes de vos cous !
Sur vos nuques d'enfants baissant ses mains croisées
32 Le Poète vous dit : ô lâches, soyez fous !

Parce que vous fouillez le ventre de la Femme
Vous craignez d'elle encore une convulsion
Qui crie, asphyxiant votre nichée infâme
36 Sur sa poitrine, en une horrible pression.

Syphilitiques, fous, rois, pantins, ventriloques,
Qu'est-ce que ça peut faire à la putain Paris,
Vos âmes et vos corps, vos poisons et vos loques ?
40 Elle se secouera de vous, hargneux pourris !

Et quand vous serez bas, geignant sur vos entrailles,
Les flancs morts, réclamant votre argent, éperdus,
La rouge courtisane aux seins gros de batailles
44 Loin de votre stupeur tordra ses poings ardus !

Quand tes pieds ont dansé si fort dans les colères,
Paris ! quand tu reçus tant de coups de couteau,
Quand tu gis, retenant dans tes prunelles claires
48 Un peu de la bonté du fauve renouveau,

Ô cité douloureuse, ô cité quasi morte,
La tête et les deux seins jetés vers l'Avenir
Ouvrant sur ta pâleur ses milliards de portes,
52 Cité que le Passé sombre pourrait bénir :

Corps remagnétisé pour les énormes peines,
Tu rebois donc la vie effroyable ! tu sens
Sourdre le flux des vers livides en tes veines,
56 Et sur ton clair amour rôder les doigts glaçants !

Et ce n'est pas mauvais. Tes vers, tes vers livides
Ne gêneront pas plus ton souffle de Progrès
Que les Stryx n'éteignaient l'œil des Cariatides
60 Où des pleurs d'or astral tombaient des bleus degrés.

Quoique ce soit affreux de te revoir couverte
Ainsi ; quoiqu'on n'ait fait jamais d'une cité
Ulcère plus puant à la Nature verte,
64 Le Poète te dit : « Splendide est ta Beauté ! »

L'orage t'a sacrée suprême poésie ;
L'immense remuement des forces te secourt ;
Ton œuvre bout, la mort gronde, Cité choisie !
68 Amasse les strideurs au cœur du clairon lourd.

Le Poète prendra le sanglot des Infâmes,
La haine des Forçats, la clameur des maudits ;
Et ses rayons d'amour flagelleront les Femmes.
72 Ses strophes bondiront : voilà ! voilà ! bandits !

— Société, tout est rétabli : — les orgies
Pleurent leur ancien râle aux anciens lupanars :
Et les gaz en délire, aux murailles rougies,
76 Flambent sinistrement vers les azurs blafards !

Mai 1871.

Les mains de Jeanne-Marie

Jeanne-Marie a des mains fortes,
Mains sombres que l'été tanna,
Mains pâles comme des mains mortes.
— Sont-ce des mains de Juana ?

Ont-elles pris les crèmes brunes
Sur les mares des voluptés ?
Ont-elles trempé dans des lunes
Aux étangs de sérénités ?

Ont-elles bu des cieux barbares,
Calmes sur les genoux charmants ?
Ont-elles roulé des cigares
Ou trafiqué des diamants ?

Sur les pieds ardents des Madones
Ont-elles fané des fleurs d'or ?
C'est le sang noir des belladones
Qui dans leur paume éclate et dort.

Mains chasseresses des diptères
Dont bombinent les bleuisons
Aurorales, vers les nectaires ?
Mains décanteuses de poisons ?

Oh ! quel Rêve les a saisies
Dans les pandiculations ?
Un rêve inouï des Asies,
Des Khenghavars ou des Sions ?

— Ces mains n'ont pas vendu d'oranges,
Ni bruni sur les pieds des dieux :

Ces mains n'ont pas lavé les langes
28   Des lourds petits enfants sans yeux.

[Ce ne sont pas mains de cousine
Ni d'ouvrières aux gros fronts
Que brûle, aux bois puant l'usine,
32   Un soleil ivre de goudrons.]

Ce sont des ployeuses d'échines,
Des mains qui ne font jamais mal,
Plus fatales que des machines,
36   Plus fortes que tout un cheval !

Remuant comme des fournaises,
Et secouant tous ses frissons,
Leur chair chante des Marseillaises
40   Et jamais les Eleisons !

[Ça serrerait vos cous, ô femmes
Mauvaises, ça broierait vos mains,
Femmes nobles, vos mains infâmes
44   Pleines de blancs et de carmins.

L'éclat de ces mains amoureuses
Tourne le crâne des brebis !
Dans leurs phalanges savoureuses
48   Le grand soleil met un rubis !]

Une tache de populace
Les brunit comme un sein d'hier ;
Le dos de ces Mains est la place
52   Qu'en baisa tout Révolté fier !

Elles ont pâli, merveilleuses,
Au grand soleil d'amour chargé,

Sur le bronze des mitrailleuses
56   À travers Paris insurgé !

Ah ! quelquefois, ô Mains sacrées,
À vos poings, Mains où tremblent nos
Lèvres jamais désenivrées,
60   Crie une chaîne aux clairs anneaux !

Et c'est un Soubresaut étrange
Dans nos êtres, quand, quelquefois,
On veut vous déhâler, Mains d'ange,
64   En vous faisant saigner les doigts !

                                        Fév. 72

Les Sœurs de charité

Le jeune homme dont l'œil est brillant, la peau brune,
Le beau corps de vingt ans qui devrait aller nu,
Et qu'eût, le front cerclé de cuivre, sous la lune
4   Adoré, dans la Perse un Génie inconnu,

Impétueux avec des douceurs virginales
Et noires, fier de ses premiers entêtements,
Pareils aux jeunes mers, pleurs de nuits estivales
8   Qui se retournent sur des lits de diamants ;

Le jeune homme, devant les laideurs de ce monde
Tressaille dans son cœur largement irrité
Et plein de la blessure éternelle et profonde,
12   Se prend à désirer sa sœur de charité.

Mais, ô Femme, monceau d'entrailles, pitié douce,
Tu n'es jamais la Sœur de charité, jamais,
Ni regard noir, ni ventre où dort une ombre rousse
16 Ni doigts légers, ni seins splendidement formés.

Aveugle irréveillée aux immenses prunelles
Tout notre embrassement n'est qu'une question :
C'est toi qui pends à nous, porteuse de mamelles ;
20 Nous te berçons, charmante et grave Passion.

Tes haines, tes torpeurs fixes, tes défaillances
Et les brutalités souffertes autrefois
Tu nous rends tout, ô Nuit pourtant sans malveillances,
24 Comme un excès de sang épanché tous les mois.

— Quand la femme, portée un instant, l'épouvante,
Amour, appel de vie et chanson d'action
Viennent la Muse verte et la Justice ardente
28 Le déchirer de leur auguste obsession.

Ah ! sans cesse altéré des splendeurs et des calmes,
Délaissé des deux Sœurs implacables, geignant
Avec tendresse après la science aux bras almes
32 Il porte à la nature en fleur son front saignant.

Mais la noire alchimie et les saintes études
Répugnent au blessé, sombre savant d'orgueil ;
Il sent marcher sur lui d'atroces solitudes.
36 Alors, et toujours beau, sans dégoût du cercueil,

Qu'il croie aux vastes fins, Rêves ou Promenades
Immenses, à travers les nuits de Vérité
Et t'appelle en son âme et ses membres malades
40 Ô Mort mystérieuse, ô Sœur de charité.

Juin 1871.

L'Homme juste

[...]

Le Juste restait droit sur ses hanches solides :
Un rayon lui dorait l'épaule ; des sueurs
Me prirent : « Tu veux voir rutiler les bolides ?
Et, debout, écouter bourdonner les flueurs
5   D'astres lactés, et les essaims d'astéroïdes ?

« Par des farces de nuit ton front est épié,
Ô Juste ! Il faut gagner un toit. Dis ta prière,
La bouche dans ton drap doucement expié ;
Et si quelque égaré choque ton ostiaire,
10 Dis : Frère, va plus loin, je suis estropié ! »

Et le Juste restait debout, dans l'épouvante
Bleuâtre des gazons après le soleil mort :
« Alors, mettrais-tu tes genouillères en vente,
Ô vieillard ? Pèlerin sacré ! Barde d'Armor !
15 Pleureur des Oliviers ! Main que la pitié gante !

« Barbe de la famille et poing de la cité,
Croyant très doux : ô cœur tombé dans les calices,
Majestés et vertus, amour et cécité,
Juste ! plus bête et plus dégoûtant que les lices !
20 Je suis celui qui souffre et qui s'est révolté !

« Et ça me fait pleurer sur mon ventre, ô stupide,
Et bien rire, l'espoir fameux de ton pardon !
Je suis maudit, tu sais ! Je suis soûl, fou, livide,
Ce que tu veux ! Mais va te coucher, voyons donc,
25 Juste ! Je ne veux rien à ton cerveau torpide !

« C'est toi le Juste, enfin, le Juste ! C'est assez !
C'est vrai que ta tendresse et ta raison sereines
Reniflent dans la nuit comme des cétacés !
Que tu te fais proscrire, et dégoises des thrènes
30 Sur d'effroyables becs de canne fracassés !

« Et c'est toi l'œil de Dieu ! le lâche ! Quand les plantes
Froides des pieds divins passeraient sur mon cou,
Tu es lâche ! Ô ton front qui fourmille de lentes !
Socrates et Jésus, Saints et Justes, dégoût !
35 Respectez le Maudit suprême aux nuits sanglantes ! »

J'avais crié cela sur la terre, et la nuit
Calme et blanche occupait les Cieux pendant ma fièvre.
Je relevai mon front : le fantôme avait fui,
Emportant l'ironie atroce de ma lèvre...
40 — Vents nocturnes ! venez au Maudit ! Parlez-lui !

Cependant que, silencieux sous les pilastres
D'azur, allongeant les comètes et les nœuds
D'univers, remuement énorme sans désastres,
L'ordre, éternel veilleur, rame aux cieux lumineux
45 Et de sa drague en feu laisse filer les astres !

Ah qu'il s'en aille, lui, la gorge cravatée
De honte, ruminant toujours mon ennui, doux
Comme le sucre sur la denture gâtée
— Tel que la chienne après l'assaut des fiers toutous,
50 Léchant son flanc d'où pend une entraille emportée

Qu'il dise charités crasseuses et progrès...
— J'exècre tous ces yeux de Chinois [...] daines,
Mais qui chante : nana, comme un tas d'enfants près
De mourir, idiots doux aux chansons soudaines :
55 Ô Justes, nous chierons dans vos ventres de grès.

LETTRE À PAUL DEMENY

comprenant

Les Poètes de sept ans, Les Pauvres à l'Église
et *Le Cœur du pitre*

Charleville, 10 juin 1871.

À M. P. Demeny.

Les Poètes de sept ans

Et la Mère, fermant le livre du devoir,
S'en allait satisfaite et très fière, sans voir,
Dans les yeux bleus et sous le front plein d'éminences,
L'âme de son enfant livrée aux répugnances.

5   Tout le jour il suait d'obéissance ; très
Intelligent ; pourtant des tics noirs, quelques traits,
Semblaient prouver en lui d'âcres hypocrisies.
Dans l'ombre des couloirs aux tentures moisies,
En passant il tirait la langue, les deux poings
10   À l'aine, et dans ses yeux fermés voyait des points.
Une porte s'ouvrait sur le soir : à la lampe
On le voyait, là-haut, qui râlait sur la rampe,
Sous un golfe de jour pendant du toit. L'été
Surtout, vaincu, stupide, il était entêté
15   À se renfermer dans la fraîcheur des latrines :
Il pensait là, tranquille et livrant ses narines.
Quand, lavé des odeurs du jour, le jardinet
Derrière la maison, en hiver, s'illunait,
Gisant au pied d'un mur, enterré dans la marne
20   Et pour des visions écrasant son œil darne,

Il écoutait grouiller les galeux espaliers.
Pitié! Ces enfants seuls étaient ses familiers
Qui, chétifs, fronts nus, œil déteignant sur la joue,
Cachant de maigres doigts jaunes et noirs de boue
25 Sous des habits puant la foire et tout vieillots,
Conversaient avec la douceur des idiots!
Et si, l'ayant surpris à des pitiés immondes,
Sa mère s'effrayait; les tendresses, profondes,
De l'enfant se jetaient sur cet étonnement.
30 C'était bon. Elle avait le bleu regard, — qui ment!

À sept ans, il faisait des romans, sur la vie
Du grand désert, où luit la Liberté ravie,
Forêts, soleils, rives, savanes! — Il s'aidait
De journaux illustrés où, rouge, il regardait
35 Des Espagnoles rire et des Italiennes.
Quand venait, l'œil brun, folle, en robes d'indiennes,
— Huit ans, — la fille des ouvriers d'à côté,
La petite brutale, et qu'elle avait sauté,
Dans un coin, sur son dos, en secouant ses tresses,
40 Et qu'il était sous elle, il lui mordait les fesses,
Car elle ne portait jamais de pantalons;
— Et, par elle meurtri des poings et des talons
Remportait les saveurs de sa peau dans sa chambre.

Il craignait les blafards dimanches de décembre,
45 Où, pommadé, sur un guéridon d'acajou,
Il lisait une Bible à la tranche vert-chou;
Des rêves l'oppressaient chaque nuit dans l'alcôve.
Il n'aimait pas Dieu; mais les hommes, qu'au soir
[fauve,
Noirs, en blouse, il voyait rentrer dans le faubourg
50 Où les crieurs, en trois roulements de tambour,
Font autour des édits rire et gronder les foules.
— Il rêvait la prairie amoureuse, où des houles

Lumineuses, parfums sains, pubescences d'or,
Font leur remuement calme et prennent leur essor !

55 Et comme il savourait surtout les sombres choses,
Quand, dans la chambre nue aux persiennes closes,
Haute et bleue, âcrement prise d'humidité,
Il lisait son roman sans cesse médité,
Plein de lourds ciels ocreux et de forêts noyées,
60 De fleurs de chair aux bois sidérals déployées,
Vertige, écroulements, déroutes et pitié !
— Tandis que se faisait la rumeur du quartier,
En bas, — seul, et couché sur des pièces de toile
Écrue, et pressentant violemment la voile !

A.R. 26 Mai 1871.

Les Pauvres à l'Église

Parqués entre des bancs de chêne, aux coins d'église
Qu'attiédit puamment leur souffle, tous leurs yeux
Vers le chœur ruisselant d'orrie et la maîtrise
4 Aux vingt gueules gueulant les cantiques pieux ;

Comme un parfum de pain humant l'odeur de cire,
Heureux, humiliés comme des chiens battus,
Les Pauvres au bon Dieu, le patron et le sire,
8 Tendent leurs oremus risibles et têtus.

Aux femmes, c'est bien bon de faire des bancs lisses,
Après les six jours noirs où Dieu les fait souffrir !
Elles bercent, tordus dans d'étranges pelisses,
12 Des espèces d'enfants qui pleurent à mourir.

Leurs seins crasseux dehors, ces mangeuses de soupe,
Une prière aux yeux et ne priant jamais,
Regardent parader mauvaisement un groupe
16 De gamines avec leurs chapeaux déformés.

Dehors, le froid, la faim, l'homme en ribote :
C'est bon. Encore une heure ; après, les maux sans noms !
— Cependant, alentour, geint, nazille, chuchote
20 Une collection de vieilles à fanons :

Ces effarés y sont et ces épileptiques
Dont on se détournait hier aux carrefours ;
Et, fringalant du nez dans des missels antiques,
24 Ces aveugles qu'un chien introduit dans les cours.

Et tous, bavant la foi mendiante et stupide,
Récitent la complainte infinie à Jésus
Qui rêve en haut, jauni par le vitrail livide,
28 Loin des maigres mauvais et des méchants pansus,

Loin des senteurs de viande et d'étoffes moisies,
Farce prostrée et sombre aux gestes repoussants ;
— Et l'oraison fleurit d'expressions choisies,
32 Et les mysticités prennent des tons pressants,

Quand, des nefs où périt le soleil, plis de soie
Banals, sourires verts, les Dames des quartiers
Distingués, — ô Jésus ! — les malades du foie
36 Font baiser leurs longs doigts jaunes aux bénitiers.

A. Rimbaud
1871

Voici, — ne vous fâchez pas, — un motif à dessins drôles : c'est une antithèse[1] aux douces vignettes pérennelles où batifolent les cupidons, où s'essorent les cœurs panachés de flammes, fleurs vertes, oiseaux mouillés, promontoires de Leucade, etc. — Ces triolets, eux aussi, du reste, iront

> *Où les vignettes pérennelles,*
> *Où les doux vers.*

Voici : — ne vous fâchez pas ! —

Le Cœur du pitre

Mon triste Cœur bave à la poupe,
Mon cœur est plein de caporal :
Ils y lancent des jets de soupe,
4   Mon triste Cœur bave à la poupe :
Sous les quolibets de la troupe
Qui pousse un rire général,
Mon triste cœur bave à la poupe,
8   Mon cœur est plein de caporal !

Ithyphalliques et pioupiesques
Leurs insultes l'ont dépravé :
À la vesprée, ils font des fresques
12   Ithyphalliques et pioupiesques :
Ô flots abracadabrantesques,
Prennez [*sic*] mon cœur, qu'il soit sauvé :
Ithyphalliques et pioupiesques
16   Leurs insultes l'ont dépravé !

Quand ils auront tari leurs chiques,
Comment agir, ô cœur volé ?
Ce seront des refrains bachiques
20   Quand ils auront tari leurs chiques :
J'aurai des sursauts stomachiques
Si mon cœur triste est ravalé :
Quand ils auront tari leurs chiques,
24   Comment agir, ô cœur volé ?

A. R.
Juin 1871.

Voilà ce que je fais – J'ai trois prières à vous adresser : brûlez, *je le veux*, et je crois que vous respecterez ma volonté comme celle d'un mort, brûlez *tous les vers*[2] *que je fus assez sot* pour vous donner lors *de mon séjour à Douai* : ayez la bonté de m'envoyer, s'il vous est possible et s'il vous plaît, un exemplaire de vos *Glaneuses*[3], que je voudrais relire et qu'il m'est impossible d'acheter, ma mère ne m'ayant gratifié d'aucun rond de bronze depuis six mois, — pitié ! — : enfin, veuillez bien me répondre, quoi que ce soit, pour cet envoi et pour le précédent.

Je vous souhaite un bon jour, ce qui est bien bon.

Écrivez à : M. Deverrière, 95, sous les Allées, pour : A. Rimbaud.

LETTRE À THÉODORE DE BANVILLE

comprenant

Ce qu'on dit au Poète à propos de fleurs

Charleville, Ardennes, 15 août 1871

À MONSIEUR THÉODORE DE BANVILLE

Ce qu'on dit au Poète
à propos de fleurs

I

Ainsi, toujours, vers l'azur noir
Où tremble la mer des topazes,
Fonctionneront dans ton soir
4   Les Lys, ces clystères d'extases !

À notre époque de sagous,
Quand les Plantes sont travailleuses,
Le Lys boira les bleus dégoûts
8   Dans tes Proses religieuses !

— Le lys de monsieur de Kerdrel,
Le Sonnet de mil huit cent trente,
Le Lys qu'on donne au Ménestrel
12   Avec l'œillet et l'amarante !

Des lys ! Des lys ! On n'en voit pas !
Et dans ton Vers, tel que les manches
Des Pécheresses aux doux pas,
16   Toujours frissonnent ces fleurs blanches !

Toujours, Cher, quand tu prends un bain,
Ta Chemise aux aisselles blondes
Se gonfle aux brises du matin
20   Sur les myosotis immondes !

L'amour ne passe à tes octrois
Que les Lilas, — ô balançoires !
Et les Violettes du Bois,
24   Crachats sucrés des Nymphes noires !...

II

Ô Poètes, quand vous auriez
Les Roses, les Roses soufflées,
Rouges sur tiges de lauriers,
28   Et de mille octaves enflées !

Quand BANVILLE en ferait neiger,
Sanguinolentes, tournoyantes,
Pochant l'œil fou de l'étranger
32   Aux lectures mal bienveillantes !

De vos forêts et de vos prés,
Ô très-paisibles photographes !
La Flore est diverse à peu près
36   Comme des bouchons de carafes !

Toujours les végétaux Français,
Hargneux, phtisiques, ridicules,
Où le ventre des chiens bassets
40   Navigue en paix, aux crépuscules ;

Toujours, après d'affreux desseins
De Lotos bleus ou d'Hélianthes,
Estampes roses, sujets saints
44   Pour de jeunes communiantes !

L'Ode Açoka cadre avec la
Strophe en fenêtre de lorette ;
Et de lourds papillons d'éclat
48 Fientent sur la Pâquerette.

Vieilles verdures, vieux galons !
Ô croquignoles végétales !
Fleurs fantasques des vieux Salons !
52 — Aux hannetons, pas aux crotales,

Ces poupards végétaux en pleurs
Que Grandville eût mis aux lisières,
Et qu'allaitèrent de couleurs
56 De méchants astres à visières !

Oui, vos bavures de pipeaux
Font de précieuses glucoses !
— Tas d'œufs frits dans de vieux chapeaux,
60 Lys, Açokas, Lilas et Roses !…

III

Ô blanc Chasseur, qui cours sans bas
À travers le Pâtis panique,
Ne peux-tu pas, ne dois-tu pas
64 Connaître un peu ta botanique ?

Tu ferais succéder, je crains,
Aux Grillons roux les Cantharides,
L'or des Rios au bleu des Rhins,
68 Bref, aux Norwèges les Florides :

Mais, Cher, l'Art n'est plus, maintenant,
— C'est la vérité, — de permettre
À l'Eucalyptus étonnant
72 Des constrictors d'un hexamètre ;

Là !... Comme si les Acajous
Ne servaient, même en nos Guyanes,
Qu'aux cascades des sapajous,
76   Au lourd délire des lianes !

— En somme, une Fleur, Romarin
Ou Lys, vive ou morte, vaut-elle
Un excrément d'oiseau marin ?
80   Vaut-elle un seul pleur de chandelle ?

— Et j'ai dit ce que je voulais !
Toi, même assis là-bas, dans une
Cabane de bambous, — volets
84   Clos, tentures de perse brune, —

Tu torcherais des floraisons
Dignes d'Oises extravagantes !...
— Poète ! ce sont des raisons
88   Non moins risibles qu'arrogantes !...

IV

Dis, non les pampas printaniers
Noirs d'épouvantables révoltes,
Mais les tabacs, les cotonniers !
92   Dis les exotiques récoltes !

Dis, front blanc que Phébus tanna,
De combien de dollars se rente
Pedro Velasquez, Habana ;
96   Incague la mer de Sorrente

Où vont les Cygnes par milliers ;
Que tes strophes soient des réclames
Pour l'abatis des mangliers
100   Fouillés des hydres et des lames !

Ton quatrain plonge aux bois sanglants
Et revient proposer aux Hommes
Divers sujets de sucres blancs,
104   De pectoraires et de gommes !

Sachons par Toi si les blondeurs
Des Pics neigeux, vers les Tropiques,
Sont ou des insectes pondeurs
108   Ou des lichens microscopiques !

Trouve, ô Chasseur, nous le voulons,
Quelques garances parfumées
Que la Nature en pantalons
112   Fasse éclore ! — pour nos Armées !

Trouve, aux abords du Bois qui dort,
Les fleurs, pareilles à des mufles,
D'où bavent des pommades d'or
116   Sur les cheveux sombres des Bufles !

Trouve, aux prés fous, où sur le Bleu
Tremble l'argent des pubescences,
Des Calices pleins d'Œufs de feu
120   Qui cuisent parmi les essences !

Trouve des Chardons cotonneux
Dont dix ânes aux yeux de braises
Travaillent à filer les nœuds !
124   Trouve des Fleurs qui soient des chaises !

Oui, trouve au cœur des noirs filons
Des fleurs presque pierres, — fameuses ! —
Qui vers leurs durs ovaires blonds
128   Aient des amygdales gemmeuses !

Sers-nous, ô Farceur, tu le peux,
Sur un plat de vermeil splendide
Des ragoûts de Lys sirupeux
132 Mordant nos cuillers Alfénide !

V

Quelqu'un dira le grand Amour,
Voleur des Sombres Indulgences :
Mais ni Renan, ni le chat Murr
136 N'ont vu les Bleus Thyrses immenses !

Toi, fais jouer dans nos torpeurs,
Par les parfums les hystéries ;
Exalte-nous vers des candeurs
140 Plus candides que les Maries...

Commerçant ! colon ! médium !
Ta Rime sourdra, rose ou blanche,
Comme un rayon de sodium,
144 Comme un caoutchouc qui s'épanche !

De tes noirs Poèmes, — Jongleur !
Blancs, verts, et rouges dioptriques,
Que s'évadent d'étranges fleurs
148 Et des papillons électriques !

Voilà ! c'est le Siècle d'enfer !
Et les poteaux télégraphiques
Vont orner, — lyre aux chants de fer,
152 Tes omoplates magnifiques !

Surtout, rime une version
Sur le mal des pommes de terre !
— Et, pour la composition
156 De Poèmes pleins de mystère

Qu'on doive lire de Tréguier
À Paramaribo, rachète
Des Tomes de Monsieur Figuier,
— Illustrés ! — chez Monsieur Hachette !

Alcide Bava[1].
A. R.

160

14 juillet 1871

Monsieur et Cher Maître,

Vous rappelez-vous avoir reçu de province, en juin 1870, cent ou cent cinquante hexamètres mythologiques intitulés *Credo in unam* ? Vous fûtes assez bon pour répondre[2] !

C'est le même imbécile qui vous envoie les vers ci-dessus, signés Alcide Bava. — Pardon.

J'ai dix-huit ans. — J'aimerai toujours les vers de Banville. L'an passé je n'avais que dix-sept ans !

Ai-je progressé ?

Alcide Bava.
A. R.

Mon adresse :

Mr Charles Bretagne[3],
Avenue de Mézières, à Charleville,
pour
A. Rimbaud.

Les Premières Communions

I

Vraiment, c'est bête, ces églises des villages
Où quinze laids marmots encrassant les piliers
Écoutent, grasseyant les divins babillages,

Un noir grotesque dont fermentent les souliers :
5 Mais le soleil éveille à travers des feuillages
Les vieilles couleurs des vitraux irréguliers.

La pierre sent toujours la terre maternelle.
Vous verrez des monceaux de ces cailloux terreux
Dans la campagne en rut qui frémit solennelle
10 Portant près des blés lourds, dans les sentiers ocreux,
Ces arbrisseaux brûlés où bleuit la prunelle,
Des nœuds de mûriers noirs et de rosiers fuireux.

Tous les cent ans on rend ces granges respectables
Par un badigeon d'eau bleue et de lait caillé :
15 Si des mysticités grotesques sont notables
Près de la Notre-Dame ou du Saint empaillé,
Des mouches sentant bon l'auberge et les étables
Se gorgent de cire au plancher ensoleillé.

L'enfant se doit surtout à la maison, famille
20 Des soins naïfs, des bons travaux abrutissants ;
Ils sortent, oubliant que la peau leur fourmille
Où le Prêtre du Christ plaqua ses doigts puissants.
On paie au Prêtre un toit ombré d'une charmille
Pour qu'il laisse au soleil tous ces fronts brunissants.

25 Le premier habit noir, le plus beau jour de tartes,
Sous le Napoléon ou le Petit Tambour
Quelque enluminure où les Josephs et les Marthes
Tirent la langue avec un excessif amour
Et que joindront, au jour de science, deux cartes,
30 Ces seuls doux souvenirs lui restent du grand Jour.

Les filles vont toujours à l'église, contentes
De s'entendre appeler garces par les garçons
Qui font du genre après messe ou vêpres chantantes.
Eux qui sont destinés au chic des garnisons

35 Ils narguent au café les maisons importantes
    Blousés neuf, et gueulant d'effroyables chansons.

    Cependant le Curé choisit pour les enfances
    Des dessins ; dans son clos, les vêpres dites, quand
    L'air s'emplit du lointain nasillement des danses
40 Il se sent, en dépit des célestes défenses,
    Les doigts de pied ravis et le mollet marquant...

    — La Nuit vient, noir pirate aux cieux d'or débarquant.

                        II

    Le Prêtre a distingué parmi les catéchistes,
    Congrégés des Faubourgs ou des Riches Quartiers,
45 Cette petite fille inconnue, aux yeux tristes,
    Front jaune. Les parents semblent de doux portiers.
    « Au grand Jour, le marquant parmi les Catéchistes,
    Dieu fera sur ce front neiger ses bénitiers. »

                        III

    La veille du grand Jour, l'enfant se fait malade.
50 Mieux qu'à l'Église haute aux funèbres rumeurs,
    D'abord le frisson vient, — le lit n'étant pas fade —
    Un frisson surhumain qui retourne : « Je meurs... »

    Et, comme un vol d'amour fait à ses sœurs stupides,
    Elle compte, abattue et les mains sur son cœur,
55 Les Anges, les Jésus et ses Vierges nitides
    Et, calmement, son âme a bu tout son vainqueur.

    Adonaï !... — Dans les terminaisons latines,
    Des cieux moirés de vert baignent les Fronts vermeils
    Et tachés du sang pur des célestes poitrines
60 De grands linges neigeux tombent sur les soleils !

— Pour ses virginités présentes et futures
Elle mord aux fraîcheurs de ta Rémission,
Mais plus que les lys d'eau, plus que les confitures
Tes pardons sont glacés, ô Reine de Sion !

IV

65 Puis la Vierge n'est plus que la vierge du livre.
Les mystiques élans se cassent quelquefois...
Et vient la pauvreté des images, que cuivre
L'ennui, l'enluminure atroce et les vieux bois ;

Des curiosités vaguement impudiques
70 Épouvantent le rêve aux chastes bleuités
Qui s'est surpris autour des célestes tuniques,
Du linge dont Jésus voile ses nudités.

Elle veut, elle veut, pourtant, l'âme en détresse,
Le front dans l'oreiller creusé par les cris sourds
75 Prolonger les éclairs suprêmes de tendresse,
Et bave... — L'ombre emplit les maisons et les cours.

Et l'enfant ne peut plus. Elle s'agite, cambre
Les reins et d'une main ouvre le rideau bleu
Pour amener un peu la fraîcheur de la chambre
80 Sous le drap, vers son ventre et sa poitrine en feu...

V

À son réveil, — minuit, — la fenêtre était blanche.
Devant le sommeil bleu des rideaux illunés,
La vision la prit des candeurs du dimanche ;
Elle avait rêvé rouge. Elle saigna du nez,

85 Et se sentant bien chaste et pleine de faiblesse
Pour savourer en Dieu son amour revenant

Elle eut soif de la nuit où s'exalte et s'abaisse
Le cœur, sous l'œil des cieux doux, en les devinant ;

De la nuit, Vierge-Mère impalpable, qui baigne
90 Tous les jeunes émois de ses silences gris ;
Elle eut soif de la nuit forte où le cœur qui saigne
Écoule sans témoin sa révolte sans cris.

Et faisant la Victime et la petite épouse,
Son étoile la vit, une chandelle aux doigts
95 Descendre dans la cour où séchait une blouse,
Spectre blanc, et lever les spectres noirs des toits.

VI

Elle passa sa nuit sainte dans des latrines.
Vers la chandelle, aux trous du toit coulait l'air blanc,
Et quelque vigne folle aux noirceurs purpurines,
100 En deçà d'une cour voisine s'écroulant.

La lucarne faisait un cœur de lueur vive
Dans la cour où les cieux bas plaquaient d'ors vermeils
Les vitres ; les pavés puant l'eau de lessive
Souffraient l'ombre des murs bondés de noirs sommeils.
....

VII

105 Qui dira ces langueurs et ces pitiés immondes,
Et ce qu'il lui viendra de haine, ô sales fous,
Dont le travail divin déforme encor les mondes,
Quand la lèpre à la fin mangera ce corps doux ?
....

VIII

Et quand, ayant rentré tous ses nœuds d'hystéries
110 Elle verra, sous les tristesses du bonheur,

L'amant rêver au blanc million des Maries,
Au matin de la nuit d'amour, avec douleur :

« Sais-tu que je t'ai fait mourir ? J'ai pris ta bouche,
Ton cœur, tout ce qu'on a, tout ce que vous avez ;
115 Et moi, je suis malade : Oh ! je veux qu'on me couche
Parmi les Morts des eaux nocturnes abreuvés !

« J'étais bien jeune, et Christ a souillé mes haleines.
Il me bonda jusqu'à la gorge de dégoûts !
Tu baisais mes cheveux profonds comme les laines
120 Et je me laissais faire… ah ! va, c'est bon pour vous,

« Hommes ! qui songez peu que la plus amoureuse
Est, sous sa conscience aux ignobles terreurs,
La plus prostituée et la plus douloureuse,
Et que tous nos élans vers vous sont des erreurs !

125 « Car ma Communion première est bien passée.
Tes baisers, je ne puis jamais les avoir sus :
Et mon cœur et ma chair par ta chair embrassée
Fourmillent du baiser putride de Jésus ! »

IX

Alors l'âme pourrie et l'âme désolée
130 Sentiront ruisseler tes malédictions.
— Ils auront couché sur ta Haine inviolée,
Échappés, pour la mort, des justes passions.

Christ ! ô Christ, éternel voleur des énergies
Dieu qui pour deux mille ans vouas à ta pâleur
135 Cloués au sol, de honte et de céphalalgies
Ou renversés les fronts des femmes de douleur.

Juillet 1871.

Le Bateau ivre

Comme je descendais des Fleuves impassibles,
Je ne me sentis plus guidé par les haleurs :
Des Peaux-rouges criards les avaient pris pour cibles
4   Les ayant cloués nus aux poteaux de couleurs.

J'étais insoucieux de tous les équipages,
Porteur de blés flamands ou de cotons anglais.
Quand avec mes haleurs ont fini ces tapages
8   Les Fleuves m'ont laissé descendre où je voulais.

Dans les clapotements furieux des marées
Moi l'autre hiver plus sourd que les cerveaux d'enfants,
Je courus ! Et les Péninsules démarrées
12 N'ont pas subi tohu-bohus plus triomphants.

La tempête a béni mes éveils maritimes.
Plus léger qu'un bouchon j'ai dansé sur les flots
Qu'on appelle rouleurs éternels de victimes,
16 Dix nuits, sans regretter l'œil niais des falots !

Plus douce qu'aux enfants la chair des pommes sures
L'eau verte pénétra ma coque de sapin
Et des taches de vins bleus et des vomissures
20 Me lava, dispersant gouvernail et grappin.

Et dès lors, je me suis baigné dans le Poème
De la Mer, infusé d'astres, et lactescent,
Dévorant les azurs verts ; où, flottaison blême
24 Et ravie, un noyé pensif parfois descend ;

Où, teignant tout à coup les bleuités, délires
Et rhythmes lents sous les rutilements du jour,

Plus fortes que l'alcool, plus vastes que nos lyres
28 Fermentent les rousseurs amères de l'amour !

Je sais les cieux crevant en éclairs, et les trombes
Et les ressacs et les courants : je sais le soir,
L'Aube exaltée ainsi qu'un peuple de colombes
32 Et j'ai vu quelquefois ce que l'homme a cru voir !

J'ai vu le soleil bas, taché d'horreurs mystiques,
Illuminant de longs figements violets,
Pareils à des acteurs de drames très-antiques
36 Les flots roulant au loin leurs frissons de volets !

J'ai rêvé la nuit verte aux neiges éblouies
Baiser montant aux yeux des mers avec lenteurs,
La circulation des sèves inouïes,
40 Et l'éveil jaune et bleu des phosphores chanteurs !

J'ai suivi, des mois pleins, pareille aux vacheries
Hystériques, la houle à l'assaut des récifs,
Sans songer que les pieds lumineux des Maries
44 Pussent forcer le mufle aux Océans poussifs !

J'ai heurté, savez-vous, d'incroyables Florides
Mêlant aux fleurs des yeux de panthères à peaux
D'hommes ! Des arcs-en-ciel tendus comme des brides
48 Sous l'horizon des mers, à de glauques troupeaux !

J'ai vu fermenter les marais énormes, nasses
Où pourrit dans les joncs tout un Léviathan !
Des écroulements d'eaux au milieu des bonaces
52 Et les lointains vers les gouffres cataractant !

Glaciers, soleil d'argent, flots nacreux, cieux de braises !
Échouages hideux au fond des golfes bruns

Où les serpents géants dévorés des punaises
56 Choient, des arbres tordus, avec de noirs parfums !

J'aurais voulu montrer aux enfants ces dorades
Du flot bleu, ces poissons d'or, ces poissons chantants.
— Des écumes de fleurs ont bercé mes dérades
60 Et d'ineffables vents m'ont ailé par instants.

Parfois, martyr lassé des pôles et des zones,
La mer dont le sanglot faisait mon roulis doux
Montait vers moi ses fleurs d'ombre aux ventouses jaunes
64 Et je restais, ainsi qu'une femme à genoux…

Presque île, ballottant sur mes bords les querelles
Et les fientes d'oiseaux clabaudeurs aux yeux blonds
Et je voguais, lorsqu'à travers mes liens frêles
68 Des noyés descendaient dormir, à reculons !

Or moi, bateau perdu sous les cheveux des anses,
Jeté par l'ouragan dans l'éther sans oiseau
Moi dont les Monitors et les voiliers des Hanses
72 N'auraient pas repêché la carcasse ivre d'eau ;

Libre, fumant, monté de brumes violettes,
Moi qui trouais le ciel rougeoyant comme un mur,
Qui porte, confiture exquise aux bons poètes
76 Des lichens de soleil et des morves d'azur ;

Qui courais, taché de lunules électriques,
Planche folle, escorté des hippocampes noirs,
Quand les juillets faisaient crouler à coups de triques
80 Les cieux ultramarins aux ardents entonnoirs ;

Moi qui tremblais, sentant geindre à cinquante lieues
Le rut des Béhémots et les Maelstroms épais

Fileur éternel des immobilités bleues
84 Je regrette l'Europe aux anciens parapets !

J'ai vu des archipels sidéraux ! et des îles
Dont les cieux délirants sont ouverts au vogueur :
— Est-ce en ces nuits sans fonds que tu dors et t'exiles,
88 Million d'oiseaux d'or, ô future Vigueur ? —

Mais, vrai, j'ai trop pleuré ! Les Aubes sont navrantes,
Toute lune est atroce et tout soleil amer :
L'âcre amour m'a gonflé de torpeurs enivrantes.
92 Ô que ma quille éclate ! Ô que j'aille à la mer !

Si je désire une eau d'Europe, c'est la flache
Noire et froide où vers le crépuscule embaumé
Un enfant accroupi plein de tristesses, lâche
96 Un bateau frêle comme un papillon de mai.

Je ne puis plus, baigné de vos langueurs, ô lames,
Enlever leur sillage aux porteurs de cotons,
Ni traverser l'orgueil des drapeaux et des flammes,
100 Ni nager sous les yeux horribles des pontons.

Les Chercheuses de poux

Quand le front de l'enfant, plein de rouges tourmentes,
Implore l'essaim blanc des rêves indistincts,
Il vient près de son lit deux grandes sœurs charmantes
4 Avec de frêles doigts aux ongles argentins.

Elles asseoient l'enfant devant une croisée
Grande ouverte où l'air bleu baigne un fouillis de fleurs.

Et dans ses lourds cheveux où tombe la rosée
8 Promènent leurs doigts fins, terribles et charmeurs.

Il écoute chanter leurs haleines craintives
Qui fleurent de longs miels végétaux et rosés
Et qu'interrompt parfois un sifflement, salives
12 Reprises sur la lèvre ou désirs de baisers.

Il entend leurs cils noirs battant sous les silences
Parfumés ; et leurs doigts électriques et doux
Font crépiter parmi ses grises indolences
16 Sous leurs ongles royaux la mort des petits poux.

Voilà que monte en lui le vin de la Paresse,
Soupir d'harmonica qui pourrait délirer ;
L'enfant se sent, selon la lenteur des caresses,
20 Sourdre et mourir sans cesse un désir de pleurer.

Tête de faune

Dans la feuillée, écrin vert taché d'or,
Dans la feuillée incertaine et fleurie
De fleurs splendides où le baiser dort,
4 Vif et crevant l'exquise broderie,

Un faune effaré montre ses deux yeux
Et mord les fleurs rouges de ses dents blanches.
Brunie et sanglante ainsi qu'un vin vieux
8 Sa lèvre éclate en rires sous les branches.

Et quand il a fui — tel qu'un écureuil —
Son rire tremble encore à chaque feuille

Et l'on voit épeuré par un bouvreuil
12 Le Baiser d'or du Bois, qui se recueille.

Oraison du soir

Je vis assis, tel qu'un ange aux mains d'un barbier,
Empoignant une chope à fortes cannelures,
L'hypogastre et le col cambrés, une Gambier
4 Aux dents, sous l'air gonflé d'impalpables voilures.

Tels que les excréments chauds d'un vieux colombier,
Mille Rêves en moi font de douces brûlures :
Puis par instants mon cœur triste est comme un aubier
8 Qu'ensanglante l'or jeune et sombre des coulures.

Puis, quand j'ai ravalé mes rêves avec soin,
Je me tourne, ayant bu trente ou quarante chopes,
Et me recueille, pour lâcher l'âcre besoin :

12 Doux comme le Seigneur du cèdre et des hysopes,
Je pisse vers les cieux bruns, très haut et très loin,
Avec l'assentiment des grands héliotropes.

A. Rimbaud

Voyelles

A noir, E blanc, I rouge, U vert, O bleu : voyelles,
Je dirai quelque jour vos naissances latentes :
A, noir corset velu des mouches éclatantes
4   Qui bombinent autour des puanteurs cruelles,

Golfes d'ombre ; E, candeurs des vapeurs et des tentes,
Lances des glaciers fiers, rois blancs, frissons d'ombelles ;
I, pourpres, sang craché, rire des lèvres belles
8   Dans la colère ou les ivresses pénitentes ;

U, cycles, vibrements divins des mers virides,
Paix des pâtis semés d'animaux, paix des rides
Que l'alchimie imprime aux grands fronts studieux ;

12   O, Suprême Clairon plein des strideurs étranges,
Silences traversés des Mondes et des Anges :
— Ô l'Oméga, rayon violet de Ses Yeux ! —

                                        A. Rimbaud

☆

L'étoile a pleuré rose au cœur de tes oreilles,
L'infini roulé blanc de ta nuque à tes reins
La mer a perlé rousse à tes mammes vermeilles
4   Et l'Homme saigné noir à ton flanc souverain.

POÈMES DE L'*ALBUM ZUTIQUE*

NOTICE

*Les poèmes de Rimbaud écrits dans l'Album Zutique sont
les seules traces avérées du Rimbaud écrivain des premiers mois
passés à Paris en 1871. Nous indiquons dans le précis biographique et dans la présentation en quelles circonstances fut créé
le Cercle Zutique. L'activité parodique de ce petit groupe de
poètes se matérialisa durant l'hiver 1871 sous la forme d'un
album dit* Album Zutique *(27 × 17,5 cm) composé de vingt-
neuf feuillets numérotés de 2 à 29 et non paginés, en tout
quarante-huit pages écrites. Les frères Cros, Albert Mérat, Léon
Valade, Verlaine et Rimbaud y collaborèrent. Rimbaud y est
représenté par vingt textes.*

*L'Album Zutique, longtemps entre les mains de particuliers
(Charles Cros, Coquelin Cadet, le libraire Enlart, le libraire
Auguste Blaizot), a d'abord été publié en 1943, à Lyon, par
Marc Barbezat (éditions de l'Arbalète) – il s'agissait alors uniquement des poésies de Rimbaud contenues dans l'Album –,
puis aux éditions Tchou, « Cercle du Livre précieux », en
1962, en deux volumes, avec une présentation de Pascal Pia,
le premier volume reproduisant l'album en fac-similé (actuellement, collection Latécoère).*

L'Idole. Voir p. 151

Lys

Ô balançoirs ! ô lys ! clysopompes d'argent !
Dédaigneux des travaux, dédaigneux des famines !
L'Aurore vous emplit d'un amour détergent !
4 Une douceur de ciel beurre vos étamines !

Armand Silvestre.
A. R.

Les lèvres closes
Vu à Rome

Il est, à Rome, à la Sixtine,
Couverte d'emblèmes chrétiens,
Une cassette écarlatine
4 Où sèchent des nez fort anciens :

Nez d'ascètes de Thébaïde,
Nez de chanoines du Saint Graal
Où se figea la nuit livide,
8 Et l'ancien plain-chant sépulcral.

Dans leur sécheresse mystique,
Tous les matins, on introduit

De l'immondice schismatique
12   Qu'en poudre fine on a réduit.

> Léon Dierx.
> A. R.

☆

Fête galante

Rêveur, Scapin
Gratte un lapin
Sous sa capote.

Colombina,
5   — Que l'on pina ! —
— Do, mi, — tapote

L'œil du lapin
Qui tôt, tapin,
Est en ribote…

> Paul Verlaine.
> A. R.

☆

J'occupais un wagon de troisième : un vieux prêtre
Sortit un brûle-gueule et mit à la fenêtre,
Vers les brises, son front très calme aux poils pâlis.
Puis ce chrétien, bravant les brocarts impolis,
5   S'étant tourné, me fit la demande énergique
Et triste en même temps d'une petite chique

De caporal, — ayant été l'aumônier chef
D'un rejeton royal condamné derechef ; —
Pour malaxer l'ennui d'un tunnel, sombre veine
10   Qui s'offre aux voyageurs, près Soissons, ville d'Aisne.

☆

Je préfère sans doute, au printemps, la guinguette
Où des marronniers nains bourgeonne la baguette,
Vers la prairie étroite et communale, au mois
De mai. Des jeunes chiens rabroués bien des fois
5   Viennent près des Buveurs triturer des jacinthes
De plate-bande. Et c'est, jusqu'aux soirs d'hyacinthe,
Sur la table d'ardoise où, l'an dix-sept cent vingt,
Un diacre grava son sobriquet latin
Maigre comme une prose à des vitraux d'église,
10   La toux des flacons noirs qui jamais ne les grise.

                    François Coppée.
                         A. R.

☆

L'Humanité chaussait le vaste enfant Progrès.

                 Louis-Xavier de Ricard
                      A. Rimbaud

Conneries

I
JEUNE GOINFRE

Casquette
De moire,
Quéquette
D'ivoire,

Toilette
Très noire,
Paul guette
L'armoire,

Projette
Languette
Sur poire,

S'apprête
Baguette,
Et foire.

A. R.

II
PARIS

Al. Godillot, Gambier,
Galopeau, Volf-Pleyel,
— Ô Robinets ! — Menier,
— Ô Christs ! — Leperdriel !

Kinck, Jacob, Bonbonnel !
Veuillot, Tropmann, Augier !

Gill, Mendès, Manuel,
8   Guido Gonin ! — Panier

Des Grâces ! L'Hérissé !
Cirages onctueux !
Pains vieux, spiritueux !

12   Aveugles ! — puis, qui sait ? —
Sergents de ville, Enghiens
Chez soi ! — Soyons chrétiens !

A. R.

☆

Conneries 2ᵉ série

I
COCHER IVRE

Pouacre
Boit :
Nacre
4   Voit :

Âcre
Loi,
Fiacre
8   Choit !

Femme
Tombe :
Lombe

12   Saigne :
                           — Clame !
                           Geigne.

                               A. R.

Vieux de la vieille !

Aux paysans de l'empereur !
À l'empereur des paysans !
Au fils de Mars,
Au glorieux 18 Mars !
5 Où le ciel d'Eugénie a béni les entrailles !

État de siège ?

Le pauvre postillon, sous le dais de fer blanc,
Chauffant une engelure énorme sous son gant,
Suit son lourd omnibus parmi la rive gauche,
Et de son aine en flamme écarte la sacoche.
5 Et tandis que, douce ombre où des gendarmes sont,
L'honnête intérieur regarde au ciel profond
La lune se bercer parmi la verte ouate,
Malgré l'édit et l'heure encore délicate,
Et que l'omnibus rentre à l'Odéon, impur
10 Le débauché glapit au carrefour obscur !

                           François Coppée.
                               A. R.

☆

Le balai

C'est un humble balai de chiendent, trop dur
Pour une chambre ou pour la peinture d'un mur.
L'usage en est navrant et ne vaut pas qu'on rie.
Racine prise à quelque ancienne prairie
5 Son crin inerte sèche : et son manche a blanchi,
Tel un bois d'île à la canicule rougi.
La cordelette semble une tresse gelée.
J'aime de cet objet la saveur désolée
Et j'en voudrais laver tes larges bords de lait,
10 Ô Lune où l'esprit de nos Sœurs mortes se plaît.

                                F. C.

☆

Exils

....
Que l'on s'intéressa souvent, mon cher Conneau !...
Plus qu'à l'Oncle Vainqueur, au Petit Ramponneau !...
Que tout honnête instinct sort du Peuple débile !...
5 Hélas !! Et qui a fait tourner mal notre bile !...
Et qu'il nous sied déjà de pousser le verrou
Au Vent que les enfants nomment Bari-barou !...
....

             Fragment d'une épître en vers
                de Napoléon III, 1871.

☆

L'Angelot maudit

Toits bleuâtres et portes blanches
Comme en de nocturnes dimanches,

Au bout de la ville sans bruit
La Rue est blanche, et c'est la nuit.

La Rue a des maisons étranges
Avec des persiennes d'Anges.

Mais, vers une borne, voici
Accourir, mauvais et transi,

Un noir Angelot qui titube,
Ayant trop mangé de jujube.

Il fait caca : puis disparaît :
Mais son caca maudit paraît,

Sous la lune sainte qui vaque,
De sang sale un léger cloaque !

> Louis Ratisbonne.
> A. Rimbaud.

☆

Les soirs d'été, sous l'œil ardent des devantures,
Quand la sève frémit sous les grilles obscures
Irradiant au pied des grêles marronniers,
Hors de ces groupes noirs, joyeux ou casaniers,
Suceurs du brûle-gueule ou baiseurs du cigare,

Dans le kiosque mi-pierre étroit où je m'égare,
— Tandis qu'en haut rougoie une annonce

               [d'*Ibled*, —

Je songe que l'hiver figera le Filet
D'eau propre qui bruit, apaisant l'onde humaine,
— Et que l'âpre aquilon n'épargne aucune veine.

                    François Coppée.
                    A. Rimbaud.

☆

Aux livres de chevet, livres de l'art serein,
Obermann et Genlis, Vert-Vert et Le Lutrin,
Blasé de nouveauté grisâtre et saugrenue,
J'espère, la vieillesse étant enfin venue,
Ajouter le Traité du Docteur Venetti.
Je saurai, revenu du public abêti,
Goûter le charme ancien des dessins nécessaires.
Écrivain et graveur ont doré les misères
Sexuelles : et c'est, n'est-ce pas, cordial :
Dr Venetti, Traité de l'Amour conjugal.

                    F. Coppée.
                    A. R.

☆

Hypotyposes saturniennes, ex Belmontet

Quel est donc ce mystère impénétrable et sombre ?
Pourquoi, sans projeter leur voile blanche, sombre
        Tout jeune esquif royal gréé ?

———————

Renversons la douleur de nos lacrymatoires.
....

5   L'amour veut vivre aux dépens de sa sœur,
         L'amitié vit aux dépens de son frère.
....

Le sceptre, qu'à peine on révère,
N'est que la croix d'un grand calvaire
Sur le volcan des nations !
....

10 Oh ! l'honneur ruisselait sur ta mâle moustache.

                    Belmontet,
           archétype Parnassien.

☆

Les Remembrances du vieillard idiot

Pardon, mon père !
              Jeune, aux foires de campagne,
Je cherchais, non le tir banal où tout coup gagne,
Mais l'endroit plein de cris où les ânes, le flanc
Fatigué, déployaient ce long tube sanglant
5 Que je ne comprends pas encore !...
                    Et puis ma mère,
Dont la chemise avait une senteur amère
Quoique fripée au bas et jaune comme un fruit,
Ma mère qui montait au lit avec un bruit
— Fils du travail pourtant, — ma mère, avec sa cuisse
10 De femme mûre, avec ses reins très gros où plisse
Le linge, me donna ces chaleurs que l'on tait !...

Une honte plus crue et plus calme, c'était
Quand ma petite sœur au retour de la classe,
Ayant usé longtemps ses sabots sur la glace,

15 Pissait, et regardait s'échapper de sa lèvre
    D'en bas serrée et rose, un fil d'urine mièvre !...

    Ô pardon !
                Je songeais à mon père parfois :
    Le soir, le jeu de carte et les mots plus grivois,
    Le voisin, et moi qu'on écartait, choses vues...
20 — Car un père est troublant ! — et les choses
                                            [conçues !...
    Son genou, câlineur parfois ; son pantalon
    Dont mon doigt désirait ouvrir la fente,... — oh !
                                            [non ! —
    Pour avoir le bout, gros, noir et dur, de mon père,
    Dont la pileuse main me berçait !...
                                    Je veux taire
25 Le pot, l'assiette à manche, entrevue au grenier,
    Les almanachs couverts en rouge, et le panier
    De charpie, et la Bible, et les lieux, et la bonne,
    La Sainte-Vierge et le crucifix...
                                Oh ! personne
    Ne fut si fréquemment troublé, comme étonné !
30 Et maintenant, que le pardon me soit donné :
    Puisque les sens infects m'ont mis de leurs victimes,
    Je me confesse de l'aveu des jeunes crimes !...
    ....
    Puis ! — qu'il me soit permis de parler au Seigneur !
    Pourquoi la puberté tardive et le malheur
35 Du gland tenace et trop consulté ? Pourquoi l'ombre
    Si lente au bas du ventre ? et ces terreurs sans nombre
    Comblant toujours la joie ainsi qu'un gravier noir ?

    — Moi j'ai toujours été stupéfait ! Quoi savoir ?
    ....
    Pardonné ?...
                    Reprenez la chancelière bleue,
40 Mon père.

Ô cette enfance !...................................
....
.... — et tirons-nous la queue !

François Coppée.
A. R.

☆

Ressouvenir

Cette année où naquit le Prince impérial
Me laisse un souvenir largement cordial
D'un Paris limpide où des N d'or et de neige
Aux grilles du palais, aux gradins du manège,
5   Éclatent, tricolorement enrubannés.
Dans le remous public des grands chapeaux fanés,
Des chauds gilets à fleurs, des vieilles redingotes,
Et des chants d'ouvriers anciens dans les gargotes,
Sur des châles jonchés l'Empereur marche, noir
10 Et propre, avec la Sainte Espagnole, le soir.

François Coppée.

☆

[Autre Vieux Coppée — *Album F. Régamey*]

L'Enfant qui ramassa les balles, le Pubère
Où circule le sang de l'exil et d'un Père
Illustre, entend germer sa vie avec l'espoir
De sa figure et de sa stature et veut voir
5   Des rideaux autres que ceux du Trône et des Crèches.
Aussi son buste exquis n'aspire pas aux brèches

De l'Avenir ! — Il a laissé l'ancien jouet. —
Ô son doux rêve ô son bel Enghien*! Son œil est
Approfondi par quelque immense solitude ;
10 « Pauvre jeune homme, il a sans doute l'Habitude ! »

François Coppée.

* Parce que « Enghien chez soi » ! [*Note de Rimbaud.*]

LES IMMONDES

L'Idole
Sonnet du Trou du Cul

Obscur et froncé comme un œillet violet
Il respire, humblement tapi parmi la mousse
Humide encor d'amour qui suit la fuite douce
Des Fesses blanches jusqu'au cœur de son ourlet.

Des filaments pareils à des larmes de lait
Ont pleuré sous le vent cruel qui les repousse,
À travers de petits caillots de marne rousse
Pour s'aller perdre où la pente les appelait.

Mon Rêve s'aboucha souvent à sa ventouse ;
Mon âme, du coït matériel jalouse,
En fit son larmier fauve et son nid de sanglots.

C'est l'olive pâmée, et la flûte câline,
C'est le tube où descend la céleste praline :
Chanaan féminin dans les moiteurs enclos !

Albert Mérat.
P.V.-A.R.

☆

Nos fesses ne sont pas les leurs. Souvent j'ai vu
Des gens déboutonnés derrière quelque haie,

Et, dans ces bains sans gêne où l'enfance s'égaie,
4   J'observais le plan et l'effet de notre cul.

Plus ferme, blême en bien des cas, il est pourvu
De méplats évidents que tapisse la claie
Des poils ; pour elles, c'est seulement dans la raie
8   Charmante que fleurit le long satin touffu.

Une ingéniosité touchante et merveilleuse
Comme l'on ne voit qu'aux anges des saints tableaux
Imite la joue où le sourire se creuse.

12   Oh ! de même être nus, chercher joie et repos,
Le front tourné vers sa portion glorieuse,
Et libres tous les deux murmurer des sanglots ?

☆

Les anciens animaux saillissaient, même en course,
Avec des glands bardés de sang et d'excrément.
Nos pères étalaient leur membre fièrement
4   Par le pli de la gaine et le grain de la bourse.

Au Moyen Âge pour la femelle, ange ou pource,
Il fallait un gaillard de solide grément ;
Même un Kléber, d'après la culotte qui ment
8   Peut-être un peu, n'a pas dû manquer de ressource.

D'ailleurs l'homme au plus fier mammifère est égal ;
L'énormité de leur membre à tort nous étonne ;
Mais une heure stérile a sonné : le cheval

12   Et le bœuf ont bridé leurs ardeurs, et personne
N'osera plus dresser son orgueil génital
Dans les bosquets où grouille une enfance bouffonne.

VERS NOUVEAUX

NOTICE

En 1886, dans La Vogue, *revue symboliste, Félix Fénéon présenta sous le titre unique d'*Illuminations *un ensemble de poésies en vers et de poèmes en prose qu'il répartit sur plusieurs livraisons de la revue. Les éditions suivantes, notamment celle de 1892 (chez Vanier),* Poèmes, Illuminations, Une saison en enfer, *et celle de 1895 (également chez Vanier),* Poésies complètes, *conservèrent une telle présentation. Et ce ne fut qu'en 1912, dans l'édition des* Œuvres de Rimbaud *donnée au Mercure de France et préfacée par Paul Claudel, que Paterne Berrichon, tout en persistant à croire que les* Illuminations *étaient constituées de vers et de proses, se décida à séparer les uns des autres et à présenter une première partie sous le titre « Vers nouveaux et chansons*[a] *». Il se révéla par la suite que ces vers étaient très certainement indépendants des* Illuminations, *dont le modèle formel relève du poème en prose ou du fragment. Le titre « Vers nouveaux » a donc prévalu (le mot « chansons » ne s'imposant pas) à côté d'un autre titre, « Derniers vers », que l'on trouve encore dans certaines éditions. Il a le mérite de souligner un choix d'écriture sans toutefois affirmer*

---

a. Claudel remarque dans sa préface : « C'est ce double état du marcheur que traduisent les *Illuminations* : d'une part les petits vers qui ressemblent à une ronde d'enfants et aux paroles d'un libretto, de l'autre les images désordonnées qui substituent à l'élaboration grammaticale, ainsi qu'à la logique extérieure, une espèce d'accouplement direct et métaphorique. »

une évolution chronologique : on ne peut savoir s'il s'agit bien
des derniers vers de Rimbaud, mais on peut dire qu'ils
répondent à une expérience neuve. Deux textes cependant ont
parfois posé problème : « Marine » et « Mouvement », dont la
disposition rappelle, à première vue, celle des poésies versifiées.
Et certes, Berrichon, lors du regroupement qu'il fit des « Vers
nouveaux et chansons » en 1912, n'avait pas hésité à les inclure
sous cette rubrique. On s'aperçoit toutefois que la rime ou
l'assonance n'y sont pas utilisées, ce qui, outre des raisons papy-
rologiques, explique leur présence dans les Illuminations.

*

Certains des « Vers nouveaux » sont datés ; mais, comme il
s'agit à chaque fois de copies, cette indication ne suffit pas pour
connaître le moment exact de leur composition. Ils semblent
occuper une période qui s'étend de février-mars à juillet 1872.
Plusieurs toutefois peuvent échapper à ces marges chronologiques et l'on ignore la date de composition de « Qu'est-ce pour
nous, mon Cœur », « Michel et Christine », « Fêtes de
la faim », « Ô saisons, ô châteaux », « Entends comme brame »
et « Honte ». « Fêtes de la faim » et « Ô saisons, ô châteaux »
sont considérés par Rimbaud lui-même dans Une saison en
enfer comme appartenant aux expériences d'une même période
(mai ou juin 1872 ?). Les autres textes sont d'une répartition
plus délicate, et celle à laquelle nous nous sommes rallié est
évidemment sujette à caution. « Qu'est-ce pour nous, mon
Cœur », que nous avons placé en tête de cette section, rappelle
certains poèmes d'inspiration communarde (mais Rimbaud
vivra aussi au contact des Communards quand il sera à
Bruxelles et à Londres). Il n'est pas, non plus, sans rapport avec
« Barbare », l'une des Illuminations. On observe surtout qu'il
obéit à des principes assez stricts de versification. Si des pluriels
y riment avec des singuliers, on y voit également utilisé
l'alexandrin démembré comme dans « Mémoire ». L'allusion

aux « *romanesques amis* » reste ambiguë. « *Michel et Christine* » utilise l'hendécasyllabe, comme « *Larme* », « *La Rivière de Cassis* », « *Est-elle almée ?...* ». La mention d'une « *cour d'honneur* » pourrait désigner celle du lycée Saint-Louis que Rimbaud voyait de sa chambre rue Monsieur-le-Prince, en mai 1872. « *Entends comme brame* » porte une référence au mois d'avril. « *Honte* » présente Rimbaud comme un *Chat-des-Monts-Rocheux*, évocation dissimulée de *Roche*, prétendent quelques critiques. Or, selon certains, Rimbaud n'aurait connu *Roche* qu'en avril 1873 ! On le voit, tous ces éléments ne permettent pas de dire avec certitude quand ces poèmes furent rédigés.

Les « *Vers nouveaux* », qui valent comme expérience d'écriture et de vie, peuvent d'ailleurs être lus en dehors de tout souci chronologique qui nous mènerait d'une saison à l'autre.

*
**

Le trajet que suivirent ces « *Vers nouveaux* » pour nous parvenir est relativement compliqué. Souvent, en effet, ils existent en plusieurs versions. Il semble que Rimbaud, à la demande de Verlaine, en ait recopié un certain nombre durant l'été où les deux hommes vécurent en Belgique. Mais furent retrouvés par la suite des manuscrits donnés par Rimbaud, à Louis Forain et à Jean Richepin notamment. Dans Le Mercure de France *du 1er mai 1911 (p. 28-35), Paterne Berrichon, sous le titre « Versions inédites d'*Illuminations* » (or, ce sont des « Vers nouveaux »), présente les « Fêtes de la patience » (« Bannières de mai », « Chanson de la plus haute Tour », « L'Éternité », « Âge d'or ») telles que les révèlent des feuillets copiés de la main de Rimbaud et communiqués par J. Richepin.*

*
**

De nombreuses études ont paru au sujet du rapport de ces textes avec les poésies de Verlaine. On lira notamment les pages

qui leur sont consacrées dans l'ouvrage de Jacques Robichez,
Verlaine entre Rimbaud et Dieu, *SEDES, 1982, et dans celui*
d'Eleonore M. Zimmermann, Magies de Verlaine, *José Corti,*
1967, ainsi que dans l'article de Pierre Brunel, « Romances
sans paroles *et* "Études néantes" », *dans* La Petite Musique de
Verlaine, *collectif, SEDES, 1982, p. 17-30.*

    Sur la reprise de certains « Vers nouveaux » *dans* Une saison
en enfer, *on se reportera aux articles d'André Guyaux,* « Alchimie du vers, anachronie du verbe », *L'Information littéraire,*
janvier-février 1984, p. 17-27, et de Danièle Bandelier, « Les
poèmes de Délires II, Alchimie du verbe », *Lectures de*
Rimbaud, *Revue de l'université de Bruxelles, 1982, 1-2,*
p. 103-116.

Qu'est-ce pour nous, mon Cœur, que les nappes de sang
Et de braise, et mille meurtres, et les longs cris
De rage, sanglots de tout enfer renversant
4 Tout ordre ; et l'Aquilon encor sur les débris

Et toute vengeance ? Rien !... — Mais si, toute encor,
Nous la voulons ! Industriels, princes, sénats,
Périssez ! puissance, justice, histoire, à bas !
8 Ça nous est dû. Le sang ! le sang ! la flamme d'or !

Tout à la guerre, à la vengeance, à la terreur,
Mon Esprit ! Tournons dans la Morsure : Ah ! passez,
Républiques de ce monde ! Des empereurs,
12 Des régiments, des colons, des peuples, assez !

Qui remuerait les tourbillons de feu furieux,
Que nous et ceux que nous nous imaginons frères ?
À nous, romanesques amis : ça va nous plaire.
16 Jamais nous ne travaillerons, ô flots de feux !

Europe, Asie, Amérique, disparaissez.
Notre marche vengeresse a tout occupé,
Cités et campagnes ! — Nous serons écrasés !
20 Les volcans sauteront ! et l'océan frappé…

Oh ! mes amis ! — mon cœur, c'est sûr, ils sont des
[frères :
Noirs inconnus, si nous allions ! allons ! allons !
Ô malheur ! je me sens frémir, la vieille terre,
24 Sur moi de plus en plus à vous ! la terre fond,

Ce n'est rien ! j'y suis ! j'y suis toujours.

Mémoire

1

L'eau claire ; comme le sel des larmes d'enfance,
l'assaut au soleil des blancheurs des corps de femmes ;
la soie, en foule et de lys pur, des oriflammes
4 sous les murs dont quelque pucelle eut la défense ;

l'ébat des anges ; — non… le courant d'or en marche
meut ses bras, noirs, et lourds, et frais surtout, d'herbe.
[Elle
sombre, avant le Ciel bleu pour ciel-de-lit, appelle
8 pour rideaux l'ombre de la colline et de l'arche.

2

Eh ! l'humide carreau tend ses bouillons limpides !
L'eau meuble d'or pâle et sans fond les couches prêtes.
Les robes vertes et déteintes des fillettes
12 font les saules, d'où sautent les oiseaux sans brides.

Plus pure qu'un louis, jaune et chaude paupière
le souci d'eau — ta foi conjugale, ô l'Épouse ! —
au midi prompt, de son terne miroir, jalouse
16 au ciel gris de chaleur la Sphère rose et chère.

3

Madame se tient trop debout dans la prairie
prochaine où neigent les fils du travail ; l'ombrelle
aux doigts ; foulant l'ombelle ; trop fière pour elle ;
20 des enfants lisant dans la verdure fleurie

leur livre de maroquin rouge ! Hélas, Lui, comme
mille anges blancs qui se séparent sur la route,
s'éloigne par-delà la montagne ! Elle, toute
24 froide, et noire, court ! après le départ de l'homme !

4

Regret des bras épais et jeunes d'herbe pure !
Or des lunes d'avril au cœur du saint lit ! Joie
des chantiers riverains à l'abandon, en proie
28 aux soirs d'août qui faisaient germer ces pourritures !

Qu'elle pleure à présent sous les remparts ! l'haleine
des peupliers d'en haut est pour la seule brise.
Puis, c'est la nappe, sans reflets, sans source, grise :
32 un vieux, dragueur, dans sa barque immobile, peine.

5

Jouet de cet œil d'eau morne, Je n'y puis prendre,
ô canot immobile ! oh ! bras trop courts ! ni l'une
ni l'autre fleur : ni la jaune qui m'importune,
36 là ; ni la bleue, amie à l'eau couleur de cendre.

Ah ! la poudre des saules qu'une aile secoue !
Les roses des roseaux dès longtemps dévorées !
Mon canot, toujours fixe ; et sa chaîne tirée
40 au fond de cet œil d'eau sans bords, — à quelle boue ?

D'Edgar Poe

Famille maudite

L'*Eau*, pure comme le sel des larmes d'enfance
Ou l'assaut du soleil par les blancheurs des femmes,
Ou la soie, — en foule et de lys pur ! — des oriflammes,
4 Sous les murs dont quelque Pucelle eut la défense,

Ou l'ébat des anges, — le courant d'or en marche,
L'*Eau* meut ses bras lourds, noirs, — et frais surtout,
                                    [— d'herbe. Elle,
L'Eau sombre, avant la nuit pour ciel-de-lit, appelle
8 Pour rideaux l'ombre de la colline et de l'arche.

× × ×

Eh ! l'antique matin tend ses réseaux limpides.
L'air meuble d'or pâle et sans fond les couches prêtes.
Les robes, — vertes et déteintes, — des fillettes
12 *Font* les saules d'où sautent les oiseaux sans brides.

Plus jaune qu'un louis, chaude et grasse paupière,
Le souci-d'eau, ta foi conjugale, ô l'Épouse,
De son terne miroir immobile, jalouse
16 Au ciel gris de chaleur la Sphère rose et claire !

× × ×

Madame se tient trop debout dans la prairie
Prochaine où neigent les fils du travail ; l'ombrelle

Aux doigts, foulant l'ombelle ; trop fière pour elle
20 Des Enfants lisant dans la verdure fleurie

Leur livre de maroquin rouge — Ah ! lui ! comme
Mille Anges blancs qui se quittent au haut des routes,
Disparaît par delà la montagne ! Elle, toute
24 Folle, et noire, court, après le départ de l'*homme* !

× × ×

Qu'elle pleure à présent sous les remparts ! l'haleine
Des peupliers d'en haut est pour la seule brise.
La voilà nappe, sans reflets, sans source, grise.
28 Un Vieux, dragueur, dans sa barque immobile, peine.

Regret des bras épais et jeunes d'herbe pure !
Or des lunes d'avril au cœur du saint lit ! joie
Des chantiers riverains à l'abandon, en proie
32 Aux soirs d'août — qui faisaient germer ces pourritures !

× × ×

— Jouet de cet œ[il] d'eau morne, je n'y puis prendre
— Ma barque immobile ! et mes bras trop courts ! – ni
[l'une
Ni l'autre fleur ; ni la jaune qui m'importune,
36 Là, ni la bleue, — amie à l'eau couleur de cendre.

Ô la poudre des saules qu'une aile secoue !
Les roses des roseaux dès longtemps dévorées !
Mon canot, toujours fixe, et sa chaîne tirée
40 Au fond de cet œil d'eau sans borne — à quelle boue !

R.

Larme

Loin des oiseaux, des troupeaux, des villageoises,
Je buvais, accroupi dans quelque bruyère
Entourée de tendres bois de noisetiers,
4 Par un brouillard d'après-midi tiède et vert.

Que pouvais-je boire dans cette jeune Oise,
Ormeaux sans voix, gazon sans fleurs, ciel couvert.
Que tirais-je à la gourde de colocase ?
8 Quelque liqueur d'or, fade et qui fait suer.

Tel, j'eusse été mauvaise enseigne d'auberge.
Puis l'orage changea le ciel, jusqu'au soir.
Ce furent des pays noirs, des lacs, des perches,
12 Des colonnades sous la nuit bleue, des gares.

L'eau des bois se perdait sur des sables vierges
Le vent, du ciel, jetait des glaçons aux mares...
Or ! tel qu'un pêcheur d'or ou de coquillages,
16 Dire que je n'ai pas eu souci de boire !

Mai 1872.

La Rivière de Cassis

La Rivière de Cassis roule ignorée
      En des vaux étranges :
La voix de cent corbeaux l'accompagne, vraie
      Et bonne voix d'anges :
5 Avec les grands mouvements des sapinaies
      Quand plusieurs vents plongent.

Tout roule avec des mystères révoltants
　　　　De campagnes d'anciens temps :
De donjons visités, de parcs importants :
　　　　C'est en ces bords qu'on entend
10　Les passions mortes des chevaliers errants :
　　　　Mais que salubre est le vent !

Que le piéton regarde à ces clairevoies :
　　　　Il ira plus courageux.
15　Soldats des forêts que le Seigneur envoie,
　　　　Chers corbeaux délicieux !
Faites fuir d'ici le paysan matois
　　　　Qui trinque d'un moignon vieux.

　　　　　　　　　　　Mai 1872.

Comédie de la Soif

1. Les Parents

　　　　Nous sommes tes Grands-Parents
　　　　　　　Les Grands !
　　　　Couverts des froides sueurs
　　　　De la lune et des verdures.
5　　　Nos vins secs avaient du cœur !
　　　　Au soleil sans imposture
　　　　Que faut-il à l'homme ? boire.

MOI —　　Mourir aux fleuves barbares.

　　　　Nous sommes tes Grands-Parents
10　　　　　　Des champs.
　　　　L'eau est au fond des osiers :
　　　　Vois le courant du fossé

Autour du Château mouillé.
Descendons en nos celliers ;
15   Après, le cidre et le lait.

MOI —   Aller où boivent les vaches.

Nous sommes tes Grands-Parents ;
          Tiens, prends
Les liqueurs dans nos armoires
20   Le Thé, le Café, si rares,
Frémissent dans les bouilloires.
— Vois les images, les fleurs.
Nous rentrons du cimetière.

MOI —   Ah ! tarir toutes les urnes !

2. L'Esprit

25   Éternelles Ondines
          Divisez l'eau fine.
Vénus, sœur de l'azur,
          Émeus le flot pur.

Juifs errants de Norwège
30   Dites-moi la neige.
Anciens exilés chers,
          Dites-moi la mer.

MOI —   Non, plus ces boissons pures,
          Ces fleurs d'eau pour verres ;
35   Légendes ni figures
          Ne me désaltèrent.

Chansonnier, ta filleule
          C'est ma soif si folle,
Hydre intime sans gueules
40   Qui mine et désole.

3. Les Amis

Viens, les Vins vont aux plages,
Et les flots par millions !
Vois le Bitter sauvage
Rouler du haut des monts !

45　　Gagnons, pèlerins sages,
L'Absinthe aux verts piliers…

MOI —　Plus ces paysages.
Qu'est l'ivresse, Amis ?

J'aime autant, mieux, même,
50　　Pourrir dans l'étang,
Sous l'affreuse crème,
Près des bois flottants.

4. Le pauvre Songe

Peut-être un Soir m'attend
Où je boirai tranquille
55　　En quelque vieille Ville,
Et mourrai plus content :
Puisque je suis patient !

Si mon mal se résigne,
Si j'ai jamais quelque or
60　　Choisirai-je le Nord
Ou le Pays des Vignes ?…
— Ah songer est indigne

Puisque c'est pure perte !
Et si je redeviens
65　　Le voyageur ancien
Jamais l'auberge verte
Ne peut bien m'être ouverte.

5. Conclusion

Les pigeons qui tremblent dans la prairie,
Le gibier, qui court et qui voit la nuit,
70   Les bêtes des eaux, la bête asservie,
Les derniers papillons !... ont soif aussi.

Mais fondre où fond ce nuage sans guide,
— Oh ! favorisé de ce qui est frais !
Expirer en ces violettes humides
75   Dont les aurores chargent ces forêts ?

Mai 1872.

Bonne pensée du matin

À quatre heures du matin, l'été,
Le sommeil d'amour dure encore.
Sous les bosquets l'aube évapore
4   L'odeur du soir fêté.

Mais là-bas dans l'immense chantier
Vers le soleil des Hespérides,
En bras de chemise, les charpentiers
8   Déjà s'agitent.

Dans leur désert de mousse, tranquilles,
Ils préparent les lambris précieux
Où la richesse de la ville
12   Rira sous de faux cieux.

Ah ! pour ces Ouvriers charmants
Sujets d'un roi de Babylone,

Vénus ! laisse un peu les Amants,
16   Dont l'âme est en couronne.

Ô Reine des Bergers !
Porte aux travailleurs l'eau-de-vie
Pour que leurs forces soient en paix
20   En attendant le bain dans la mer, à midi.

                          Mai 1872.

Fêtes de la patience

1. Bannières de mai

2. Chanson de la plus haute Tour

3. Éternité

4. Âge d'or

BANNIÈRES DE MAI

Aux branches claires des tilleuls
Meurt un maladif hallali.
Mais des chansons spirituelles
Voltigent parmi les groseilles.
5   Que notre sang rie en nos veines,
Voici s'enchevêtrer les vignes.
Le ciel est joli comme un ange.
L'azur et l'onde communient.

Je sors. Si un rayon me blesse
Je succomberai sur la mousse.

Qu'on patiente et qu'on s'ennuie
C'est trop simple. Fi de mes peines.
Je veux que l'été dramatique
Me lie à son char de fortune.
Que par toi beaucoup, ô Nature,
— Ah moins seul et moins nul ! — je meure.
Au lieu que les Bergers, c'est drôle,
Meurent à peu près par le monde.

Je veux bien que les saisons m'usent.
À toi, Nature, je me rends ;
Et ma faim et toute ma soif.
Et, s'il te plaît, nourris, abreuve.
Rien de rien ne m'illusionne ;
C'est rire aux parents, qu'au soleil,
Mais moi je ne veux rire à rien ;
Et libre soit cette infortune.

Mai 1872

CHANSON DE LA PLUS HAUTE TOUR

Oisive jeunesse
À tout asservie,
Par délicatesse
J'ai perdu ma vie.
Ah ! Que le temps vienne
Où les cœurs s'éprennent.

Je me suis dit : laisse,
Et qu'on ne te voie :
Et sans la promesse
10   De plus hautes joies.
Que rien ne t'arrête
Auguste retraite.

J'ai tant fait patience
Qu'à jamais j'oublie ;
15   Craintes et souffrances
Aux cieux sont parties.
Et la soif malsaine
Obscurcit mes veines.

Ainsi la Prairie
20   À l'oubli livrée,
Grandie, et fleurie
D'encens et d'ivraies
Au bourdon farouche
De cent sales mouches.

25   Ah ! Mille veuvages
De la si pauvre âme
Qui n'a que l'image
De la Notre-Dame !
Est-ce que l'on prie
30   La Vierge Marie ?

Oisive jeunesse
À tout asservie
Par délicatesse
J'ai perdu ma vie.
35   Ah ! Que le temps vienne
Où les cœurs s'éprennent !

Mai 1872.

L'ÉTERNITÉ

Elle est retrouvée.
Quoi ? — L'Éternité.
C'est la mer allée
Avec le soleil.

Âme sentinelle,
Murmurons l'aveu
De la nuit si nulle
Et du jour en feu.

Des humains suffrages,
Des communs élans
Là tu te dégages
Et voles selon.

Puisque de vous seules,
Braises de satin,
Le Devoir s'exhale
Sans qu'on dise : enfin.

Là pas d'espérance,
Nul orietur.
Science avec patience,
Le supplice est sûr.

Elle est retrouvée.
Quoi ? — L'Éternité.
C'est la mer allée
Avec le soleil.

Mai 1872.

ÂGE D'OR

Quelqu'une des voix
Toujours angélique
— Il s'agit de moi, —
Vertement s'explique :

Ces mille questions
Qui se ramifient
N'amènent, au fond,
Qu'ivresse et folie ;

Reconnais ce tour
Si gai, si facile :
Ce n'est qu'onde, flore,
Et c'est ta famille !

Puis elle chante. Ô
Si gai, si facile,
Et visible à l'œil nu…
— Je chante avec elle, —

Reconnais ce tour
Si gai, si facile,
Ce n'est qu'onde, flore,
Et c'est ta famille !… etc…

Et puis une voix
— Est-elle angélique ! —
Il s'agit de moi,
Vertement s'explique ;

Et chante à l'instant
En sœur des haleines :

D'un ton Allemand,
28 Mais ardente et pleine :

Le monde est vicieux ;
Si cela t'étonne !
Vis et laisse au feu
32 L'obscure infortune.

Ô ! joli château !
Que ta vie est claire !
De quel Âge es-tu.
Nature princière
37 De notre grand frère ! etc...,

Je chante aussi, moi :
Multiples sœurs ! Voix
Pas du tout publiques !
Environnez-moi
42 De gloire pudique... etc...,

Juin 1872.

Jeune ménage

La chambre est ouverte au ciel bleu-turquin ;
Pas de place : des coffrets et des huches !
Dehors le mur est plein d'aristoloches
4 Où vibrent les gencives des lutins.

Que ce sont bien intrigues de génies
Cette dépense et ces désordres vains !
C'est la fée africaine qui fournit
8 La mûre, et les résilles dans les coins.

Plusieurs entrent, marraines mécontentes,
En pans de lumière dans les buffets,
Puis y restent ! le ménage s'absente
12   Peu sérieusement, et rien ne se fait.

Le marié a le vent qui le floue
Pendant son absence, ici, tout le temps.
Même des esprits des eaux, malfaisants
16   Entrent vaguer aux sphères de l'alcôve.

La nuit, l'amie oh ! la lune de miel
Cueillera leur sourire et remplira
De mille bandeaux de cuivre le ciel.
20   Puis ils auront affaire au malin rat.

— S'il n'arrive pas un feu follet blême,
Comme un coup de fusil, après des vêpres.
— Ô Spectres saints et blancs de Bethléem,
24   Charmez plutôt le bleu de leur fenêtre !

                                   A. Rimbaud
                                   27 juin 72

Michel et Christine

Zut alors si le soleil quitte ces bords !
Fuis, clair déluge ! Voici l'ombre des routes.
Dans les saules, dans la vieille cour d'honneur
4   L'orage d'abord jette ses larges gouttes.

Ô cent agneaux, de l'idylle soldats blonds,
Des aqueducs, des bruyères amaigries,

Fuyez ! plaine, déserts, prairie, horizons
8 Sont à la toilette rouge de l'orage !

Chien noir, brun pasteur dont le manteau s'engouffre,
Fuyez l'heure des éclairs supérieurs ;
Blond troupeau, quand voici nager ombre et soufre,
12 Tâchez de descendre à des retraits meilleurs.

Mais moi, Seigneur ! voici que mon Esprit vole,
Après les cieux glacés de rouge, sous les
Nuages célestes qui courent et volent
16 Sur cent Solognes longues comme un railway.

Voilà mille loups, mille graines sauvages
Qu'emporte, non sans aimer les liserons,
Cette religieuse après-midi d'orage
20 Sur l'Europe ancienne où cent hordes iront !

Après, le clair de lune ! partout la lande,
Rougissant leurs fronts aux cieux noirs, les guerriers
Chevauchent lentement leurs pâles coursiers !
24 Les cailloux sonnent sous cette fière bande !

— Et verrai-je le bois jaune et le val clair,
L'Épouse aux yeux bleus, l'homme au front rouge, — ô
[Gaule,
Et le blanc agneau Pascal, à leurs pieds chers,
28 — Michel et Christine, — et Christ ! — fin de l'Idylle.

A. Rimb.

Juillet.

Bruxelles,
Boulevart du Régent

Plates-bandes d'amarantes jusqu'à
L'agréable palais de Jupiter.
— Je sais que c'est Toi, qui, dans ces lieux,
4   Mêles ton Bleu presque de Sahara !

Puis, comme rose et sapin du soleil
Et liane ont ici leurs jeux enclos,
Cage de la petite veuve !...

Quelles

8   Troupes d'oiseaux ! o iaio, iaio !...

— Calmes maisons, anciennes passions !
Kiosque de la Folle par affection.
Après les fesses des rosiers, balcon
12   Ombreux et très-bas de la Juliette.

— La Juliette, ça rappelle l'Henriette,
Charmante station du chemin de fer
Au cœur d'un mont comme au fond d'un verger
16   Où mille diables bleus dansent dans l'air !

Banc vert où chante au paradis d'orage,
Sur la guitare, la blanche Irlandaise.
Puis de la salle à manger guyanaise
20   Bavardage des enfants et des cages.

Fenêtre du duc qui fais que je pense
Au poison des escargots et du buis
Qui dort ici-bas au soleil. Et puis
24   C'est trop beau ! trop ! Gardons notre silence.

— Boulevart sans mouvement ni commerce,
Muet, tout drame et toute comédie,
Réunion des scènes infinie,
28 Je te connais et t'admire en silence.

☆

Est-elle almée ?… aux premières heures bleues
Se détruira-t-elle comme les fleurs feues…
Devant la splendide étendue où l'on sente
4 Souffler la ville énormément florissante !

C'est trop beau ! c'est trop beau ! mais c'est nécessaire
— Pour la Pêcheuse et la chanson du Corsaire,
Et aussi puisque les derniers masques crurent
8 Encore aux fêtes de nuit sur la mer pure !

Juillet 1872.
A. R.

Fêtes de la faim

Ma faim, Anne, Anne,
Fuis sur ton âne.

Si j'ai du *goût*, ce n'est guères
Que pour la terre et les pierres
4 Dinn ! dinn ! dinn ! dinn ! Mangeons l'air,
Le roc, les charbons, le fer.

Mes faims, tournez. Paissez, faims,
        Le pré des sons !
Attirez le gai venin
        Des liserons ;

Les cailloux qu'un pauvre brise ;
Les vieilles pierres d'églises,
Les galets, fils des déluges,
Pains couchés aux vallées grises !

Mes faims, c'est les bouts d'air noir ;
        L'azur sonneur ;
— C'est l'estomac qui me tire.
        C'est le malheur.

Sur terre ont paru les feuilles :
Je vais aux chairs de fruit blettes.
Au sein du sillon je cueille
La doucette et la violette.

        Ma faim, Anne, Anne !
        Fuis sur ton âne.

                        Août 1872.
                        A. R.

        Ô saisons, ô châteaux
        Quelle âme est sans défauts ?
        Ô saisons, ô châteaux,
        J'ai fait la magique étude
        Du Bonheur, que nul n'élude.

Ô vive lui, chaque fois
Que chante son coq Gaulois.

Mais ! je n'aurai plus d'envie
Il s'est chargé de ma vie.

Ce Charme ! il prit âme et corps
Et dispersa tous efforts.

Que comprendre à ma parole ?
Il fait qu'elle fuie et vole !
ô saisons, ô châteaux !
[Et, si le malheur m'entraîne,
Sa disgrâce m'est certaine.

Il faut que son dédain, las !
Me livre au plus prompt trépas !
— Ô Saisons, ô Châteaux !
Quelle âme est sans défauts ?]

Entends comme brame
près des acacias
en avril la rame
viride du pois !

Dans sa vapeur nette,
vers Phœbé ! tu vois
s'agiter la tête
de saints d'autrefois...

Loin des claires meules
des caps, des beaux toits,

ces chers Anciens veulent
12 ce philtre sournois…

Or ni fériale
ni astrale ! n'est
la brume qu'exhale
16 ce nocturne effet.

Néanmoins ils restent,
— Sicile, Allemagne,
dans ce brouillard triste
20 et blêmi, justement !

Honte

Tant que la lame n'aura pas
Coupé cette cervelle,
Ce paquet blanc vert et gras
4 À vapeur jamais nouvelle,

(Ah ! Lui, devrait couper son
Nez, sa lèvre, ses oreilles,
Son ventre ! et faire abandon
8 De ses jambes ! ô merveille !)

Mais, non, vrai, je crois que tant
Que pour sa tête la lame
Que les cailloux pour son flanc
12 Que pour ses boyaux la flamme

N'auront pas agi, l'enfant
Gêneur, la si sotte bête,
Ne doit cesser un instant
De ruser et d'être traître

Comme un chat des Monts-Rocheux ;
D'empuantir toutes sphères !
Qu'à sa mort pourtant, ô mon Dieu !
S'élève quelque prière !

LES DÉSERTS DE L'AMOUR

NOTICE

Il est difficile de caractériser le genre précis auquel appartiennent ces textes. Ils sont présentés comme les « écritures » d'un tout jeune homme. L'« Avertissement » dessine une sorte de héros postromantique qui n'est pas sans analogies avec le René de Chateaubriand. Victime de l'ennui, de la déréliction, il s'abandonne à l'univers des songes. Rimbaud, souvent préoccupé par le genre autobiographique, transforme ici les règles du jeu, puisqu'il envisage de décrire la vie d'un adolescent en la plaçant entièrement sous l'éclairage du rêve. Mais l'emploi qu'il fait parfois des temps du passé émousse le présent onirique et donne à ces proses le ton d'une nostalgie.

Delahaye, évoquant Les Déserts de l'amour, *assure qu'ils furent rédigés durant le printemps de 1871, à la suite d'une lecture de Baudelaire. Rien à voir cependant avec les* Petits Poèmes en prose, *même si Baudelaire envisagea lui aussi d'écrire des récits de rêve. Bon nombre de critiques voient dans* Les Déserts de l'amour *comme un prélude à* Une saison en enfer *ou aux* Illuminations, *et c'est bien comme telles que nous percevons ces pages, claires la plupart du temps, mais parsemées d'expressions indécidables.*

Premier échantillon, sans doute, sous la plume de Rimbaud, d'une prose poétique, Les Déserts de l'amour *témoignent, quelle que soit leur date, d'un projet resté en suspens (si l'on se fie à ce dont nous disposons), mais qui ne dépare pas le monde hallucinatoire que d'autres textes plus délibérément explorent.*

Avertissement

Ces écritures-ci sont d'un jeune, tout jeune *homme*[1], dont la vie s'est développée n'importe où ; sans mère, sans pays, insoucieux de tout ce qu'on connaît, fuyant toute force morale, comme furent déjà plusieurs pitoyables jeunes hommes[2]. Mais, lui, si ennuyé et si troublé, qu'il ne fit que s'amener à la mort comme à une pudeur terrible et fatale. N'ayant pas aimé de femmes, — quoique plein de sang ! — il eut son âme et son cœur, toute sa force, élevés[3] en des erreurs étranges et tristes. Des rêves suivants, — ses amours ! — qui lui vinrent dans ses lits ou dans les rues, et de leur suite et de leur fin, de douces considérations religieuses se dégagent peut-être. Peut-être se rappellera-t-on le sommeil continu des Mahométans légendaires[4], — braves pourtant et circoncis ! Mais, cette bizarre souffrance possédant une autorité inquiétante, il faut sincèrement désirer que cette Âme, égarée parmi nous tous, et qui veut la mort, ce semble, rencontre en cet instant-là des consolations sérieuses et soit digne !

A. Rimbaud

[I]

C'est certes la même campagne. La même maison rustique de mes parents : la salle même où les dessus de porte sont des bergeries roussies, avec des armes et des lions. Au dîner, il y a un salon avec des bougies et des vins et des boiseries rustiques. La table à manger est très grande. Les servantes ! Elles étaient plusieurs, autant que je m'en suis souvenu. — Il y avait là un de mes jeunes amis anciens, prêtre et vêtu en prêtre[5], maintenant : c'était pour être plus libre. Je me souviens de sa chambre de pourpre, à vitres de papier jaune ; et ses livres, cachés, qui avaient trempé dans l'océan !

Moi j'étais abandonné, dans cette maison de campagne sans fin : lisant dans la cuisine, séchant la boue de mes habits devant les hôtes, aux conversations du salon : ému jusqu'à la mort par le murmure du lait du matin et de la nuit du siècle dernier.

J'étais dans une chambre très sombre : que faisais-je ? Une servante vint près de moi : je puis dire que c'était un petit chien : quoiqu'elle fût belle, et d'une noblesse maternelle inexprimable pour moi : pure, connue, toute charmante ! Elle me pinça le bras.

Je ne me rappelle même plus bien sa figure : ce n'est pas pour me rappeler son bras, dont je roulai la peau dans mes deux doigts ; ni sa bouche, que la mienne saisit comme une petite vague désespérée, minant[6] sans fin quelque chose. Je la renversai dans une corbeille de coussins et de toiles de navire, en un coin noir. Je ne me rappelle plus que son pantalon à dentelles blanches. — Puis, ô désespoir, la cloison devint vaguement l'ombre des arbres ; et je me suis abîmé sous la tristesse amoureuse de la nuit.

[II]

Cette fois, c'est la Femme que j'ai vue dans la Ville, et à qui j'ai parlé et qui me parle.

J'étais dans une chambre sans lumière. On vint me dire qu'elle était chez moi : et je la vis dans mon lit, toute à moi, sans lumière. Je fus très ému, et beaucoup parce que c'était la maison de famille : aussi une détresse me prit : j'étais en haillons, moi, et elle, mondaine, qui se donnait, il lui fallait s'en aller ! Une détresse sans nom : je la pris, et la laissai tomber hors du lit, presque nue ; et, dans ma faiblesse indicible, je tombai sur elle et me traînai avec elle parmi les tapis sans lumière. La lampe de la famille rougissait l'une après l'autre les chambres voisines. Alors la femme disparut. Je versai plus de larmes que Dieu n'en a pu jamais demander.

Je sortis dans la ville sans fin. Ô Fatigue ! Noyé dans la nuit sourde et dans la fuite du bonheur. C'était comme une nuit d'hiver, avec une neige pour étouffer le monde décidément. Les amis auxquels je criais : où reste-t-elle, répondaient faussement. Je fus devant les vitrages de là où elle va tous les soirs : je courais dans un jardin enseveli. On m'a repoussé. Je pleurais énormément, à tout cela. Enfin je suis descendu dans un lieu plein de poussière, et assis sur des charpentes, j'ai laissé finir toutes les larmes de mon corps avec cette nuit. — Et mon épuisement me revenait pourtant toujours.

J'ai compris qu'elle était à sa vie de tous les jours, et que le tour de bonté serait plus long à se reproduire qu'une étoile. Elle n'est pas revenue, et ne reviendra jamais, l'Adorable qui s'était rendue chez moi, — ce que je n'aurais jamais présumé. — Vrai, cette fois j'ai pleuré plus que tous les enfants du monde.

DEUX LETTRES

(1872-1873)

RIMBAUD À ERNEST DELAHAYE

Parmerde, Jumphe 72[1].

Mon ami,

Oui, surprenante est l'existence dans le cosmorama Arduan[2]. La province, où on se nourrit de farineux et de boue, où l'on boit du vin du cru et de la bière du pays, ce n'est pas ce que [je] regrette. Aussi tu as raison de la dénoncer sans cesse. Mais ce lieu-ci : distillation, composition, tout étroitesses ; et l'été accablant : la chaleur n'est pas très constante, mais de voir que le beau temps est dans les intérêts de chacun, et que chacun est un porc[3], je hais l'été, qui me tue quand il se manifeste un peu. J'ai une soif à craindre la gangrène[4] : les rivières ardennaises et belges, les cavernes, voilà ce que je regrette.

Il y a bien ici un lieu de boisson que je préfère. Vive l'académie d'Absomphe[5], malgré la mauvaise volonté des garçons ! C'est le plus délicat et le plus tremblant des habits, que l'ivresse par la vertu de cette sauge de glaciers, l'absomphe. Mais pour, après, se coucher dans la merde !

Toujours même geinte[6], quoi ! Ce qu'il y a de certain, c'est merde à Perrin[7]. Et au comptoir de l'Univers[8], qu'il soit en face du square ou non. Je ne maudis pas l'Univers, pourtant. — Je souhaite très fort que l'Ardenne soit occupée et pressurée de plus en plus immodérément. Mais tout cela est encore ordinaire.

Le sérieux, c'est qu'il faut que tu te tourmentes beaucoup, peut-être que tu aurais raison de beaucoup marcher et lire. Raison en tout cas de ne pas te confiner dans les bureaux et maisons de famille. Les abrutissements doivent s'exécuter loin de ces lieux-là. Je suis loin de vendre du baume, mais je crois que les habitudes n'offrent pas des consolations, aux pitoyables jours.

Maintenant c'est la nuit que je travaince. De minuit à 5 [heures] du matin. Le mois passé, ma chambre, rue M^r-le-Prince[9], donnait sur un jardin du lycée Saint-Louis. Il y avait des arbres énormes sous ma fenêtre étroite. À 3 heures du matin, la bougie pâlit : tous les oiseaux crient à la fois dans les arbres : c'est fini. Plus de travail. Il me fallait regarder les arbres, le ciel, saisis par cette heure indicible, première du matin. Je voyais les dortoirs du lycée, absolument sourds. Et déjà le bruit saccadé, sonore, délicieux des tombereaux sur les boulevards. — Je fumais ma pipe-marteau, en crachant sur les tuiles, car c'était une mansarde, ma chambre. À 5 heures, je descendais à l'achat de quelque pain ; c'est l'heure. Les ouvriers sont en marche partout. C'est l'heure de se soûler chez les marchands de vin, pour moi. Je rentrais manger, et me couchais à 7 heures du matin, quand le soleil faisait sortir les cloportes de dessous les tuiles. Le premier matin en été, et les soirs de décembre, voilà ce qui m'a ravi toujours ici[10].

Mais, en ce moment, j'ai une chambre jolie, sur une cour sans fond mais de 3 mètres carrés. — La rue Victor-Cousin fait coin sur la place de la Sorbonne par le café du Bas-Rhin, et donne sur la rue Soufflot, à l'autre extrém[ité]. — Là, je bois de l'eau toute la nuit, je ne vois pas le matin, je ne dors pas, j'étouffe. Et voilà.

Il sera certes fait droit à ta réclamation ! N'oublie pas de chier sur *La Renaissance*[11], journal littéraire et artistique, si tu le rencontres. J'ai évité jusqu'ici les pestes d'émigrés Caropolmerdés[12]. Et merde aux saisons. Et colrage.

Courage.

A. R.
Rue Victor-Cousin, Hôtel de Cluny.

RIMBAUD À ERNEST DELAHAYE

Laïtou[1] (Roches) (Canton d'Attigny).
Mai [18]73.

Cher ami, tu vois mon existence actuelle dans l'aquarelle ci-dessous.

Ô Nature! ô ma mère![2]

[Ici, un dessin : voir page suivante.]

Quelle chierie! et quels monstres d'innocince, ces paysans. Il faut, le soir, faire deux lieues, et plus, pour boire un peu. La *mother* m'a mis là dans un triste trou.

[Autre dessin.]

Je ne sais comment en sortir : j'en sortirai pourtant. Je regrette cet atroce Charlestown[3], l'Univers, la Bibliothè[4], etc... Je travaille pourtant assez régulièrement, je fais de petites histoires en prose, titre général : Livre païen, ou Livre nègre[5]. C'est bête et innocent. Ô innocence! innocence; innocence, innoc..., fléau!

Verlaine doit t'avoir donné la malheureuse commission de parlementer avec le sieur Devin, imprimeux du Nôress[6]. Je crois que ce Devin pourrait faire le livre de Verlaine à assez bon compte et presque proprement. (S'il n'emploie pas les caractères enmerdés[7] du Nôress : il serait capable d'en coller un cliché, une annonce!)

Je n'ai rien de plus à te dire, la contemplostate[8] de la Nature m'absorculant[9] tout entier. Je suis à toi, ô Nature, ô ma mère!

Je te serre les mains, dans l'espoir d'un revoir que j'active autant que je puis.

R.

Laïtou, (Roches) (canton d'Attigny) 5 mai 73

     Mes amis, tu vas me voir actuelle-
Dans l'aquarelle ci-dessous.
O Nature! o ma mère!

o nature o ma sœur!

nature o ma fille

Je rouvre ma lettre. Verlaine doit t'avoir proposé un rendez-vol [10] au Dimanche 18, à Boulion [11]. Moi je ne puis y aller. Si tu y vas, il te chargera probablement de quelques fraguemants en prose [12] de moi ou de lui, à me retourner.

La mère Rimb. retournera à Charlestown dans le courant de Juin, c'est sûr, et je tâcherai de rester dans cette jolie ville, quelque temps.

Le soleil est accablant et il gèle le matin.

J'ai été avant-hier voir les Prussmars [13], à Vouziers, une sous-préfecte [14] de 10 000 âmes, à sept kilom. d'ici. Ça m'a ragaillardi.

Je suis abominablement gêné. Pas un livre, pas un cabaret à portée de moi, pas un incident dans la rue. Quelle horreur que cette campagne française. Mon sort dépend de ce livre, pour lequel une demi-douzaine [15] d'histoires atroces sont encore à inventer. Comment inventer des atrocités ici ! Je ne t'envoie pas d'histoires, quoique j'en aie déjà trois, *ça coûte tant !* Enfin voillà !

Au revoir, tu verras ça.

Rimb.

Prochainement je t'enverrai des timbres pour m'acheter et m'envoyer le *Faust* [16] de *Gœthe*, Biblioth[èque] populaire. Ça doit coûter un sou de transport.

Dis-moi s'il n'y a pas des traduct. de Shakespeare [17] dans les nouveaux livres de cette biblioth [18].

Si même tu peux m'en envoyer le catalogue le plus nouveau, envoie.

R.

Monsieur Ernest Delahaye,
À Charleville.

[PROSES ÉVANGÉLIQUES]

NOTICE

*Tardivement découverts, ces textes que les éditeurs regroupent parfois sous le titre « Proses évangéliques » occupent le verso (ou le recto, selon qu'on les considère comme plus anciens ou plus récents) de deux feuillets des brouillons d'*Une saison en enfer. *Ainsi est-on amené à penser qu'ils furent rédigés sensiblement à l'époque où fut composé ce seul livre publié par Rimbaud. Ils en produiraient non pas le projet, mais comme une manière de pré-texte, à un moment où Rimbaud ne savait pas encore très bien ce qu'il allait écrire. Leur publication originale remonte, pour le troisième texte, « Bethsaïda », au 1ᵉʳ septembre 1897 (*La Revue blanche*), pour le premier et le deuxième au 1ᵉʳ janvier 1948 (*Mercure de France)* [a]*. Ils n'attirèrent l'attention des chercheurs que ces dernières années. Une tendance de la critique consiste à*

_____

a. En 1898, dans les *Œuvres* de Rimbaud publiées par Paterne Berrichon et Ernest Delahaye au Mercure de France, le texte « Bethsaïda » apparaît pour la première fois (sous une fausse lecture : « Cette saison ») placé à la fin des *Illuminations*. Il est alors compté au nombre de ces poèmes en prose. En 1949, après la découverte de deux autres fragments publiés par H. Matarasso dans *Le Mercure de France*, Bouillane de Lacoste, dans son édition critique *Illuminations – Painted Plates* donnée au Mercure de France, estime (p. 191) qu'il faut éliminer définitivement des *Illuminations* le texte « Bethsaïda » appartenant, selon lui, à une série de proses contemporaines d'*Une saison en enfer*. La première édition des *Œuvres* de Rimbaud dans la « Bibliothèque de la Pléiade » faite par Jules Mouquet et Rolland de Renéville en 1954 place les trois textes sous le titre « Suite johannique – ébauches ». En 1960, Suzanne Bernard, dans l'édition Garnier des *Œuvres*, les intitule plus justement « Proses évangéliques », titre auquel semblent depuis s'être ralliés les éditeurs.

*n'y voir que des textes ironiques contestant la parole évangélique
(voir Étiemble et surtout Pierre Brunel). Une autre tendance y
perçoit une intention moins ouvertement parodique. De toute
évidence, Rimbaud, qui se servait d'une ancienne traduction de
la Bible faite par Lemaistre de Sacy, s'interroge sur la présence du
Christ (elle est contestée et inefficace à Samarie, ville « protes-
tante ») et sur les miracles qu'il réalisa. S'il se plaît à retoucher
l'Évangile, ce n'est cependant pas pour proférer ouvertement des
blasphèmes. Les guérisons ont lieu, le Paralytique retrouve bien
l'usage de ses jambes, parce que Jésus est aussi présent, en personne. Il reste à voir, à partir de telles proses, pourquoi et comment Rimbaud a de nouveau introduit la figure du Christ dans*
Une saison en enfer, *où lui-même prend position parmi les
damnés.*

Sur ces Proses évangéliques, *on consultera Étiemble et Yassu
Gauclère, « Rimbaud chrétien ? », dans* Rimbaud, Gallimard,
« Les Essais », *1966, p. 51-61 ; Pierre Brunel, « Rimbaud
récrit l'Évangile », dans* Le Mythe d'Étiemble, Didier Érudi-
tion, *1979, p. 37-46 ; Jean-Luc Steinmetz, « Sur les Proses
évangéliques », dans* Parade sauvage, *2008 (*Hommage à
S. Murphy*), dir. Yann Frémy, p. 527-542, et la livraison
spéciale de* Parade sauvage, *2011.*

À Samarie[1], plusieurs ont manifesté leur foi en lui. Il ne
les a pas vus. Samarie [s'enorgueillissait] la parvenue, [la
perfide], l'égoïste, plus rigide observatrice de sa loi protes-
tante que Juda[2] des tables antiques. Là la richesse universelle permettait bien peu de discussion éclairée. Le
sophisme, esclave et soldat de la routine, y avait déjà, après
les avoir flattés, égorgé plusieurs prophètes.

C'était un mot sinistre, celui de la femme à la fontaine[3] :
« Vous êtes prophètes, vous savez ce que j'ai fait. »

Les femmes et les hommes croyaient aux prophètes.
Maintenant on croit à l'homme d'état[4].

À deux pas de la ville étrangère, incapable de la menacer matériellement, s'il était pris comme prophète, puisqu'il s'était montré là si bizarre, qu'aurait-il fait ?

Jésus n'a rien pu dire à Samarie.

☆

L'air léger et charmant de la Galilée : les habitants le reçurent avec une joie curieuse : ils l'avaient vu, secoué par la sainte colère, fouetter les changeurs et les marchands de gibier[1] du temple. Miracle de la jeunesse pâle et furieuse, croyaient-ils.

Il sentit sa main aux mains chargées de bagues et à la bouche d'un officier[2]. L'officier était à genoux dans la poudre : et sa tête était assez plaisante, quoique à demi chauve.

Les voitures filaient dans les étroites rues [de la ville] ; un mouvement, assez fort pour ce bourg ; tout semblait devoir être trop content ce soir-là.

Jésus retira sa main : il eut un mouvement d'orgueil enfantin et féminin. « Vous autres, si vous ne voyez [point] des miracles, vous ne croyez point[3]. »

Jésus n'avait point encor fait de miracles. Il avait, dans une noce, dans une salle à manger verte et rose, parlé un peu hautement à la Sainte Vierge[4]. Et personne n'avait parlé du vin de Cana à Capharnaüm, ni sur le marché, ni sur les quais. Les bourgeois peut-être.

Jésus dit : « Allez, votre fils se porte bien[5]. » L'officier s'en alla, comme on porte quelque pharmacie[6] légère, et Jésus continua par les rues moins fréquentées. Des liserons [oranges], des bourraches montraient leur lueur magique entre les pavés. Enfin il vit au loin la prairie poussiéreuse, et les boutons d'or et les marguerites demandant grâce au jour.

☆

Bethsaïda[1], la piscine des cinq galeries, était un point d'ennui. Il semblait que ce fût un sinistre lavoir, toujours accablé de la pluie et noir ; et les mendiants s'agitant sur les marches intérieures ; — blêmies par ces lueurs d'orages précurseurs des éclairs d'enfer, en plaisantant sur leurs yeux bleus aveugles, sur les linges blancs ou bleus dont s'entouraient leurs moignons. Ô buanderie militaire, ô bain populaire. L'eau était toujours noire, et nul infirme n'y tombait même en songe.

C'est là que Jésus fit la première action grave, avec les infâmes infirmes. Il y avait un jour, de février, mars ou avril, où le soleil de 2 h. ap. midi, laissait s'étaler une grande faux de lumière sur l'eau ensevelie, et comme, là-bas, loin derrière les infirmes, j'aurai pu voir tout ce que ce rayon seul éveillait de bourgeons et de cristaux et de vers, dans le plafond, pareil à un ange blanc[2] couché sur le côté, tous les reflets infiniment pâles remuaient.

Tous les péchés, fils légers et tenaces du démon, qui pour les cœurs un peu sensibles, rendaient ces hommes plus effrayants que les monstres, voulaient se jeter à cette eau. Les infirmes descendaient, ne raillant plus ; mais avec envie.

Les premiers entrés sortaient guéris, disait-on. Non. Les péchés les rejetaient sur les marches, et les forçaient de chercher d'autres postes : car leur Démon ne peut rester qu'aux lieux où l'aumône est sûre.

[Un signe de vous, ô volonté divine] [*le reste de la phrase est illisible*].

Jésus entra aussitôt après l'heure de midi. Personne ne lavait ni ne descendait de bêtes. La lumière dans la piscine était jaune comme les dernières feuilles des vignes. Le divin maître se tenait contre une colonne : il regardait les fils du Péché ; le démon tirait sa langue en leur langue[3] ; et riait ou [ma…].

Le Paralytique se leva[4], qui était resté couché sur le flanc, franchit la galerie et ce fut d'un pas singulièrement assuré qu'ils le virent franchir la galerie et disparaître dans la ville, les Damnés.

UNE SAISON EN ENFER

NOTICE

Le projet d'un livre à publier (dont dépendrait son sort) apparaît chez Rimbaud dès le mois d'avril 1873. Il n'y renoncera pas après le drame de Bruxelles. Peut-être même ces heures tragiques le décidèrent-elles plus vivement à le mener à bien. On peut s'étonner toutefois de l'imprimeur qu'en l'occurrence il choisit : un certain Jacques Poot, gérant de l'Alliance typographique sise au 37 de la rue aux Choux à Bruxelles et spécialisée dans les publications judiciaires. Ce dernier point cependant explique peut-être comment Rimbaud eut connaissance de cette maison d'édition, qui n'avait évidemment nulle vocation pour publier des textes littéraires. Mais le poète savait fort bien qu'après le départ de Verlaine qu'il avait provoqué et après l'emprisonnement de celui-ci que l'on pouvait mettre à son compte, il n'était plus question pour lui de s'adresser au milieu des Parnassiens, ni de solliciter leur éditeur, Alphonse Lemerre. Ce fut donc clandestinement qu'il publia Une saison en enfer, aidé sans doute par Mme Rimbaud qui paya une partie de l'impression de l'opuscule, tiré à cinq cents exemplaires et vendu un franc, soit environ 4,55 €. La fin du livre précise la période de rédaction de ces pages : « avril-août 1873 ». La majeure partie en fut rédigée en avril-juin (et plutôt, sans doute, de la mi-avril au 24 mai, quand Rimbaud était à Roche, au retour d'Angleterre) puis, au-delà des querelles avec Verlaine et des heures dramatiques de juillet 1873, en ce mois d'août 1873 où il vint de nouveau dans la propriété maternelle. Roche, petit village du canton d'Attigny, un véritable « trou », fut donc le lieu *où provisoirement sédentaire il composa – en plusieurs étapes – son premier et unique livre.*

Convoqué le 23 octobre 1873 par Jacques Poot pour venir retirer ses exemplaires d'auteur et probablement acquitter le solde de la facture, Rimbaud se rendit à Bruxelles, en prit quelques-uns, mais ne régla pas son dû – raison pour laquelle le reste de l'édition, entreposé 37, rue aux Choux, attendit presque trente années avant qu'on le découvrît. Des quelques livres qu'il emporta, nous savons qu'il dédicaça l'un à Paul Verlaine et qu'il le déposa à la conciergerie de la prison des Petits-Carmes où celui-ci devait purger sa peine. Quant aux autres, ils furent soit donnés à des amis de Charleville (Delahaye, Ernest Millot), soit, via Louis Forain, confiés à d'anciens bohèmes connus en mai 1872 à Paris : Jean Richepin, Raoul Gineste, Raoul Ponchon. En octobre 1873, d'ailleurs, Rimbaud fit une brève apparition dans la capitale, assez de temps toutefois pour constater que tout le monde lui tournait le dos. De retour à Roche, il aurait livré à un autodafé rageur les exemplaires qui lui restaient, ainsi que des pages de brouillon. Isabelle, sa sœur, témoin souvent suspect, n'hésitera pas à écrire qu'il brûla en cette circonstance la totalité du tirage[a]. Or tous les exemplaires, excepté ceux dont nous avons parlé, furent retrouvés en 1901 par un avocat belge, Léon Losseau[b]. Ils n'avaient pas quitté les locaux de l'Alliance typographique ! Ainsi devait être dissipée une légende, aujourd'hui encore couramment répandue.

L'ouvrage de Rimbaud – comme le montre sa présentation matérielle – obéit à une composition rigoureuse. On y distingue un prologue (sans titre), un épilogue (« Adieu ») et trois grands

---

a. « Quelques jours après avoir reçu avis de l'éditeur, il se fit remettre ce qu'il croyait être la totalité des exemplaires et brûla le tout en ma présence », lettre d'Isabelle Rimbaud à Louis Pierquin, 6 juin 1892 (Rimbaud, *Œuvres*, Gallimard, « Bibliothèque de la Pléiade », 1972, p. 722).

b. Léon Losseau, « La Légende de la destruction par Rimbaud de l'édition princeps d'*Une saison en enfer* », Mons, Léon Duquesne, 1914 (communication faite le 12 juillet 1914 devant la Société des bibliophiles belges).

ensembles, parfois d'un seul tenant (« Nuit de l'enfer »), parfois constitués d'un certain nombre de sections (« Mauvais sang » et « Délires I » et « II ») . À cela s'ajoutent trois textes plus courts : « L'Impossible », « L'Éclair » et « Matin », « L'Impossible » poursuivant, dans une certaine mesure, l'ambition des « Délires », « L'Éclair » répondant par le travail à la décision d'oisiveté de « Mauvais sang », et « Matin » faisant contrepoint à « Nuit de l'enfer ».

Sur Une saison en enfer, *il n'existe que peu d'études complètes. On se reportera à l'analyse du texte proposée par Margaret Davies (Minard, « Archives des Lettres modernes », 1975) et à celle, plus récente, de Yoshikazu Nakaji (Combat spirituel ou immense dérision ?, José Corti, 1987). Une édition critique d'*Une saison en enfer, *établie par Pierre Brunel, a été publiée aux éditions José Corti en 1987. On pourra lire aussi le journal de lecture proposé par Jean-Luc Steinmetz sous le titre* L'Autre Saison *(Éditions Cécile Defaut, 2013).*

A. RIMBAUD

UNE

SAISON EN ENFER

PRIX : UN FRANC

BRUXELLES

ALLIANCE TYPOGRAPHIQUE (M.-J. POOT ET COMPAGNIE)

37, rue aux Choux, 37

—

1873

* * * * *

« [1]Jadis, si je me souviens bien, ma vie était un festin [2] où s'ouvraient tous les cœurs, où tous les vins coulaient.

Un soir, j'ai assis la Beauté sur mes genoux. — Et je l'ai trouvée amère. — Et je l'ai injuriée.

Je me suis armé contre la justice.

Je me suis enfui. Ô sorcières [3], ô misère, ô haine, c'est à vous que mon trésor a été confié !

Je parvins à faire s'évanouir dans mon esprit toute l'espérance humaine. Sur toute joie pour l'étrangler j'ai fait le bond sourd de la bête féroce.

J'ai appelé les bourreaux pour, en périssant, mordre la crosse de leurs fusils. J'ai appelé les fléaux, pour m'étouffer avec le sable, le sang. Le malheur a été mon dieu. Je me suis allongé dans la boue. Je me suis séché à l'air du crime. Et j'ai joué de bons tours à la folie.

Et le printemps m'a apporté l'affreux rire de l'idiot.

Or, tout dernièrement m'étant trouvé sur le point de faire le dernier *couac* [4] ! j'ai songé à rechercher la clef du festin ancien, où je reprendrais peut-être appétit.

La charité est cette clef. — Cette inspiration prouve que j'ai rêvé !

« Tu resteras hyène, etc., » se récrie le démon qui me couronna de si aimables pavots [5]. « Gagne la mort avec tous tes appétits [6], et ton égoïsme et tous les péchés capitaux. »

Ah ! j'en ai trop pris : — Mais, cher Satan, je vous en conjure, une prunelle moins irritée ! et en attendant les quelques petites lâchetés en retard[7], vous qui aimez dans l'écrivain l'absence des facultés descriptives ou instructives, je vous détache ces quelques hideux feuillets de mon carnet de damné.

MAUVAIS SANG

—

J'ai de mes ancêtres gaulois[1] l'œil bleu blanc, la cervelle étroite, et la maladresse dans la lutte. Je trouve mon habillement aussi barbare que le leur. Mais je ne beurre pas ma chevelure.

Les Gaulois étaient les écorcheurs de bêtes, les brûleurs d'herbes les plus ineptes de leur temps.

D'eux, j'ai : l'idolâtrie et l'amour du sacrilège ; — oh ! tous les vices, colère, luxure, — magnifique, la luxure ; — surtout mensonge et paresse.

J'ai horreur de tous les métiers. Maîtres et ouvriers, tous paysans, ignobles. La main à plume vaut la main à charrue. — Quel siècle à mains ! — Je n'aurai jamais ma main. Après, la domesticité mène trop loin. L'honnêteté de la mendicité me navre. Les criminels dégoûtent comme des châtrés : moi, je suis intact, et ça m'est égal.

Mais ! qui a fait ma langue perfide tellement, qu'elle ait guidé et sauvegardé jusqu'ici ma paresse ? Sans me servir pour vivre même de mon corps, et plus oisif que le crapaud[2], j'ai vécu partout. Pas une famille d'Europe que je ne connaisse. — J'entends des familles comme la mienne, qui tiennent tout de la déclaration des Droits de l'Homme. — J'ai connu chaque fils de famille !

————

Si j'avais des antécédents à un point quelconque de l'histoire de France !

Mais non, rien.

Il m'est bien évident que j'ai toujours été race inférieure[3]. Je ne puis comprendre la révolte. Ma race ne se souleva jamais que pour piller : tels les loups à la bête qu'ils n'ont pas tuée.

Je me rappelle l'histoire de la France fille aînée de l'Église. J'aurais fait, manant, le voyage de terre sainte ; j'ai dans la tête des routes dans les plaines souabes, des vues de Byzance, des remparts de Solyme[4] ; le culte de Marie, l'attendrissement sur le crucifié s'éveillent en moi parmi mille féeries profanes. — Je suis assis, lépreux, sur les pots cassés et les orties, au pied d'un mur rongé par le soleil. — Plus tard, reître, j'aurais bivaqué[5] sous les nuits d'Allemagne.

Ah ! encore : je danse le sabbat dans une rouge clairière, avec des vieilles et des enfants.

Je ne me souviens pas plus loin que cette terre-ci et le christianisme. Je n'en finirais pas de me revoir dans ce passé. Mais toujours seul ; sans famille ; même, quelle langue parlais-je ? Je ne me vois jamais dans les conseils du Christ ; ni dans les conseils des Seigneurs, — représentants du Christ.

Qu'étais-je au siècle dernier : je ne me retrouve qu'aujourd'hui. Plus de vagabonds, plus de guerres vagues. La race inférieure a tout couvert — le peuple, comme on dit, la raison ; la nation et la science.

Oh ! la science ! On a tout repris. Pour le corps et pour l'âme, — le viatique, — on a la médecine et la philosophie, — les remèdes de bonnes femmes et les chansons populaires arrangés. Et les divertissements des princes et les jeux qu'ils interdisaient ! Géographie, cosmographie, mécanique, chimie !…

La science, la nouvelle noblesse ! Le progrès. Le monde marche ! Pourquoi ne tournerait-il pas[6] ?

C'est la vision des nombres. Nous allons à l'*Esprit*. C'est très-certain, c'est oracle, ce que je dis. Je comprends, et ne sachant m'expliquer sans paroles païennes, je voudrais me taire.

Le sang païen revient ! L'Esprit est proche, pourquoi Christ ne m'aide-t-il pas, en donnant à mon âme noblesse et liberté. Hélas ! l'Évangile a passé ! l'Évangile ! l'Évangile.

J'attends Dieu avec gourmandise. Je suis de race inférieure de toute éternité.

Me voici sur la plage armoricaine [7]. Que les villes s'allument dans le soir. Ma journée est faite ; je quitte l'Europe. L'air marin brûlera mes poumons ; les climats perdus me tanneront. Nager, broyer l'herbe, chasser, fumer surtout ; boire des liqueurs fortes comme du métal bouillant, — comme faisaient ces chers ancêtres autour des feux.

Je reviendrai, avec des membres de fer, la peau sombre, l'œil furieux : sur mon masque, on me jugera d'une race forte. J'aurai de l'or : je serai oisif et brutal. Les femmes soignent ces féroces infirmes retour des [8] pays chauds. Je serai mêlé aux affaires politiques. Sauvé.

Maintenant je suis maudit, j'ai horreur de la patrie. Le meilleur, c'est un sommeil bien ivre, sur la grève.

On ne part pas. — Reprenons les chemins d'ici, chargé de mon vice [9], le vice qui a poussé ses racines de souffrance à mon côté, dès l'âge de raison — qui monte au ciel, me bat, me renverse, me traîne.

La dernière innocence et la dernière timidité. C'est dit. Ne pas porter au monde mes dégoûts et mes trahisons.

Allons ! La marche, le fardeau, le désert, l'ennui et la colère.

À qui me louer ? Quelle bête faut-il adorer ? Quelle sainte image attaque-t-on ? Quels cœurs briserai-je ? Quel mensonge dois-je tenir ? — Dans quel sang marcher ?

Plutôt, se garder de la justice [10]. — La vie dure, l'abrutissement simple, — soulever, le poing desséché, le couvercle
du cercueil [11], s'asseoir, s'étouffer. Ainsi point de vieillesse,
ni de dangers : la terreur n'est pas française.

— Ah ! je suis tellement délaissé que j'offre à n'importe
quelle divine image des élans vers la perfection.

Ô mon abnégation, ô ma charité merveilleuse ! ici-bas,
pourtant !

De profundis Domine [12], suis-je bête !

————

Encore tout enfant, j'admirais le forçat intraitable [13] sur
qui se referme toujours le bagne ; je visitais les auberges et
les garnis qu'il aurait sacrés par son séjour ; je voyais *avec
son idée* le ciel bleu et le travail fleuri de la campagne ; je
flairais sa fatalité dans les villes. Il avait plus de force qu'un
saint, plus de bon sens qu'un voyageur — et lui, lui seul !
pour témoin de sa gloire et de sa raison.

Sur les routes, par des nuits d'hiver [14], sans gîte, sans
habits, sans pain, une voix étreignait mon cœur gelé : « Faiblesse ou force : te voilà, c'est la force. Tu ne sais ni où tu
vas ni pourquoi tu vas, entre partout, réponds à tout. On
ne te tuera pas plus que si tu étais cadavre. » Au matin
j'avais le regard si perdu et la contenance si morte, que ceux
que j'ai rencontrés *ne m'ont peut-être pas vu* [15].

Dans les villes la boue m'apparaissait soudainement
rouge et noire, comme une glace quand la lampe circule
dans la chambre voisine, comme un trésor dans la forêt !
Bonne chance, criais-je, et je voyais une mer de flammes et
de fumée au ciel ; et, à gauche, à droite, toutes les richesses
flambant comme un milliard de tonnerres.

Mais l'orgie et la camaraderie des femmes m'étaient interdites. Pas même un compagnon. Je me voyais devant une foule exaspérée, en face du peloton d'exécution, pleurant du malheur qu'ils n'aient pu comprendre, et pardonnant ! — Comme Jeanne d'Arc ! — « Prêtres, professeurs, maîtres, vous vous trompez en me livrant à la justice. Je n'ai jamais été de ce peuple-ci ; je n'ai jamais été chrétien ; je suis de la race qui chantait dans le supplice [16] ; je ne comprends pas les lois ; je n'ai pas le sens moral, je suis une brute : vous vous trompez… »

Oui, j'ai les yeux fermés à votre lumière. Je suis une bête, un nègre. Mais je puis être sauvé. Vous êtes de faux nègres, vous maniaques, féroces, avares. Marchand, tu es nègre ; magistrat, tu es nègre ; général, tu es nègre ; empereur, vieille démangeaison [17], tu es nègre : tu as bu d'une liqueur non taxée, de la fabrique de Satan. — Ce peuple est inspiré par la fièvre et le cancer. Infirmes et vieillards sont tellement respectables qu'ils demandent à être bouillis. — Le plus malin est de quitter ce continent, où la folie rôde pour pourvoir d'otages ces misérables. J'entre au vrai royaume des enfants de Cham [18].

Connais-je encore la nature ? me connais-je ? — *Plus de mots.* J'ensevelis les morts dans mon ventre. Cris, tambour, danse, danse, danse, danse ! Je ne vois même pas l'heure où, les blancs débarquant, je tomberai au néant.

Faim, soif, cris, danse, danse, danse, danse !

———————

Les blancs débarquent. Le canon ! Il faut se soumettre au baptême, s'habiller, travailler.

J'ai reçu au cœur le coup de la grâce. Ah ! je ne l'avais pas prévu !

Je n'ai point fait le mal. Les jours vont m'être légers, le repentir me sera épargné. Je n'aurai pas eu les tourments de l'âme presque morte au bien, où remonte la lumière sévère comme les cierges funéraires. Le sort du fils de famille, cercueil prématuré couvert de limpides larmes. Sans doute la débauche est bête, le vice est bête ; il faut jeter la pourriture à l'écart. Mais l'horloge ne sera pas arrivée à ne plus sonner que l'heure de la pure douleur ! Vais-je être enlevé comme un enfant, pour jouer au paradis dans l'oubli de tout le malheur !

Vite ! est-il d'autres vies ? — Le sommeil dans la richesse est impossible. La richesse a toujours été bien public. L'amour divin seul octroie les clefs de la science. Je vois que la nature n'est qu'un spectacle de bonté. Adieu chimères, idéals, erreurs.

Le chant raisonnable des anges s'élève du navire sauveur : c'est l'amour divin. — Deux amours [19] ! je puis mourir de l'amour terrestre, mourir de dévouement. J'ai laissé des âmes dont la peine s'accroîtra de mon départ ! Vous me choisissez parmi les naufragés ; ceux qui restent sont-ils pas mes amis ?

Sauvez-les !

La raison m'est née. Le monde est bon. Je bénirai la vie. J'aimerai mes frères. Ce ne sont plus des promesses d'enfance. Ni l'espoir d'échapper à la vieillesse et à la mort. Dieu fait ma force, et je loue Dieu.

———————

L'ennui n'est plus mon amour. Les rages, les débauches, la folie, dont je sais tous les élans et les désastres, — tout mon fardeau est déposé. Apprécions sans vertige l'étendue de mon innocence.

Je ne serais plus capable de demander le réconfort d'une bastonnade. Je ne me crois pas embarqué pour une noce avec Jésus-Christ pour beau-père [20].

Je ne suis pas prisonnier de ma raison. J'ai dit : Dieu [21]. Je veux la liberté dans le salut : comment la poursuivre ? Les goûts frivoles m'ont quitté. Plus besoin de dévouement ni d'amour divin. Je ne regrette pas le siècle des cœurs sensibles [22]. Chacun a sa raison, mépris et charité : je retiens ma place au sommet de cette angélique échelle de bon sens.

Quant au bonheur établi, domestique ou non... non, je ne peux pas. Je suis trop dissipé, trop faible. La vie fleurit par le travail, vieille vérité : moi, ma vie n'est pas assez pesante, elle s'envole et flotte loin au-dessus de l'action, ce cher point du monde[23].

Comme je deviens vieille fille, à manquer du courage d'aimer la mort !

Si Dieu m'accordait le calme céleste, aérien, la prière, — comme les anciens saints. — Les saints ! des forts ! les anachorètes, des artistes comme il n'en faut plus !

Farce continuelle ! Mon innocence me ferait pleurer. La vie est la farce à mener par tous.

———————

Assez ! Voici la punition. — *En marche !*

Ah ! les poumons brûlent, les tempes grondent ! la nuit roule dans mes yeux, par ce soleil ! le cœur... les membres...

Où va-t-on ? au combat ? Je suis faible ! les autres avancent. Les outils, les armes... le temps !...

Feu ! feu sur moi ! Là ! ou je me rends. — Lâches ! — Je me tue ! Je me jette aux pieds des chevaux !

Ah !...

— Je m'y habituerai.

Ce serait la vie française, le sentier de l'honneur !

———————

NUIT DE L'ENFER

—

J'ai avalé une fameuse gorgée de poison[1]. — Trois fois béni soit le conseil qui m'est arrivé ! — Les entrailles me brûlent. La violence du venin tord mes membres, me rend difforme, me terrasse. Je meurs de soif, j'étouffe, je ne puis crier. C'est l'enfer, l'éternelle peine ! Voyez comme le feu se relève ! Je brûle comme il faut. Va, démon !

J'avais entrevu la conversion au bien et au bonheur, le salut. Puis-je décrire la vision, l'air de l'enfer ne souffre pas les hymnes ! C'était des millions de créatures charmantes, un suave concert spirituel, la force et la paix, les nobles ambitions, que sais-je ?

Les nobles ambitions !

Et c'est encore la vie ! — Si la damnation est éternelle ! Un homme qui veut se mutiler est bien damné, n'est-ce pas ? Je me crois en enfer, donc j'y suis[2]. C'est l'exécution du catéchisme. Je suis esclave de mon baptême. Parents, vous avez fait mon malheur et vous avez fait le vôtre. Pauvre innocent ! — L'enfer ne peut attaquer les païens. — C'est la vie encore ! Plus tard, les délices de la damnation seront plus profondes. Un crime, vite, que je tombe au néant, de par la loi humaine.

Tais-toi, mais tais-toi !... C'est la honte, le reproche, ici : Satan qui dit que le feu est ignoble, que ma colère est affreuse-ment sotte. — Assez !... Des erreurs qu'on me souffle, magies, parfums faux, musiques puériles. — Et dire que je

tiens la vérité, que je vois la justice : j'ai un jugement sain et
arrêté, je suis prêt pour la perfection… Orgueil. — La peau
de ma tête se dessèche. Pitié ! Seigneur, j'ai peur. J'ai soif, si
soif ! Ah ! l'enfance, l'herbe, la pluie, le lac sur les pierres, *le
clair de lune quand le clocher sonnait douze*[3]… le diable est au
clocher, à cette heure. Marie ! Sainte-Vierge !… — Horreur
de ma bêtise.

Là-bas, ne sont-ce pas des âmes honnêtes, qui me veulent
du bien… Venez… J'ai un oreiller sur la bouche, elles ne
m'entendent pas, ce sont des fantômes. Puis, jamais personne ne pense à autrui. Qu'on n'approche pas. Je sens le
roussi, c'est certain.

Les hallucinations sont innombrables. C'est bien ce que
j'ai toujours eu : plus de foi en l'histoire, l'oubli des principes. Je m'en tairai : poëtes et visionnaires seraient jaloux.
Je suis mille fois le plus riche, soyons avare comme la mer.

Ah ça ! l'horloge de la vie s'est arrêtée tout à l'heure. Je
ne suis plus au monde. — La théologie est sérieuse, l'enfer
est certainement *en bas*[4] — et le ciel en haut. — Extase,
cauchemar, sommeil dans un nid de flammes.

Que de malices dans l'attention dans la campagne…
Satan, Ferdinand[5], court avec les graines sauvages… Jésus
marche sur les ronces purpurines, sans les courber… Jésus
marchait sur les eaux irritées. La lanterne nous le montra[6]
debout, blanc et des tresses brunes, au flanc d'une vague
d'émeraude…

Je vais dévoiler tous les mystères : mystères religieux ou
naturels, mort, naissance, avenir, passé, cosmogonie, néant.
Je suis maître en fantasmagories.

Écoutez !…

J'ai tous les talents ! — Il n'y a personne ici et il y a
quelqu'un : je ne voudrais pas répandre mon trésor. —
Veut-on des chants nègres, des danses de houris[7] ? Veut-on
que je disparaisse, que je plonge à la recherche de
l'*anneau*[8] ? Veut-on ? Je ferai de l'or, des remèdes.

Fiez-vous donc à moi, la foi soulage, guide, guérit. Tous, venez, — même les petits enfants, — que je vous console, qu'on répande pour vous son cœur, — le cœur merveilleux ! — Pauvres hommes, travailleurs ! Je ne demande pas de prières ; avec votre confiance seulement, je serai heureux.

— Et pensons à moi. Ceci me fait peu regretter le monde. J'ai de la chance de ne pas souffrir plus. Ma vie ne fut que folies douces, c'est regrettable.

Bah ! faisons toutes les grimaces imaginables.

Décidément, nous sommes hors du monde. Plus aucun son. Mon tact a disparu. Ah ! mon château, ma Saxe[9], mon bois de saules. Les soirs, les matins, les nuits, les jours... Suis-je las !

Je devrais avoir mon enfer pour la colère, mon enfer pour l'orgueil, — et l'enfer de la caresse ; un concert d'enfers.

Je meurs de lassitude. C'est le tombeau, je m'en vais aux vers, horreur de l'horreur ! Satan, farceur, tu veux me dissoudre, avec tes charmes. Je réclame. Je réclame ! un coup de fourche, une goutte de feu.

Ah ! remonter à la vie ! Jeter les yeux sur nos difformités. Et ce poison, ce baiser mille fois maudit ! Ma faiblesse, la cruauté du monde ! Mon Dieu, pitié, cachez-moi, je me tiens trop mal ! — Je suis caché et je ne le suis pas.

C'est le feu qui se relève avec son damné.

VIERGE FOLLE

—

L'ÉPOUX INFERNAL

Écoutons la confession d'un compagnon d'enfer :

« Ô divin Époux, mon Seigneur, ne refusez pas la confession de la plus triste de vos servantes. Je suis perdue. Je suis soûle. Je suis impure. Quelle vie !

« Pardon ; divin Seigneur, pardon ! Ah ! pardon ! Que de larmes ! Et que de larmes encore plus tard, j'espère !

« Plus tard, je connaîtrai le divin Époux ! Je suis née soumise à Lui. — L'autre peut me battre maintenant !

« À présent, je suis au fond du monde ! Ô mes amies !... non, pas mes amies... Jamais délires ni tortures semblables... Est-ce bête !

« Ah ! je souffre, je crie. Je souffre vraiment. Tout pourtant m'est permis, chargée du mépris des plus méprisables cœurs.

« Enfin, faisons cette confidence, quitte à la répéter vingt autres fois, — aussi morne, aussi insignifiante !

« Je suis esclave de l'Époux infernal, celui qui a perdu les vierges folles. C'est bien ce démon-là. Ce n'est pas un spectre, ce n'est pas un fantôme. Mais moi qui ai perdu la sagesse, qui suis damnée et morte au monde, — on ne me tuera pas ! — Comment vous le décrire ! Je ne sais même plus parler. Je suis en deuil, je pleure, j'ai peur. Un peu de fraîcheur, Seigneur, si vous voulez, si vous voulez bien !

« Je suis veuve[1]… — J'étais veuve… — mais oui, j'ai été bien sérieuse jadis, et je ne suis pas née pour devenir squelette !… — Lui était presque un enfant… Ses délicatesses mystérieuses m'avaient séduite. J'ai oublié tout mon devoir humain pour le suivre. Quelle vie ! La vraie vie est absente. Nous ne sommes pas au monde. Je vais où il va, il le faut. Et souvent il s'emporte contre moi, *moi, la pauvre âme*. Le Démon ! — C'est un Démon, vous savez, *ce n'est pas un homme*.

« Il dit : "Je n'aime pas les femmes. L'amour est à réinventer[2], on le sait. Elles ne peuvent plus que vouloir une position assurée. La position gagnée, cœur et beauté sont mis de côté : il ne reste que froid dédain, l'aliment du mariage, aujourd'hui. Ou bien je vois des femmes, avec les signes du bonheur, dont, moi, j'aurai pu faire de bonnes camarades, dévorées tout d'abord par des brutes sensibles comme des bûchers…"

« Je l'écoute faisant de l'infamie une gloire, de la cruauté un charme. "Je suis de race lointaine : mes pères étaient Scandinaves : ils se perçaient les côtes, buvaient leur sang. — Je me ferai des entailles partout le corps, je me tatouerai, je veux devenir hideux comme un Mongol : tu verras, je hurlerai dans les rues. Je veux devenir bien fou de rage. Ne me montre jamais de bijoux, je ramperais et me tordrais sur le tapis. Ma richesse, je la voudrais tachée de sang partout. Jamais je ne travaillerai…" Plusieurs nuits, son démon me saisissant, nous nous roulions, je luttais avec lui ! — Les nuits, souvent, ivre, il se poste dans des rues ou dans des maisons, pour m'épouvanter mortellement. — "On me coupera vraiment le cou ; ce sera dégoûtant." Oh ! ces jours où il veut marcher avec l'air du crime !

« Parfois il parle, en une façon de patois attendri, de la mort qui fait repentir, des malheureux qui existent certainement, des travaux pénibles, des départs qui déchirent les cœurs. Dans les bouges où nous nous enivrions, il pleurait en considérant ceux qui nous entouraient, bétail de la misère. Il relevait les ivrognes dans les rues noires. Il avait la pitié d'une mère méchante pour les petits enfants. — Il s'en allait avec des gentillesses de petite fille au catéchisme. — Il feignait d'être éclairé sur tout[3], commerce, art, médecine. — Je le suivais, il le faut !

« Je voyais tout le décor dont, en esprit, il s'entourait ; vêtements, draps, meubles : je lui prêtais des armes, une autre figure. Je voyais tout ce qui le touchait, comme il aurait voulu le créer pour lui. Quand il me semblait avoir l'esprit inerte, je le suivais, moi, dans des actions étranges et compliquées, loin, bonnes ou mauvaises : j'étais sûre de ne jamais entrer dans son monde. À côté de son cher corps endormi, que d'heures des nuits j'ai veillé, cherchant pourquoi il voulait tant s'évader de la réalité. Jamais homme n'eut pareil vœu. Je reconnaissais, — sans craindre pour lui, — qu'il pouvait être un sérieux danger dans la société. — Il a peut-être des secrets pour *changer la vie* ? Non, il ne fait qu'en chercher, me répliquais-je. Enfin sa charité est ensorcelée, et j'en suis la prisonnière. Aucune autre âme n'aurait assez de force, — force de désespoir ! — pour la supporter, — pour être protégée et aimée par lui. D'ailleurs, je ne me le figurais pas avec une autre âme : on voit son Ange, jamais l'Ange d'un autre, — je crois. J'étais dans son âme comme dans un palais qu'on a vidé pour ne pas voir une personne si peu noble que vous : voilà tout. Hélas ! je dépendais bien de lui. Mais que voulait-il avec mon existence terne et lâche ? Il ne me rendait pas meilleure, s'il ne me faisait pas mourir ! Tristement dépitée, je lui dis quelquefois : "Je te comprends." Il haussait les épaules.

« Ainsi, mon chagrin se renouvelant sans cesse, et me trouvant plus égarée à mes yeux, — comme à tous les yeux qui auraient voulu me fixer, si je n'eusse été condamnée pour jamais à l'oubli de tous ! — j'avais de plus en plus faim de sa bonté. Avec ses baisers et ses étreintes amies, c'était bien un ciel, un sombre ciel, où j'entrais, et où j'aurais voulu être laissée, pauvre, sourde, muette, aveugle. Déjà j'en prenais l'habitude. Je nous voyais comme deux bons enfants, libres de se promener dans le Paradis de tristesse. Nous nous accordions. Bien émus, nous travaillions ensemble. Mais, après une pénétrante caresse, il disait : "Comme ça te paraîtra drôle, quand je n'y serai plus, ce par quoi tu as passé. Quand tu n'auras plus mes bras sous ton cou, ni mon cœur pour t'y reposer, ni cette bouche sur tes yeux. Parce qu'il faudra que je m'en aille, très-loin, un jour. Puis il faut que j'en aide d'autres : c'est mon devoir. Quoique ce ne soit guère ragoûtant…, chère âme…" Tout de suite je me pressentais, lui parti, en proie au vertige, précipitée dans l'ombre la plus affreuse : la mort. Je lui faisais promettre qu'il ne me lâcherait pas. Il l'a faite vingt fois, cette promesse d'amant. C'était aussi frivole que moi lui disant : "Je te comprends."

« Ah ! je n'ai jamais été jalouse de lui. Il ne me quittera pas, je crois. Que devenir ? Il n'a pas une connaissance ; il ne travaillera jamais. Il veut vivre somnambule. Seules, sa bonté et sa charité lui donneraient-elles droit dans le monde réel ? Par instants, j'oublie la pitié où je suis tombée : lui me rendra forte, nous voyagerons, nous chasserons dans les déserts, nous dormirons sur les pavés des villes inconnues, sans soins, sans peines. Ou je me réveillerai, et les lois et les mœurs auront changé, — grâce à son pouvoir magique, — le monde, en restant le même, me laissera à mes désirs, joies, nonchalances. Oh ! la vie d'aventures qui existe dans les livres des enfants, pour me récompenser, j'ai

tant souffert, me la donneras-tu ? Il ne peut pas. J'ignore
son idéal. Il m'a dit avoir des regrets, des espoirs : cela ne
doit pas me regarder. Parle-t-il à Dieu ? Peut-être devrais-je
m'adresser à Dieu. Je suis au plus profond de l'abîme, et je
ne sais plus prier.

« S'il m'expliquait ses tristesses, les comprendrais-je plus
que ses railleries ? Il m'attaque, il passe des heures à me faire
honte de tout ce qui m'a pu toucher au monde, et s'indigne
si je pleure.

« — Tu vois cet élégant jeune homme, entrant dans la
belle et calme maison : il s'appelle Duval, Dufour, Armand,
Maurice [4], que sais-je ? Une femme s'est dévouée à aimer ce
méchant idiot : elle est morte, c'est certes une sainte au
ciel, à présent. Tu me feras mourir comme il a fait mourir
cette femme. C'est notre sort, à nous, cœurs charitables… »
Hélas ! il avait des jours où tous les hommes agissant lui
paraissaient les jouets de délires grotesques : il riait affreuse-
ment, longtemps. — Puis, il reprenait ses manières de jeune
mère, de sœur aimée. S'il était moins sauvage, nous serions
sauvés ! Mais sa douceur aussi est mortelle. Je lui suis soumise. — Ah ! je suis folle !

« Un jour peut-être il disparaîtra merveilleusement ; mais
il faut que je sache, s'il doit remonter à un ciel, que je voie
un peu l'assomption [5] de mon petit ami ! »

Drôle de ménage !

DÉLIRES

II

────────

ALCHIMIE DU VERBE

────

À moi[1]. L'histoire d'une de mes folies.

Depuis longtemps je me vantais de posséder tous les paysages possibles, et trouvais dérisoires les célébrités de la peinture et de la poésie moderne.

J'aimais les peintures idiotes, dessus de portes, décors, toiles de saltimbanques, enseignes, enluminures populaires ; la littérature démodée, latin d'église, livres érotiques sans orthographe, romans de nos aïeules, contes de fées, petits livres de l'enfance, opéras vieux, refrains niais, rhythmes naïfs[2].

Je rêvais croisades, voyages de découvertes dont on n'a pas de relations, républiques sans histoires, guerres de religion étouffées, révolutions de mœurs, déplacements de races et de continents : je croyais à tous les enchantements.

J'inventai la couleur des voyelles ! — *A* noir, *E* blanc, *I* rouge, *O* bleu, *U* vert[3]. — Je réglai la forme et le mouvement de chaque consonne, et, avec des rhythmes instinctifs, je me flattai d'inventer un verbe poétique accessible, un jour ou l'autre, à tous les sens[4]. Je réservais la traduction.

Ce fut d'abord une étude. J'écrivais des silences, des nuits, je notais l'inexprimable. Je fixais des vertiges.

———

Loin des oiseaux, des troupeaux, des villageoises,
Que buvais-je, à genoux dans cette bruyère
Entourée de tendres bois de noisetiers,
4 Dans un brouillard d'après-midi tiède et vert ?

Que pouvais-je boire dans cette jeune Oise,
— Ormeaux sans voix, gazon sans fleurs, ciel couvert ! —
Boire à ces gourdes jaunes, loin de ma case
8 Chérie ? Quelque liqueur d'or qui fait suer.

Je faisais une louche enseigne d'auberge.
— Un orage vint chasser le ciel. Au soir
L'eau des bois se perdait sur les sables vierges,
12 Le vent de Dieu jetait des glaçons aux mares ;

Pleurant, je voyais de l'or — et ne pus boire. —

———

À quatre heures du matin, l'été,
Le sommeil d'amour dure encore.
Sous les bocages s'évapore
4 L'odeur du soir fêté.

Là-bas, dans leur vaste chantier
Au soleil des Hespérides,
Déjà s'agitent — en bras de chemise —
8   Les Charpentiers.

Dans leurs Déserts de mousse, tranquilles,
Ils préparent les lambris précieux
           Où la ville
12   Peindra de faux cieux.

Ô, pour ces Ouvriers charmants
Sujets d'un roi de Babylone,
Vénus ! quitte un instant les Amants
16   Dont l'âme est en couronne.

Ô Reine des Bergers,
Porte aux travailleurs l'eau-de-vie,
Que leurs forces soient en paix
20   En attendant le bain dans la mer à midi.

————————

La vieillerie poétique avait une bonne part dans mon alchimie du verbe.

Je m'habituai à l'hallucination simple : je voyais très-franchement une mosquée à la place d'une usine, une école de tambours faite par des anges, des calèches sur les routes du ciel, un salon au fond d'un lac[5] ; les monstres, les mystères ; un titre de vaudeville[6] dressait des épouvantes devant moi.

Puis j'expliquai mes sophismes magiques avec l'hallucination des mots !

Je finis par trouver sacré le désordre de mon esprit. J'étais oisif, en proie à une lourde fièvre : j'enviais la félicité des bêtes, — les chenilles, qui représentent l'innocence des limbes, les taupes, le sommeil de la virginité !

Mon caractère s'aigrissait. Je disais adieu au monde dans d'espèces de romances[7] :

CHANSON DE LA PLUS HAUTE TOUR

> Qu'il vienne, qu'il vienne,
> Le temps dont on s'éprenne.

> J'ai tant fait patience
> Qu'à jamais j'oublie.
> Craintes et souffrances
> Aux cieux sont parties.
> Et la soif malsaine
> Obscurcit mes veines.

> Qu'il vienne, qu'il vienne,
> Le temps dont on s'éprenne.

> Telle la prairie
> À l'oubli livrée,
> Grandie, et fleurie
> D'encens et d'ivraies,
> Au bourdon farouche
> Des sales mouches.

> Qu'il vienne, qu'il vienne,
> Le temps dont on s'éprenne.

J'aimai le désert, les vergers brûlés, les boutiques fanées, les boissons tiédies. Je me traînais dans les ruelles puantes et, les yeux fermés, je m'offrais au soleil, dieu de feu.

« Général[8], s'il reste un vieux canon sur tes remparts en ruines, bombarde-nous avec des blocs de terre sèche. Aux glaces des magasins splendides ! dans les salons ! Fais manger sa poussière à la ville. Oxyde les gargouilles. Emplis les boudoirs de poudre de rubis brûlante… »

Oh ! le moucheron enivré à la pissotière de l'auberge, amoureux de la bourrache, et que dissout un rayon !

FAIM

Si j'ai du goût, ce n'est guère
Que pour la terre et les pierres.
Je déjeune toujours d'air,
De roc, de charbons, de fer.

Mes faims, tournez. Paissez, faims,
        Le pré des sons.
Attirez le gai venin
        Des liserons.

Mangez les cailloux qu'on brise,
Les vieilles pierres d'églises ;
Les galets des vieux déluges,
Pains semés dans les vallées grises.

———————

Le loup criait sous les feuilles [9]
En crachant les belles plumes
De son repas de volailles :
Comme lui je me consume.

Les salades, les fruits
N'attendent que la cueillette ;
Mais l'araignée de la haie
Ne mange que des violettes.

Que je dorme ! que je bouille
Aux autels de Salomon [10].
Le bouillon court sur la rouille,
Et se mêle au Cédron [11].

Enfin, ô bonheur, ô raison, j'écartai du ciel l'azur, qui est
du noir, et je vécus, étincelle d'or de la lumière *nature*. De joie,
je prenais une expression bouffonne et égarée au possible :

Elle est retrouvée !
Quoi ? l'éternité.
C'est la mer mêlée
        Au soleil.

Mon âme éternelle,
Observe ton vœu
Malgré la nuit seule
Et le jour en feu.

Donc tu te dégages
Des humains suffrages,
Des communs élans !
Tu voles selon…

— Jamais l'espérance.
    Pas d'*orietur*.
Science et patience,
Le supplice est sûr.

Plus de lendemain,
Braises de satin,
    Votre ardeur
    Est le devoir.

Elle est retrouvée !
— Quoi ? — l'Éternité.
C'est la mer mêlée
Au soleil.

24

Je devins un opéra fabuleux : je vis que tous les êtres ont une fatalité de bonheur : l'action n'est pas la vie, mais une façon de gâcher quelque force, un énervement. La morale est la faiblesse de la cervelle.

À chaque être, plusieurs *autres* vies me semblaient dues. Ce monsieur ne sait ce qu'il fait : il est un ange. Cette famille est une nichée de chiens. Devant plusieurs hommes, je causai tout haut avec un moment d'une de leurs autres vies. — Ainsi, j'ai aimé un porc.

Aucun des sophismes de la folie, — la folie qu'on enferme, — n'a été oublié par moi : je pourrais les redire tous, je tiens le système.

Ma santé fut menacée. La terreur venait. Je tombais dans des sommeils de plusieurs jours, et, levé, je continuais les rêves les plus tristes [12]. J'étais mûr pour le trépas, et par une route de dangers ma faiblesse me menait aux confins du monde et de la Cimmérie [13], patrie de l'ombre et des tourbillons.

Je dus voyager, distraire les enchantements assemblés sur mon cerveau. Sur la mer, que j'aimais comme si elle eût dû me laver d'une souillure, je voyais se lever la croix consolatrice. J'avais été damné par l'arc-en-ciel. Le Bonheur était ma fatalité, mon remords, mon ver : ma vie serait toujours trop immense pour être dévouée à la force et à la beauté.

Le Bonheur ! Sa dent, douce à la mort, m'avertissait au chant du coq, — *ad matutinum* [14], au *Christus venit*, — dans les plus sombres villes :

Ô saisons, ô châteaux !
Quelle âme est sans défauts ?

J'ai fait la magique étude
Du bonheur, qu'aucun n'élude.

5 Salut à lui, chaque fois
Que chante le coq gaulois.

Ah ! je n'aurai plus d'envie :
Il s'est chargé de ma vie.

Ce charme a pris âme et corps
10 Et dispersé les efforts.

Ô saisons, ô châteaux !

L'heure de sa fuite, hélas !
Sera l'heure du trépas.

Ô saisons, ô châteaux !

Cela s'est passé. Je sais aujourd'hui saluer la beauté[15].

L'IMPOSSIBLE

———

Ah ! cette vie de mon enfance, la grande route par tous les temps, sobre surnaturellement, plus désintéressé que le meilleur des mendiants, fier de n'avoir ni pays, ni amis, quelle sottise c'était. — Et je m'en aperçois seulement !

— J'ai eu raison de mépriser ces bonshommes[1] qui ne perdraient pas l'occasion d'une caresse, parasites de la propreté et de la santé de nos femmes, aujourd'hui qu'elles sont si peu d'accord avec nous.

J'ai eu raison dans tous mes dédains : puisque je m'évade !

Je m'évade !

Je m'explique.

Hier encore, je soupirais : « Ciel ! sommes-nous assez de damnés ici-bas ! Moi j'ai tant de temps déjà dans leur troupe ! Je les connais tous. Nous nous reconnaissons toujours ; nous nous dégoûtons. La charité nous est inconnue. Mais nous sommes polis ; nos relations avec le monde sont très-convenables. » Est-ce étonnant ? Le monde ! les marchands, les naïfs ! — Nous ne sommes pas déshonorés. — Mais les élus, comment nous recevraient-ils ? Or il y a des gens hargneux et joyeux, de faux élus[2], puisqu'il nous faut de l'audace ou de l'humilité pour les aborder. Ce sont les seuls élus. Ce ne sont pas des bénisseurs !

M'étant retrouvé deux sous de raison — ça passe vite ! — je vois que mes malaises viennent de ne m'être pas figuré assez tôt que nous sommes à l'Occident. Les marais occidentaux ! Non que je croie la lumière altérée, la forme exténuée, le mouvement égaré… Bon ! voici que mon esprit veut absolument se charger de tous les développements cruels qu'a subis l'esprit[3] depuis la fin de l'Orient… Il en veut, mon esprit !

… Mes deux sous de raison sont finis ! — L'esprit est autorité, il veut que je sois en Occident. Il faudrait le faire taire pour conclure comme je voulais.

J'envoyais au diable les palmes des martyrs, les rayons de l'art, l'orgueil des inventeurs, l'ardeur des pillards ; je retournais à l'Orient et à la sagesse première et éternelle. — Il paraît que c'est un rêve de paresse grossière !

Pourtant, je ne songeais guère au plaisir d'échapper aux souffrances modernes. Je n'avais pas en vue la sagesse bâtarde du Coran[4]. — Mais n'y a-t-il pas un supplice réel en ce que, depuis cette déclaration de la science, le christianisme, l'homme *se joue*[5], se prouve les évidences, se gonfle du plaisir de répéter ces preuves, et ne vit que comme cela ! Torture subtile, niaise ; source de mes divagations spirituelles. La nature pourrait s'ennuyer, peut-être ! M. Prudhomme est né avec le Christ[6].

N'est-ce pas parce que nous cultivons la brume ! Nous mangeons la fièvre avec nos légumes aqueux. Et l'ivrognerie ! et le tabac ! et l'ignorance ! et les dévouements ! — Tout cela est-il assez loin de la pensée de la sagesse de l'Orient, la patrie primitive ? Pourquoi un monde moderne, si de pareils poisons s'inventent !

Les gens d'Église diront : C'est compris. Mais vous voulez parler de l'Éden[7]. Rien pour vous dans l'histoire des peuples orientaux. — C'est vrai ; c'est à l'Éden que je songeais ! Qu'est-ce que c'est pour mon rêve, cette pureté des races antiques !

Les philosophes : Le monde n'a pas d'âge. L'humanité se déplace[8], simplement. Vous êtes en Occident, mais libre d'habiter dans votre Orient, quelque ancien qu'il vous le faille, — et d'y habiter bien. Ne soyez pas un vaincu. Philosophes, vous êtes de votre Occident.

Mon esprit, prends garde. Pas de partis de salut violents. Exerce-toi ! — Ah ! la science ne va pas assez vite pour nous !

— Mais je m'aperçois que mon esprit dort.

S'il était bien éveillé toujours à partir de ce moment, nous serions bientôt à la vérité, qui peut-être nous entoure avec ses anges pleurant !... — S'il avait été éveillé jusqu'à ce moment-ci, c'est que je n'aurais pas cédé aux instincts délétères, à une époque immémoriale !... — S'il avait toujours été bien éveillé, je voguerais en pleine sagesse !...

Ô pureté ! pureté !

C'est cette minute d'éveil qui m'a donné la vision de la pureté ! — Par l'esprit on va à Dieu !

Déchirante infortune !

L'ÉCLAIR

—

Le travail humain! c'est l'explosion qui éclaire mon abîme de temps en temps.

« Rien n'est vanité; à la science, et en avant! » crie l'Ecclésiaste moderne [1], c'est-à-dire *Tout le monde*. Et pourtant les cadavres des méchants et des fainéants tombent sur le cœur des autres... Ah! vite, vite un peu; là-bas, par delà la nuit, ces récompenses futures, éternelles... les échappons-nous [2]?...

— Qu'y puis-je? Je connais le travail; et la science est trop lente. Que la prière galope et que la lumière gronde... je le vois bien. C'est trop simple, et il fait trop chaud; on se passera de moi. J'ai mon devoir, j'en serai fier à la façon de plusieurs, en le mettant de côté [3].

Ma vie est usée. Allons! feignons, fainéantons, ô pitié! Et nous existerons en nous amusant, en rêvant amours monstres et univers fantastiques, en nous plaignant et en querellant les apparences du monde, saltimbanque, mendiant, artiste, bandit, — prêtre! Sur mon lit d'hôpital, l'odeur de l'encens m'est revenue si puissante; gardien des aromates sacrés, confesseur, martyr...

Je reconnais là ma sale éducation d'enfance. Puis quoi!... Aller mes vingt ans [4], si les autres vont vingt ans...

Non! non! à présent je me révolte contre la mort! Le travail paraît trop léger à mon orgueil : ma trahison au monde[5] serait un supplice trop court. Au dernier moment, j'attaquerais à droite, à gauche…

Alors, — oh ! — chère pauvre âme[6], l'éternité serait-elle pas perdue pour nous !

MATIN

—

N'eus-je pas *une fois* une jeunesse aimable, héroïque, fabuleuse, à écrire sur des feuilles d'or [1], — trop de chance ! Par quel crime, par quelle erreur, ai-je mérité ma faiblesse actuelle ? Vous qui prétendez que des bêtes poussent des sanglots de chagrin, que des malades désespèrent, que des morts rêvent mal, tâchez de raconter ma chute et mon sommeil. Moi, je ne puis pas plus m'expliquer que le mendiant avec ses continuels *Pater* et *Ave Maria. Je ne sais plus parler !*

Pourtant, aujourd'hui, je crois avoir fini la relation de mon enfer. C'était bien l'enfer ; l'ancien, celui dont le fils de l'homme ouvrit les portes [2].

Du même désert, à la même nuit, toujours mes yeux las se réveillent à l'étoile d'argent, toujours, sans que s'émeuvent les Rois de la vie, les trois mages, le cœur, l'âme, l'esprit [3]. Quand irons-nous, par delà les grèves et les monts, saluer la naissance du travail nouveau, la sagesse nouvelle, la fuite des tyrans et des démons, la fin de la superstition, adorer — les premiers ! — Noël sur la terre !

Le chant des cieux, la marche des peuples ! Esclaves, ne maudissons pas la vie.

ADIEU

—

L'automne déjà[1] ! — Mais pourquoi regretter un éternel soleil, si nous sommes engagés à la découverte de la clarté divine, — loin des gens qui meurent sur les saisons.

L'automne. Notre barque élevée dans les brumes immobiles tourne vers le port de la misère, la cité énorme[2] au ciel taché de feu et de boue. Ah ! les haillons pourris, le pain trempé de pluie, l'ivresse, les mille amours qui m'ont crucifié ! Elle ne finira donc point cette goule[3] reine de millions d'âmes et de corps morts *et qui seront jugés* ! Je me revois la peau rongée par la boue et la peste, des vers plein les cheveux et les aisselles et encore de plus gros vers dans le cœur, étendu parmi les inconnus sans âge, sans sentiment… J'aurais pu y mourir… L'affreuse évocation ! J'exècre la misère.

Et je redoute l'hiver parce que c'est la saison du comfort !

— Quelquefois je vois au ciel des plages sans fin couvertes de blanches nations en joie. Un grand vaisseau d'or, au-dessus de moi, agite ses pavillons multicolores sous les brises du matin. J'ai créé toutes les fêtes, tous les triomphes, tous les drames. J'ai essayé d'inventer de nouvelles fleurs, de nouveaux astres, de nouvelles chairs, de nouvelles langues. J'ai cru acquérir des pouvoirs surnaturels. Eh bien ! je dois enterrer mon imagination et mes souvenirs ! Une belle gloire d'artiste[4] et de conteur emportée !

Moi ! moi qui me suis dit mage ou ange, dispensé de toute morale, je suis rendu au sol, avec un devoir à chercher, et la réalité rugueuse à étreindre ! Paysan !

Suis-je trompé ? la charité serait-elle sœur de la mort, pour moi ?

Enfin, je demanderai pardon pour m'être nourri de mensonge. Et allons.

Mais pas une main amie ! et où puiser le secours ?

———

Oui l'heure nouvelle est au moins très-sévère.

Car je puis dire que la victoire m'est acquise : les grincements de dents, les sifflements de feu, les soupirs empestés se modèrent. Tous les souvenirs immondes s'effacent. Mes derniers regrets[5] détalent, — des jalousies pour les mendiants, les brigands, les amis de la mort, les arriérés de toutes sortes. — Damnés, si je me vengeais !

Il faut être absolument moderne[6].

Point de cantiques : tenir le pas gagné. Dure nuit ! le sang séché fume sur ma face, et je n'ai rien derrière moi, que cet horrible arbrisseau[7] !... Le combat spirituel est aussi brutal que la bataille d'hommes ; mais la vision de la justice est le plaisir de Dieu seul.

Cependant c'est la veille. Recevons tous les influx de vigueur et de tendresse réelle. Et à l'aurore, armés d'une ardente patience, nous entrerons aux splendides villes.

Que parlais-je de main amie ! Un bel avantage, c'est que je puis rire des vieilles amours mensongères, et frapper de honte ces couples menteurs[8], — j'ai vu l'enfer des femmes là-bas ; — et il me sera loisible de *posséder la vérité dans une âme et un corps.*

avril-août, 1873.

———

BROUILLONS
D'UNE SAISON EN ENFER

NOTICE

*De lecture délicate, les brouillons d'*Une saison en enfer
*constituent un document capital. Rappelons d'ailleurs que deux
de ces feuillets portent à leur verso des fragments des* Proses
évangéliques *(voir p. 191). On peut supposer qu'ils figuraient
parmi les papiers que Verlaine tenait de Rimbaud. Pierre Petitfils n'hésite pas à dire que Verlaine les retrouva à Arras en
janvier 1875, à sa sortie de prison. Sa mère les lui aurait
restitués avec les manuscrits et les effets qu'il avait rapportés de
Londres ou qu'on lui aurait renvoyés. Cela laisserait supposer
que Rimbaud avait écrit une partie d'*Une saison en enfer
*avant l'événement de Bruxelles, ce qui est plus que probable,
et qu'il détenait par-devers lui une copie des textes alors rédigés.
Vers 1891, Verlaine aurait confié ces brouillons à son ami
Cazals pour qu'il les portât chez l'éditeur Léon Vanier. Ils
furent retrouvés plus tard dans les papiers de cet éditeur ou de
son successeur, Albert Messein.*

*Ces brouillons nous font accéder à la genèse de l'écriture
rimbaldienne. Certaines directions, d'abord indiquées, ont
parfois été abandonnées dans la version définitive. Tantôt sont
évacués des éléments affectifs (un « mon ami » est supprimé) ;
tantôt Rimbaud choisit de passer sous silence des notions dont
le texte primitif était cependant porteur : ainsi les mots « mysti-
cisme » et « élans mystiques » sont absents du texte publié. À en
juger par ces pages, les corrections furent considérables. Il n'est*

pas question, en ce cas, de parler d'une quelconque facilité de Rimbaud ni d'une possible écriture automatique avant la lettre, même si l'on peut retenir le terme de « vivacité immédiate » proposé par Jacques Rivière[a].

*Les brouillons d'*Une saison en enfer *révèlent, en outre, un sens précis de la composition.* « Mauvais sang », *par exemple, a subi des modifications importantes. Le fragment qui nous est parvenu est d'un seul tenant. Or, dans la version imprimée, il est scindé en deux parties et trois* « histoires » *nouvelles sont placées dans l'intervalle. Ainsi pourrait-on penser que* « Mauvais sang » *devait être d'abord une narration continue, puis que l'idée vint à Rimbaud de le répartir en un certain nombre de séquences. Nous constatons, d'autre part, qu'*« Alchimie du verbe » *envisageait probablement une rétrospection plus complète de quelques-uns des* Vers nouveaux, *et que Rimbaud souhaitait y présenter aussi* « Âge d'or », « Mémoire » *et* « Confins du monde » *(d'identification problématique), autant de poèmes qu'il n'a pas donnés en fin de compte, pour des raisons qui restent à découvrir.*

Oui, c'est un vice que j'ai, qui s'arrête et qui marche[b] avec moi, et, ma poitrine ouverte, je verrais un horrible cœur infirme. Dans mon enfance, j'entends les[c] racines de souffrance jetée à mon flanc ; aujourd'hui elle a poussé[d] au ciel, elle est[e] bien plus forte que moi, elle me bat, me traîne, me jette à terre[f].

---

a. Voir son étude sur Rimbaud publiée pour la première fois dans *La Nouvelle Revue française*, août 1914, et recueillie dans Jacques Rivière, *Rimbaud. Dossier 1905-1925*, établi par Roger Lefèvre, Gallimard, 1977.

b. marche *surcharge* reprend

c. les, *dans l'interligne, remplace* ses, *biffé*

d. a poussé *remplace* monte, *biffé*

e. est *remplace* me, *biffé*

f. terre *remplace* bas, *biffé*

C'est dit[a]. —

Donc renier la joie, éviter le devoir, ne pas [.....][b] au monde mon dégoût et mes trahisons supérieures [...] la dernière innocence, la dernière timidité.

Allons, la marche ! le désert, le fardeau, les coups[c], le malheur, l'ennui, la colère. — l'enfer, la science et les délices de l'esprit et des sens dispersés.

À quel démon me louer[d] ? Quelle bête faut-il adorer ? Dans quel sang faut-il marcher ? Quels cris faut-il pousser ? Quel mensonge faut-il soutenir ? Quelle[e] sainte image faut-il attaquer ? Quels cœurs faut-il briser ?

Plutôt, éviter la [stupide justice][f] de la mort, j'entendrais les complaintes chantées jadis dans les marchés. Point de popularité[1],

la dure vie, l'abrutissement pur, — et puis soulever d'un poing séché le couvercle du cercueil, s'asseoir et s'étouffer. Pas de vieillesse[g]. Point de dangers, la terreur n'est pas française.

Ah ! Je suis tellement délaissé, que j'offre à n'importe quelle divine image des élans vers la perfection. Autre marché grotesque[2].

Ô mon abnégation[h], ô ma charité inouïes. De profundis, domine ! je[i] suis bête ?

Assez. Voici la punition ! Plus à parler d'innocence[3]. En marche. Oh ! les reins se déplantent, le cœur gronde, la poitrine brûle, la tête est battue, la nuit roule dans les yeux, au Soleil.

Où va-t-on[j] ? À la bataille ?

---

a. *ajouté*
b. *on a lu* porter
c. les coups *ajouté*
d. je suis à *dans l'interligne*
e. A *biffé*
f. [...] la main brutale *dans l'interligne*
g. Je ne vieillirai *biffé avant* Pas
h. À quoi servent *biffé avant* Ô mon
i. que *biffé avant* je
j. Sais-je où je vais *biffé avant* Où

Ah! mon ami, ma sale jeunesse[4]! Va…, va, les autres avancent[a] les autels, les armes.

Oh! oh. C'est la faiblesse, c'est la bêtise, moi!

Allons, feu sur moi. Ou je me rends! Qu'on me blesse, je me jette à plat ventre, foulé aux pieds des chevaux.

Ah!

Je m'y habituerai.

Ah ça, je mènerais la vie française, et je suivrais le sentier de l'honneur.

FAUSSE CONVERSION

Jour de malheur[1]! J'ai avalé une fameuse gorgée[b] de poison. La rage du désespoir m'emporte contre tout [:] la nature, les objets, moi, que je veux déchirer. Trois fois béni soit le conseil qui m'est arrivé. Mes[c] entrailles me brûlent[,] la violence du venin tord mes membres, me rend difforme, je m[eu]rs de soif. J'étouffe. Je ne puis crier. C'est l'enfer[,] l'éternité de la peine. Voilà comme le[d] feu se relève. Va [dé]mon[e], attise-le. Je brûle come il faut[f]. C'est [un] bon enfer, un bel et bon [enfer][g]…

J'avais entrevu la conversion[h], le bien, le bon[heu]r, le salut. Puis-je décrire la vision, on n'est pas poète en[i] enfer. C'était[j]

---

a. remuent *biffé entre* avancent *et* les
b. un fameux verre ; gorgée *surcharge* verre
c. Mes *surcharge* les
d. le *surcharge* la
e. va diable, va Satan, *biffé après* démon
f. comme il faut, *dans l'interligne, remplace* bien, *biffé*
g. un bel et bon [enfer] *ajouté dans l'interligne inférieur*
h. le Salut *biffé entre* entrevu *et* la conversion
i. en *surcharge* dans
j. C'était *surcharge* Dès que ; l'apparition de *biffé entre* C'était *et* des

des milliers d'opéras [2] charmants [a], un admirable concert spirituel, la force et la paix, les nobles ambitions, que sais-je !

Ah ! les nobles ambitions ! ma haine [3]. C'est [b] l'existence enragée : la colère dans le sang, l'abêtissement [c], et c'est encore la vie ! Si la damnation est éternelle [d]. C'est l'exécution des lois religieuses, pourquoi a-t-on semé une foi pareille dans mon esprit. Mes parents ont fait mon malheur, et le leur, ce qui m'importe peu. On a abusé de mon innocence. Oh ! l'idée du baptême. Il y en a qui ont vécu mal, qui vivent mal, et qui ne sentent rien ! C'est mon [e] baptême et ma [f] faiblesse dont [g] je suis esclave. C'est la vie encore ! Plus tard, les délices de la damnation seront plus profondes. Je reconnais [h] la damnation. Un [i] homme qui veut se mutiler est [j] damné n'est-ce pas. Je me crois en enfer donc y suis [k]. Un crime, vite, que je tombe au néant, par la loi des hommes.

Tais-toi mais tais-toi ! C'est la honte [l] et le reproche à côté de moi ; c'est Satan qui me dit que son feu est ignoble, idiot ; et que ma colère est affreusement laide. Assez. Taistoi ! ce sont des erreurs qu'on me souffle à l'oreille[,] les magie[s], les alchimies, les mysticismes [4], les parfums faux [m],

---

a. d'opéras *surcharge* de femmes ; *le* e *de* charmantes *n'est pas biffé*

b. C'est *surcharge le début de* Recommence

c. la vie bestiale *biffé entre* sang *et* l'abêtissement ; *à la suite de* abêtissement, *une ligne ajoutée et partiellement biffée :* le malheur, mon malheur et le malheur des autres, ce qui m'importe peu.

d. *après* éternelle, *une phrase partiellement biffée :* C'est encore la vie, encore

e. mon *surcharge* le

f. ma *surcharge* la

g. dont *surcharge* qu'on a

h. bien *biffé* avant la damnation

i. Un *surcharge* Quand

j. bien *biffé entre* est *et* damné

k. Je me crois [...] suis *ajouté dans l'interligne*

l. le doute *corrigé en* la honte (*surcharge de* e *par* a *et de* d *par* h)

m. faux *surcharge* maudits

les musiques naïves. C'est Satan qui se charge de cela. Alors
les poètes sont damnés. Non ce n'est pas cela.

Et dire que je tiens la vérité. Que j'ai un jugement sain
et arrêté sur toute chose, que je suis tout prêt pour la perfection. [C'est][a] l'orgueil! à présent. Je ne suis qu'un bonhomme en bois, la peau de ma tête se dessèche. Oh[b]! mon
Dieu! mon Dieu. J'ai peur, pitié. Ah! j'ai soif, ô mon
enfance, mon village, les prés[c], le lac sur la grève, le clair
de lune quand le clocher sonnait douze. Satan est au clocher. Que je deviens bête. Ô Marie, Sainte vierge, faux
sentiment, fausse prière.

[ALCHIMIE DU VERBE]

FRAGMENT R°

Enfin mon esprit devin [......................................]
de [Londres ou de Pékin[d] ou Ber) [...........................]
qui disparaisse [..........][e] sur[f] [................................]
la réjouissance populaire. [Voilà] [................................]
des petits [s][g] [..]][h]

J'aurais voulu le désert orageux[i] de [ma campagne][j]

---

a. Tais-toi : c'est *biffé entre* C'est *(incertain) et* l'orgueil
b. Oh *surcharge* Et Dieu
c. prés *surcharge un autre mot*
d. Par[is] *dans l'interligne, au-dessus de* Pékin
e. *un mot non déchiffré : peut-être* tourne *ou* se tourmente *ou* plaisante
f. *cette moitié de ligne et la précédente sont biffées*
g. petit[s] *biffé, remplacé dans l'interligne par* fournaise
h. *deux mots en surchage, non déchiffrés, après* petits
i. *Bouillane de Lacoste lisait* crayeux
j. *la phrase est biffée imparfaitement ; des deux derniers mots seule apparaît la partie inférieure, à cause de la déchirure, incurvée vers le bas*

J'adorai [1] les boissons tiédies, les boutiques fanées, les vergers brûlés. Je restais de longues heures la langue pendante, comme les bêtes harassées, je me traînais dans les ruelles[a] puantes, et, les yeux fermés, je m'offrais au Dieu de feu, qu'il me renversât Général, roi, disais-je, s'il reste[b] un vieux canon sur tes remparts[c] qui dégringolent, bombarde les hommes avec des morceaux[d] de terre sèche. Aux glaces des magasins splendides ! Dans les salons frais ![e] [......... Fais] manger sa poussière à la ville ! Oxyde des gargouilles. À l'heure emplis [les] boudoirs [de] sable brûla[nt] de rubis[f].

[——] je [—] cassais[g] des pierres sur des routes balayées toujours. Le soleil souverain[h] dardait une[i] merde, dans la vallée, au centre de la terre, le mou[che]ron enivré à la pissotière de l'auberge isolée, amoureux de la bourrache, et dissous au Soleil[j].

Faim [2]★

Je[k] réfléchis au bonheur[13] des bêtes ; les chenilles étaient les foules[s,] succession [de] petits corps blancs des limbes : l'araignée[4] faisait[m] l'ombre romantique envahie par l'aube

---

a. rues *corrigé en* ruelles

b. si tu *surchargé par* s'il ; as encore *biffé, et surchargé par* reste

c. remparts *surcharge* créneaux

d. morceaux (*Bouillane de Lacoste lisait* monceaux) *surcharge* mottes

e. Que les (*non biffé*) araignées (*biffé*), *entre les deux phrases*

f. *la phrase dans le texte imprimé :* Emplis les boudoirs de poudre de rubis brûlante. *On lit :* À l'heure lance du sable de rubis les ; boudoirs *et* brûla[nt] *sont ajoutés dans l'interligne supérieur*

g. *Au début du paragraphe :* Je portais des vêtements de toile *biffé, suivi de* Je me colorais (*douteux*)

h. souverain *dans l'interligne*

i. dardait *remplace* descendait vers *biffé ;* une *surcharge* la

j. et qui va se fondre en un rayon, *partiellement biffé et partiellement surchargé par* et dissous au soleil

k. Je *surcharge* J'ai

l. *le début du mot surcharge* bêtes ; *le* aux *est resté avec* x

m. faisait *dans l'interligne, au-dessus de* romantique, *biffé*

opale[a] ; la punaise[,] brune personne, attendait qu'on passionne. Heureuse[b] la taupe, sommeil de toute la Virginité !
Je m'éloignais du contact. Étonnante virginité, de l'écrire[c] avec une espèce de romance.

★Chanson de la plus haute tour.

Je crus avoir trouvé[5] raison et bonheur. J'écartais le[d] ciel, l'azur, qui est du noir, et je vivais, étincelle d'or de la lumière *nature*. C'était très sérieux. J'exprimai le plus bêtement

★Éternité

De[e] joie, je devins un[f] opéra fabuleux. ★Âge d'or[6].
C'était[g] ma vie éternelle, non écrite, non chantée,
— quelque chose comme la Providence[,] les lois du monde, l'essence[h] à laquelle on croit et qui ne chante pas.
Après ces nobles minutes, stupidité[i] complète. Je vis[j] une fatalité[k] de bonheur dans tous les êtres : l'action n'était qu'une façon de gâcher une satiété[l] de vie[m] : [un] hasard sinistre et doux, un énervement[n], errement. La morale[o] était la faiblesse de la cervelle.

---

a. l'araignée […] opale *biffé*
b. le sommeil *ajouté dans l'interligne après* Heureuse
c. de l'écrire *surcharge* que j'essaie
d. le *surcharge* du
e. Et pour comble de *biffé partiellement, en tête du paragraphe*
f. un *dans l'interligne*
g. À cette période, c'était *biffé partiellement, en tête du paragraphe*
h. les lois du monde, l'essence *dans l'interligne*
i. *le début du mot surcharge* vint
j. mis *corrigé en* vis
k. fatalité *surcharge un autre mot*
l. une *et le début de* satiété *surchargent d'autres lettres*
m. seulement, moi, je laissais en sachant *biffé entre* vie : *et* [un] hasard
n. déviation *biffé entre* énervement *et* errement
o. morale *surcharge un autre mot, commençant par* g

FRAGMENT V°

[....................] êtres et toutes choses m'apparaissent
[..................] d'autres vies autour d'elles. Ce monsieur
[............................] un ange. Cette famille n'est pas
[............................] [..........]. Avec plusieurs hommes
[............................] moment d'une de leurs autres vies
[..................] histoire[a] plus de principes. Pas un des
sophismes [..............] la folie enfermée. Je pourrais les
redire tous, et d'autres et bien d'autres, et d'autres. Je sais
le système. Je n'éprouvais[b] plus rien[c], Mais maintenant, je
n'essaierais[d] pas de me faire écouter.

Un mois de cet exercice[e] : ma santé fut menacée[f]. J'avais
bien autre chose à faire que de vivre. Les hallucinations
étant plus vives[g], la terreur venait[h] ! Je faisais des sommeils
de plusieurs jours, et, levé[i], continuais les rêves les plus
tristes, égaré[j] partout. ★Mémoire[1].

Je me trouvais mûr pour le trépas[k] et ma faiblesse me
tirait jusqu'aux confins du monde et de la vie, où le tourbillon dans la Cimmérie noire ; patrie des morts, où un
grand [..............] une route de dangers, laissé presque
toute l'âme aux[12] épouvantes. ★Confins du monde[3].

---

a. *surcharge un autre mot*

b. éprouvais *surcharge un autre mot*

c. *Ici, une phrase partiellement biffée :* Les hallucinations tourbillon-
naient [*surchargeant* étaient] trop

d. ne voudrais *dans l'interligne, au-dessus de* n'essaierais

e. je crus *dans l'interligne, après* exercice

f. fut menacée *remplace* s'ébranla *biffé*

g. plus éprouvantes *biffé entre* plus vives *et* la terreur

h. venait *surcharge* plus

i. levé *dans l'interligne*

j. les plus tristes, égaré *dans l'interligne*

k. le trépas *dans l'interligne remplace* la mort *biffé*

l. aux *biffé, remplacé par* après une, *suivi de* emb[arca]tion, *biffé ; sur*
une *dans l'interligne, au-dessus de* emb[arca]tion

Je voyageai un peu. J'allai au nord : je fermai mon[a]
cerveau. Je voulus reconnaître là[b] toutes mes odeurs féodales, bergères, sources sauvages. J'aimais la mer, [bon-
homme de peu], isoler les principes[c], l'anneau magique[4]
dans l'eau lumineuse[d] comme si elle dût me laver [d'une]
souillure[e], je voyais la croix consolante. J'avais été damné
par l'arc-en-ciel et les magies[f] religieuses ; et pour le Bonheur, ma fatalité[g], mon ver, et qui.

Quoique le monde me parût très nouveau, à moi qui
avais levé[5] toutes les impressions possibles : faisant ma vie
trop immense[h] pour aimer [bien réellement] la force et la
beauté.

Dans les plus grandes villes, à l'aube, ad matutinum[i 6],
au Christus venit[j], quand pour les hommes forts le Christ
vient, sa dent, douce à la mort, m'avertissait avec le chant
du coq. ★Bon[heu]r[k 7].

Si faible, je ne me crus plus supportable dans la société,
qu'à force de bienveill[ance][l]. Quel cloître possible pour ce
beau dégoût[m] ? Tout cela s'est passé peu à peu.

---

a. formé mon *dans l'interligne (en surcharge d'un ou deux autres mots)
remplace* rappelai au *biffé*

b. Je voulus reconnaître là *ajouté dans l'interligne inférieur. La phrase était
donc initialement :* je rappelai au cerveau toutes mes odeurs féodales [...]

c. bonhomme [...] principes *dans l'interligne*

d. éclairée *dans l'interligne, au-dessus de* lumineuse. *Tout ce passage :*
anneau [...] lumineuse *est plus ou moins biffé. Le mot* lumineuse *est suivi
de* J'aim [*biffé*]

e. comment me laver de ces aberrations *biffé entre* me laver [d'une] *et*
souillure

f. magies *surcharge un autre mot*

g. mon remords *dans l'interligne, biffé entre* Bonheur *et* ma fatalité

h. énervait même après que me devrais *plus ou moins biffé entre*
immense *et* pour

i. matutinum *surcharge* diluculum

j. au Christus venit *ajouté dans l'interligne*

k. *abrégé* Bonr

l. Si faible [...] bienveill[ance] *ajouté entre les deux paragraphes*

m. Quel [malheur pitié] *ajouté en marge*

Je hais maintenant les élans mystiques et les bizarreries de style.

Maintenant je puis dire que l'art est une sottise[8]. Nos grands[a] poètes est aussi facile : l'art est une sottise.

Salut à la bont

---

a. *un autre mot, au-dessus de* grands, *qui est peut-être biffé*

ILLUMINATIONS

NOTICE

Les Illuminations *demeure la plus questionnée des œuvres de Rimbaud, sans doute en raison des énigmes qu'elle pose. Elle eut une destinée aux prolongements multiples et parfois imprévisibles.*

L'interprétation semble cependant avoir été au principe même de la répartition de ces poèmes en prose dont la datation et la ligne directrice – si tant est qu'elle existe – restent sujettes à caution. Qu'ils soient antérieurs à Une saison en enfer *ou postérieurs (comme le croient, depuis Bouillane de Lacoste, bon nombre de critiques actuels), ou bien encore qu'ils aient été rédigés à la même époque que la* Saison *(et, pour partie, certains avant, certains après), ils offrent au lecteur matière à divers regroupements qu'un rien, à vrai dire, suffit à remettre en cause. L'ordre de publication traditionnel fournit une base indispensable. Cet ordre (ce désordre) ne correspond sans doute pas à une première sélection tentée par Rimbaud ; il est le fait de Félix Fénéon, le premier éditeur de la liasse des* Illuminations *que lui avait transmise Gustave Kahn. Il serait vain d'ailleurs de croire que ces feuillets constituaient un livre complet. L'ensemble reste ouvert, offert au battement (en 1939, Fénéon parlera d'un « jeu de cartes* [a] *»), à la pulsation de diverses lectures. Issues de désirs et de visées intenses, les*

---

a. Félix Fénéon, lettre du 19 avril 1939 à Bouillane de Lacoste, reprise dans *Illuminations, Painted Plates*, éd. critique établie par H. de Bouillane de Lacoste, Mercure de France, 1949, p. 138.

coloured plates *(sous-titre assuré par Verlaine)*[a] *postulent, selon toute vraisemblance, un « point de vue », un « angle de vision » qu'il sied à chacun de prendre mentalement.*

Il nous paraît surtout utile de dire ici comment cette œuvre nous parvint – ce qui ne va pas sans obscurités réelles. Fin février-début mars 1875, Verlaine reçut à Stuttgart des mains de Rimbaud un ensemble de textes qu'il reconnaîtra par la suite être ceux des Illuminations. *Il précisera, en effet, dans son article des* Hommes d'aujourd'hui *(1888) consacré à Rimbaud, que celui-ci transmit le manuscrit de ces textes « à quelqu'un qui en eut soin » (comprendre Verlaine lui-même) ; dans une lettre datée du 1er mai 1875 il demandait à Delahaye des renseignements sur Germain Nouveau en précisant déjà : « Rimbaud m'ayant prié d'envoyer pour être imprimés des "poèmes en prose" siens, que j'avais ; à ce même Nouveau, alors à Bruxelles (je parle d'il y a deux mois), j'ai envoyé (2,75 F de port ! ! !) illico*[b]. » *Verlaine aurait donc fait son envoi en mars 1875, peu après avoir vu Rimbaud pour la dernière fois.*

Des Illuminations, *on ne trouve trace ensuite qu'en 1878. Elles sont alors passées entre les mains de Charles de Sivry, demi-frère de Mathilde Mauté, l'ex-Madame Verlaine, et ami de Verlaine lui-même. Verlaine, en effet, dans une lettre du 8 août 1878, lui écrit : « Avoir relu "Illuminations" (painted plates) du Sieur que tu sais […]. Te le reporterai en octobre. » Or, le 27 octobre de la même année, il semble réclamer pour une nouvelle lecture le manuscrit à Sivry, mais celui-ci, en dépit de demandes réitérées les années suivantes, ne les lui confiera plus, si bien qu'en 1883 Verlaine, dans l'article qu'il publie sur Rimbaud dans* Lutèce, *se borne à dire : « de superbes fragments, les* Illuminations, *à tout jamais perdus, nous le craignons*

---

a. Dans la notice de la plaquette des *Illuminations* parue aux éditions de *La Vogue* en 1886. Certaines lettres de Verlaine à Charles de Sivry donneront aussi le sous-titre « Painted Plates ».

b. *Correspondance* de Paul Verlaine, Fayard, 2005, t. I, p. 395.

bien[a] ». *Cependant, Sivry, après le divorce officiel de sa demi-sœur et de Verlaine, transmettra les* Illuminations *(qu'il n'avait donc pas égarées) à un jeune poète, Louis Le Cardonnel[b], également ami de Verlaine. Le Cardonnel, souhaitant entrer au séminaire d'Issy, les remettra non pas à Verlaine, mais à Louis Fière qui, à son tour, les communiquera à Gustave Kahn, le directeur de* La Vogue, *revue symboliste. Félix Fénéon sera chargé par G. Kahn de l'édition de ces textes (poèmes en prose et poèmes en vers) qui vont paraître (parfois mêlés) dans les n° 5 (13 mai 1886), 6 (29 mai), 8 (13 juin) et 9 (21 juin), le n° 7 (du 7 juin) contenant uniquement des textes en vers (voir* Vers nouveaux*). Après le n° 9, la publication des* Illuminations *s'interrompt, pour ne plus reprendre. Fin 1886, les textes précédemment parus dans* La Vogue *seront imprimés sous forme de plaquette – et selon un ordre différent – aux éditions de la revue, accompagnés d'une notice de Verlaine, assurant que ce livre « fut écrit de 1873 à 1875, parmi des voyages tant en Belgique qu'en Angleterre et dans toute l'Allemagne ».*

Félix Fénéon, dans une lettre à Bouillane de Lacoste en 1939, a décrit, d'après ses souvenirs, l'état dans lequel lui parvinrent les Illuminations *: « Les feuillets, réglés, étaient dans une couverture de cahier, mais volants et paginés. » Dès 1886, appelé à expliquer les principes de son édition, il avait indiqué dans* Le Symboliste *(7-14 octobre) : « Les feuillets, les chiffons volants de M. Rimbaud, on a tenté de les distribuer dans un ordre logique. » Cet ordre fut cependant modifié par lui-même, à quelques mois d'intervalle, et la plaquette, où les poèmes en vers*

---

a. La deuxième édition des *Poètes maudits* (Vanier, 1888) porte à cet endroit la note suivante : « Les Illuminations ont été retrouvées ainsi que quelques poèmes ».

b. Né en 1862, Louis Le Cardonnel appartenait alors au petit cénacle poétique Nous Autres. Il comptait parmi ses amis Albert Samain et Georges Auriol. Il fréquentait avec eux le cabaret du *Chat noir*. En 1886, il se retira quelque temps au séminaire d'Issy-les-Moulineaux, puis revint dans la vie séculière ; et, en 1894, entra au séminaire français de Rome. Il fut ordonné prêtre en 1896. Voir *Œuvres*, Mercure de France, 1928, 2 vol.

sont plus nettement distingués des poèmes en prose, tente une interprétation implicite de l'ensemble – comme Fénéon lui-même l'a d'ailleurs précisé dans le même article. On y voit donc, plus ou moins rassemblés, les poèmes de la révolution cosmique, puis des villes monstrueuses, enfin ceux qui montrent un individu plein d'« exaltations passionnelles », parfois « déviées en érotismes suraigus ». Comme la plupart des éditeurs, nous avons adopté l'ordre de la première publication (en revue), tout en éliminant, pour des raisons formelles qui peuvent être contestées, les poèmes en vers auxquels les poèmes en prose étaient mêlés (voir Vers nouveaux*). Comme la plupart des éditeurs également, nous avons ajouté à l'ensemble de* La Vogue *les poèmes en prose par la suite découverts et publiés pour la première fois dans les* Poésies complètes *(Vanier, 1895).*

Vingt-quatre feuillets du « cahier de feuilles volantes » contenant les poèmes en prose qui vont d'« Après le déluge » à « Barbare », après être passés entre les mains de divers collectionneurs, dont Ronald Davis et le Dr Lucien-Graux, ont été acquis en 1957 par la Bibliothèque nationale (cote n.a.fr. 14123). Un autre lot de quatre feuillets, comprenant « Solde », « Fairy », « Jeunesse I. Dimanche », « Guerre », a été acquis plus récemment, par la Bibliothèque nationale également (cote n.a.fr. 14124). D'autres feuillets furent dispersés au hasard des ventes. C'est ainsi que les textes présumés II (« Sonnet »), III (« Vingt ans ») et IV de « Jeunesse » se trouvent en Suisse à Cologny, à la Fondation Bodmer. Enfin, appartenaient à la collection Pierre Berès « Scènes », « Bottom », « H », « Soir historique », « Mouvement » et « Génie », et à la bibliothèque municipale de Charleville « Promontoire ». Les textes « Dévotion » et « Démocratie » sont perdus ou se trouvent dans des collections privées qu'on ignore.

Les Illuminations *ont donné lieu à plusieurs éditions critiques notoires, et d'abord à celle de Henry de Bouillane de Lacoste, publiée aux éditions du Mercure de France en 1949 et qui devait faire date. Elle proposait une suite logique à la thèse du même auteur,* Rimbaud et le problème des Illuminations *(Mercure*

de France, 1949), recourant abondamment à l'analyse grapholo-
gique pour comprendre les divers temps de composition des textes
(qui, malheureusement, sont tous des copies !). Plus récemment,
on retiendra le travail remarquable, sinon définitif sur certains
points, de l'édition critique établie par André Guyaux (La
Baconnière, 1985) contenant la reproduction photographique
de la plupart des textes. Elle s'appuie sur le commentaire philolo-
gique et l'analyse matérielle du manuscrit et vérifie les hypothèses
formulées sur les Illuminations *dans l'ouvrage du même auteur,*
Poétique du fragment *(La Baconnière, 1986). Un important*
article de Steve Murphy (« Les Illuminations manuscrites », His-
toires littéraires, n° 1, 2000) a tenté de démontrer que la pagi-
nation au crayon ou à l'encre portée sur les vingt-quatre feuillets
conservés à la Bibliothèque nationale serait bien de la main de
Rimbaud et que, par conséquent, l'ordre des poèmes en prose jus-
qu'à « Barbare » est le bon.

Après le Déluge

Aussitôt après que l'idée du Déluge[1] se fut rassise,

Un lièvre s'arrêta dans les sainfoins et les clochettes mouvantes et dit sa prière à l'arc-en-ciel à travers la toile de
l'araignée.

Oh ! les pierres précieuses qui se cachaient, — les fleurs
qui regardaient déjà.

Dans la grande rue sale les étals se dressèrent, et l'on
tira les barques vers la mer étagée là-haut comme sur les
gravures.

Le sang coula, chez Barbe-Bleue, — aux abattoirs, —
dans les cirques, où le sceau de Dieu blêmit les fenêtres. Le
sang et le lait coulèrent.

Les castors bâtirent. Les « mazagrans[2] » fumèrent dans les estaminets.

Dans la grande maison de vitres encore ruisselante les enfants en deuil regardèrent les merveilleuses images.

Une porte claqua, et sur la place du hameau, l'enfant tourna ses bras, compris des girouettes et des coqs des clochers de partout, sous l'éclatante giboulée.

Madame*** établit un piano dans les Alpes. La messe et les premières communions se célébrèrent aux cent mille autels de la cathédrale.

Les caravanes partirent. Et le Splendide Hôtel fut bâti dans le chaos de glaces et de nuit du pôle.

Depuis lors, la Lune entendit les chacals piaulant par les déserts de thym, — et les églogues en sabots grognant dans le verger. Puis, dans la futaie violette, bourgeonnante, Eucharis[3] me dit que c'était le printemps.

— Sourds, étang, — Écume, roule sur le pont, et par-dessus les bois ; — draps noirs et orgues, — éclairs et tonnerre ; — montez et roulez ; — Eaux et tristesses, montez et relevez les Déluges.

Car depuis qu'ils se sont dissipés, — oh les pierres précieuses s'enfouissant, et les fleurs ouvertes ! — c'est un ennui ! et la Reine, la Sorcière[4] qui allume sa braise dans le pot de terre, ne voudra jamais nous raconter ce qu'elle sait, et que nous ignorons.

Enfance

I

Cette idole, yeux noirs et crin jaune, sans parents ni cour, plus noble que la fable, mexicaine et flamande ; son domaine, azur et verdure insolents, court sur des plages

nommées, par des vagues sans vaisseaux, de noms féroce-
ment grecs, slaves, celtiques [1].

À la lisière de la forêt — les fleurs de rêve tintent, éclatent, éclairent, — la fille à lèvre d'orange, les genoux croisés
dans le clair déluge qui sourd des prés, nudité qu'ombrent,
traversent et habillent les arcs-en-ciel, la flore, la mer.

Dames qui tournoient sur les terrasses voisines de la mer ;
enfantes et géantes, superbes noires dans la mousse vert-de-
gris, bijoux debout sur le sol gras des bosquets et des jardi-
nets dégelés — jeunes mères et grandes sœurs aux regards
pleins de pèlerinages, sultanes, princesses de démarche et
de costume tyranniques, petites étrangères et personnes
doucement malheureuses.

Quel ennui, l'heure du « cher corps » et « cher cœur ».

II

C'est elle, la petite morte, derrière les rosiers. — La jeune
maman trépassée descend le perron — La calèche du cousin
crie sur le sable — Le petit frère — (il est aux Indes !) là,
devant le couchant, sur le pré d'œillets. — Les vieux qu'on
a enterrés tout droits dans le rempart aux giroflées.

L'essaim des feuilles d'or entoure la maison du général.
Ils sont dans le midi. — On suit la route rouge pour arriver
à l'auberge vide. Le château est à vendre ; les persiennes
sont détachées. — Le curé aura emporté la clef de
l'église. — Autour du parc, les loges des gardes sont inhabi-
tées. Les palissades sont si hautes qu'on ne voit que les
cimes bruissantes. D'ailleurs il n'y a rien à voir là-dedans.

Les prés remontent aux hameaux sans coqs, sans
enclumes. L'écluse est levée. Ô les calvaires et les moulins
du désert, les îles et les meules.

Des fleurs magiques bourdonnaient. Les talus *le* ber-
çaient. Des bêtes d'une élégance fabuleuse circulaient. Les
nuées s'amassaient sur la haute mer faite d'une éternité de
chaudes larmes.

III²

Au bois il y a un oiseau, son chant vous arrête et vous fait rougir.

Il y a une horloge qui ne sonne pas.

Il y a une fondrière avec un nid de bêtes blanches.

Il y a une cathédrale qui descend et un lac qui monte.

Il y a une petite voiture abandonnée dans le taillis, ou qui descend le sentier en courant, enrubannée.

Il y a une troupe de petits comédiens en costumes, aperçus sur la route à travers la lisière du bois.

Il y a enfin, quand l'on a faim et soif, quelqu'un qui vous chasse.

IV³

Je suis le saint, en prière sur la terrasse, — comme les bêtes pacifiques paissent jusqu'à la mer de Palestine.

Je suis le savant au fauteuil sombre. Les branches et la pluie se jettent à la croisée de la bibliothèque.

Je suis le piéton de la grand'route par les bois nains ; la rumeur des écluses couvre mes pas. Je vois longtemps la mélancolique lessive d'or du couchant.

Je serais bien l'enfant abandonné sur la jetée partie à la haute mer, le petit valet suivant l'allée dont le front touche le ciel.

Les sentiers sont âpres. Les monticules se couvrent de genêts. L'air est immobile. Que les oiseaux et les sources sont loin ! Ce ne peut être que la fin du monde, en avançant.

V

Qu'on me loue enfin ce tombeau, blanchi à la chaux avec les lignes du ciment en relief — très loin sous terre.

Je m'accoude à la table, la lampe éclaire très vivement ces journaux que je suis idiot de relire, ces livres sans intérêt.

À une distance énorme au-dessus de mon salon souterrain, les maisons s'implantent, les brumes s'assemblent. La boue est rouge ou noire. Ville monstrueuse, nuit sans fin !

Moins haut, sont des égouts. Aux côtés, rien que l'épaisseur du globe. Peut-être les gouffres d'azur, des puits de feu. C'est peut-être sur ces plans que se rencontrent lunes et comètes, mers et fables.

Aux heures d'amertume je m'imagine des boules de saphir, de métal. Je suis maître du silence. Pourquoi une apparence de soupirail blêmirait-elle au coin de la voûte ?

Conte

Un Prince était vexé de ne s'être employé jamais qu'à la perfection des générosités vulgaires. Il prévoyait d'étonnantes révolutions de l'amour, et soupçonnait ses femmes de pouvoir mieux que cette complaisance agrémentée de ciel et de luxe. Il voulait voir la vérité, l'heure du désir et de la satisfaction essentiels. Que ce fût ou non une aberration de piété, il voulut. Il possédait au moins un assez large pouvoir humain.

Toutes les femmes qui l'avaient connu furent assassinées. Quel saccage du jardin de la beauté ! Sous le sabre, elles le bénirent. Il n'en commanda point de nouvelles. — Les femmes réapparurent.

Il tua tous ceux qui le suivaient, après la chasse ou les libations. — Tous le suivaient.

Il s'amusa à égorger les bêtes de luxe. Il fit flamber les palais. Il se ruait sur les gens et les taillait en pièces. — La foule, les toits d'or, les belles bêtes existaient encore.

Peut-on s'extasier dans la destruction, se rajeunir par la
cruauté ! Le peuple ne murmura pas. Personne n'offrit le
concours de ses vues.

Un soir il galopait fièrement. Un Génie apparut, d'une
beauté ineffable, inavouable même. De sa physionomie et
de son maintien ressortait la promesse d'un amour multiple
et complexe ! d'un bonheur indicible, insupportable même !
Le Prince et le Génie s'anéantirent probablement dans la
santé essentielle. Comment n'auraient-ils pas pu en mourir ? Ensemble donc ils moururent.

Mais ce Prince décéda, dans son palais, à un âge ordinaire. Le prince était le Génie. Le Génie était le Prince.

La musique savante manque à notre désir.

Parade

Des drôles très solides. Plusieurs ont exploité vos
mondes. Sans besoins et peu pressés de mettre en œuvre
leurs brillantes facultés et leur expérience de vos
consciences. Quels hommes mûrs ! Des yeux hébétés à la
façon de la nuit d'été, rouges et noirs, tricolores, d'acier
piqué d'étoiles d'or ; des faciès déformés, plombés, blêmis,
incendiés ; des enrouements folâtres ! La démarche cruelle
des oripeaux ! — Il y a quelques jeunes, — comment regar-
deraient-ils Chérubin [1] ? — pourvus de voix effrayantes et
de quelques ressources dangereuses. On les envoie prendre
du dos [2] en ville, affublés d'un *luxe* dégoûtant.

Ô le plus violent Paradis de la grimace enragée ! Pas de
comparaison avec vos Fakirs et les autres bouffonneries scé-
niques. Dans des costumes improvisés avec le goût du mauvais rêve ils jouent des complaintes, des tragédies de
malandrins et de demi-dieux spirituels comme l'histoire ou

les religions ne l'ont jamais été. Chinois, Hottentots, bohémiens, niais, hyènes, Molochs [3], vieilles démences, démons sinistres, ils mêlent les tours populaires, maternels, avec les poses et les tendresses bestiales. Ils interpréteraient des pièces nouvelles et des chansons « bonnes filles ». Maîtres jongleurs, ils transforment le lieu et les personnes, et usent de la comédie magnétique. Les yeux flambent, le sang chante, les os s'élargissent, les larmes et des filets rouges ruissellent. Leur raillerie ou leur terreur dure une minute, ou des mois entiers.

J'ai seul la clef de cette parade sauvage.

Antique

Gracieux fils de Pan ! Autour de ton front couronné de fleurettes et de baies tes yeux, des boules précieuses, remuent. Tachées de lies brunes [1], tes joues se creusent. Tes crocs luisent. Ta poitrine ressemble à une cithare, des tintements circulent dans tes bras blonds. Ton cœur bat dans ce ventre où dort le double sexe. Promène-toi, la nuit, en mouvant doucement cette cuisse, cette seconde cuisse et cette jambe de gauche.

Being Beauteous

Devant une neige un Être de Beauté de haute taille. Des sifflements de mort et des cercles de musique sourde font monter, s'élargir et trembler comme un spectre ce corps adoré ; des blessures écarlates et noires éclatent dans les chairs superbes. Les couleurs propres de la vie se foncent, dansent, et se dégagent autour de la Vision, sur le chantier. Et les frissons s'élèvent et grondent et la saveur forcenée de ces effets se chargeant avec les sifflements mortels et les rauques musiques que le monde, loin derrière nous, lance sur notre mère de beauté, — elle recule, elle se dresse. Oh ! nos os sont revêtus d'un nouveau corps amoureux.

× × ×

Ô la face cendrée, l'écusson de crin, les bras de cristal ! le canon sur lequel je dois m'abattre à travers la mêlée des arbres et de l'air léger [1] !

Vies

I

Ô les énormes avenues du pays saint, les terrasses du temple ! Qu'a-t-on fait du brahmane qui m'expliqua les Proverbes [1] ? D'alors, de là-bas, je vois encore même les vieilles [2] ! Je me souviens des heures d'argent et de soleil vers les fleuves, la main de la campagne [3] sur mon épaule, et de nos caresses debout dans les plaines poivrées. — Un envol de pigeons écarlates tonne autour de ma pensée. — Exilé ici j'ai eu une scène où jouer les chefs-d'œuvre dramatiques de toutes les littératures. Je vous indiquerais les richesses inouïes. J'observe l'histoire des trésors que vous trouvâtes. Je vois la suite ! Ma sagesse est aussi dédaignée que le chaos. Qu'est mon néant, auprès de la stupeur qui vous attend ?

II

[4]Je suis un inventeur bien autrement méritant que tous ceux qui m'ont précédé ; un musicien même, qui ai trouvé quelque chose comme la clef de l'amour. À présent, gentilhomme d'une campagne aigre au ciel sobre, j'essaie de m'émouvoir au souvenir de l'enfance mendiante, de l'apprentissage ou de l'arrivée en sabots, des polémiques, des cinq ou six veuvages, et quelques noces où ma forte tête m'empêcha de monter au diapason des camarades. Je ne regrette pas ma vieille part de gaîté divine : l'air sobre de cette aigre campagne alimente fort activement mon atroce scepticisme. Mais comme ce scepticisme ne peut désormais être mis en œuvre, et que d'ailleurs je suis dévoué à un trouble nouveau, — j'attends de devenir un très méchant fou.

III[5]

Dans un grenier où je fus enfermé à douze ans j'ai connu le monde, j'ai illustré la comédie humaine. Dans un cellier j'ai appris l'histoire. À quelque fête de nuit dans une cité du Nord j'ai rencontré toutes les femmes des anciens peintres. Dans un vieux passage à Paris[6] on m'a enseigné les sciences classiques. Dans une magnifique demeure cernée par l'Orient entier j'ai accompli mon immense œuvre et passé mon illustre retraite. J'ai brassé mon sang. Mon devoir m'est remis. Il ne faut même plus songer à cela. Je suis réellement d'outre-tombe, et pas de commissions.

Départ

Assez vu. La vision s'est rencontrée à tous les airs.

Assez eu. Rumeurs des villes, le soir, et au soleil, et toujours.

Assez connu. Les arrêts de la vie. — Ô Rumeurs et Visions !

Départ dans l'affection et le bruit neufs !

Royauté

Un beau matin, chez un peuple fort doux, un homme et une femme superbes criaient sur la place publique. « Mes amis, je veux qu'elle soit reine ! » « Je veux être reine ! » Elle riait et tremblait. Il parlait aux amis de révélation, d'épreuve terminée. Ils se pâmaient l'un contre l'autre.

En effet ils furent rois toute une matinée où les tentures carminées se relevèrent sur les maisons, et toute l'après-midi, où ils s'avancèrent du côté des jardins de palmes.

À une Raison

Un coup de ton doigt sur le tambour décharge tous les sons et commence la nouvelle harmonie.

Un pas de toi. C'est la levée des nouveaux hommes et leur en-marche.

Ta tête se détourne[1] : le nouvel amour! Ta tête se retourne, — le nouvel amour!

« Change nos lots[2], crible les fléaux, à commencer par le temps », te chantent ces enfants. « Élève n'importe où la substance de nos fortunes et de nos vœux » on t'en prie.

Arrivée de toujours, qui t'en iras partout.

Matinée d'ivresse

Ô *mon* Bien! ô *mon* Beau! Fanfare atroce où je ne trébuche point! chevalet féerique[1]! Hourra pour l'œuvre inouïe et pour le corps merveilleux, pour la première fois! Cela commença sous les rires des enfants, cela finira par eux. Ce poison va rester dans toutes nos veines même quand, la fanfare tournant[2], nous serons rendu à l'ancienne inharmonie. Ô maintenant nous si digne[3] de ces tortures! rassemblons fervemment cette promesse surhumaine faite à notre corps et à notre âme créés : cette promesse, cette démence! L'élégance, la science, la violence! On nous a promis d'enterrer dans l'ombre l'arbre du bien et du mal, de déporter les honnêtetés tyranniques, afin que nous amenions notre très pur amour. Cela commença par quelques dégoûts et cela finit, — ne pouvant nous saisir sur-le-champ de cette éternité, — cela finit par une débandade de parfums.

Rire des enfants, discrétion des esclaves, austérité des vierges[4], horreur des figures et des objets d'ici, sacrés soyez-vous par le souvenir de cette veille. Cela commençait par toute la rustrerie, voici que cela finit par des anges de flamme et de glace.

Petite veille d'ivresse, sainte! quand ce ne serait que pour le masque dont tu nous as gratifié. Nous t'affirmons,

méthode ! Nous n'oublions pas que tu as glorifié hier chacun de nos âges. Nous avons foi au poison. Nous savons
donner notre vie tout entière tous les jours.

Voici le temps des *Assassins*.

Phrases

Quand le monde sera réduit en un seul bois noir pour
nos quatre yeux étonnés, — en une plage pour deux enfants
fidèles [1], — en une maison musicale pour notre claire sym-
pathie, — je vous trouverai.

Qu'il n'y ait ici-bas qu'un vieillard seul, calme et beau,
entouré d'un « luxe inouï », — et je suis à vos genoux.

Que j'aie réalisé tous vos souvenirs, — que je sois celle [2]
qui sait vous garrotter, — je vous étoufferai.

〰〰〰〰〰

Quand nous sommes très forts, — qui recule ? très gais,
qui tombe de ridicule ? Quand nous sommes très-méchants,
que ferait-on de nous.

Parez-vous, dansez, riez, — Je ne pourrai jamais envoyer
l'Amour par la fenêtre.

〰〰〰〰〰

— Ma camarade, mendiante [3], enfant monstre ! comme
ça t'est égal, ces malheureuses et ces manœuvres, et mes
embarras. Attache-toi à nous avec ta voix impossible, ta
voix ! unique flatteur de ce vil désespoir.

[Phrases]

Une matinée couverte, en Juillet. Un goût de cendres vole dans l'air ; — une odeur de bois suant dans l'âtre, — les fleurs rouies — le saccage des promenades — la bruine des canaux par les champs — pourquoi pas déjà les joujoux et l'encens ?

J'ai tendu des cordes de clocher à clocher ; des guirlandes de fenêtre à fenêtre ; des chaînes d'or d'étoile à étoile, et je danse.

Le haut étang fume continuellement. Quelle sorcière va se dresser sur le couchant blanc ? quelles violettes frondaisons vont descendre ?

Pendant que les fonds publics s'écoulent en fêtes de fraternité, il sonne une cloche de feu rose dans les nuages.

Avivant un agréable goût d'encre de Chine une poudre noire pleut doucement sur ma veillée, — Je baisse les feux du lustre, je me jette sur le lit, et tourné du côté de l'ombre je vous vois, mes filles ! mes reines !

Ouvriers

Ô cette chaude matinée de février. Le Sud[1] inopportun vint relever nos souvenirs d'indigents absurdes, notre jeune misère.

Henrika[2] avait une jupe de coton à carreau blanc et brun, qui a dû être portée au siècle dernier, un bonnet à rubans, et un foulard de soie. C'était bien plus triste qu'un deuil. Nous faisions un tour dans la banlieue. Le temps était couvert et ce vent du Sud excitait toutes les vilaines odeurs des jardins ravagés et des prés desséchés.

Cela ne devait pas fatiguer ma femme au même point que moi. Dans une flache laissée par l'inondation du mois précédent à un sentier assez haut elle me fit remarquer de très petits poissons[3].

La ville, avec sa fumée et ses bruits de métiers[4], nous suivait très loin dans les chemins. Ô l'autre monde, l'habitation bénie par le ciel et les ombrages ! Le sud me rappelait les misérables incidents de mon enfance, mes désespoirs d'été, l'horrible quantité de force et de science que le sort a toujours éloignée de moi. Non ! nous ne passerons pas l'été dans cet avare pays où nous ne serons jamais que des orphelins fiancés. Je veux que ce bras durci ne traîne plus *une chère image*.

Les Ponts

Des ciels gris de cristal. Un bizarre dessin de ponts, ceux-ci droits, ceux-là bombés, d'autres descendant ou obliquant en angles sur les premiers, et ces figures se renouvelant dans les autres circuits éclairés du canal, mais tous tellement longs et légers que les rives chargées de dômes s'abaissent et s'amoindrissent. Quelques-uns de ces ponts sont encore chargés de masures. D'autres soutiennent des mâts, des signaux, de frêles parapets. Des accords mineurs se croisent, et filent, des cordes montent des berges. On distingue une veste rouge, peut-être d'autres costumes et des instruments de musique. Sont-ce des airs populaires, des bouts de concerts seigneuriaux, des restants d'hymnes publics ? L'eau est grise et bleue, large comme un bras de mer. — Un rayon blanc, tombant du haut du ciel, anéantit cette comédie.

Ville

Je suis un éphémère et point trop mécontent citoyen d'une métropole crue moderne parce que tout goût connu a été éludé dans les ameublements et l'extérieur des maisons aussi bien que dans le plan de la ville. Ici vous ne signaleriez les traces d'aucun monument de superstition [1]. La morale et la langue sont réduites à leur plus simple expression, enfin ! Ces millions de gens qui n'ont pas besoin de se connaître amènent si pareillement l'éducation, le métier et la vieillesse, que ce cours de vie doit être plusieurs fois moins long que ce qu'une statistique folle trouve pour les peuples du continent. Aussi comme de ma fenêtre [2], je vois des spectres nouveaux roulant à travers l'épaisse et éternelle fumée de charbon, — notre ombre des bois, notre nuit d'été ! — des Érynnies [3] nouvelles, devant mon cottage qui est ma patrie et tout mon cœur puisque tout ici ressemble à ceci, — la Mort sans pleurs, notre active fille et servante, un Amour désespéré, et un joli Crime piaulant dans la boue de la rue.

Ornières

À droite l'aube d'été éveille les feuilles et les vapeurs et les bruits de ce coin du parc, et les talus de gauche tiennent dans leur ombre violette les mille rapides ornières de la route humide. Défilé de féeries. En effet : des chars chargés d'animaux de bois doré, de mâts et de toiles bariolées, au grand galop de vingt chevaux de cirque tachetés, et les enfants et les hommes sur leurs bêtes les plus étonnantes ; — vingt véhicules, bossés, pavoisés et fleuris comme des carrosses anciens ou de contes, pleins d'enfants attifés pour une pastorale suburbaine ; — Même des cercueils sous leur dais de nuit dressant les panaches d'ébène, filant au trot des grandes juments bleues et noires.

Villes

[II]

Ce sont des villes ! C'est un peuple pour qui se sont montés ces Alleghanys et ces Libans [1] de rêve ! Des chalets de cristal et de bois qui se meuvent sur des rails et des poulies invisibles. Les vieux cratères ceints de colosses et de palmiers de cuivre rugissent mélodieusement dans les feux. Des fêtes amoureuses sonnent sur les canaux pendus derrière les chalets. La chasse des carillons crie dans les gorges. Des corporations de chanteurs géants accourent dans des vêtements et des oriflammes éclatants comme la lumière des cimes. Sur les plates-formes au milieu des gouffres les Rolands sonnent leur bravoure. Sur les passerelles de l'abîme et les toits des auberges l'ardeur du ciel pavoise les mâts. L'écroulement des apothéoses rejoint les champs des hauteurs où les centauresses séraphiques évoluent parmi les avalanches. Au-dessus du niveau des plus hautes crêtes une mer troublée par la naissance éternelle de Vénus, chargée de flottes orphéoniques et de la rumeur des perles et des conques précieuses, — la mer s'assombrit parfois avec des éclats mortels. Sur les versants des moissons de fleurs grandes comme nos armes et nos coupes, mugissent. Des cortèges de Mabs [2] en robes rousses, opalines, montent des ravines. Là-haut, les pieds dans la cascade et les ronces, les cerfs tètent Diane. Les Bacchantes des banlieues [3] sanglotent et la lune brûle et hurle. Vénus entre dans les cavernes des forgerons et des ermites [4]. Des groupes de beffrois chantent les idées des peuples. Des châteaux bâtis en os sort la musique inconnue. Toutes les légendes évoluent et les élans se ruent dans les bourgs [5]. Le paradis des orages s'effondre. Les sauvages dansent sans cesse la fête de la nuit. Et une heure je suis descendu dans le mouvement d'un boulevard de Bagdad où des compagnies ont chanté la joie du travail nouveau, sous une brise épaisse, circulant sans pouvoir éluder les fabuleux fantômes des monts où l'on a dû se retrouver.

Quels bons bras, quelle belle heure [6] me rendront cette région d'où viennent mes sommeils et mes moindres mouvements ?

Vagabonds

Pitoyable frère ! Que d'atroces veillées je lui dus ! « Je ne me saisissais pas fervemment de cette entreprise. Je m'étais joué de son infirmité [1]. Par ma faute nous retournerions

en exil, en esclavage. » Il me supposait un guignon et une
innocence très bizarres, et il ajoutait des raisons inquié-
tantes.

Je répondais en ricanant à ce satanique docteur[2], et finis-
sais par gagner la fenêtre. Je créais, par-delà la campagne
traversée par des bandes de musique rare[3], les fantômes du
futur luxe nocturne.

Après cette distraction vaguement hygiénique je m'éten-
dais sur une paillasse. Et, presque chaque nuit, aussitôt
endormi, le pauvre frère se levait, la bouche pourrie, les
yeux arrachés, — tel qu'il se rêvait![4] — et me tirait dans
la salle en hurlant son songe de chagrin idiot.

J'avais en effet, en toute sincérité d'esprit, pris l'engagement de le rendre à son état primitif de fils du soleil, — et
nous errions, nourris du vin des cavernes[5] et du biscuit de
la route, moi pressé de trouver le lieu et la formule.

Villes

[I]

L'acropole officielle outre les conceptions de la barbarie
moderne les plus colossales. Impossible d'exprimer le jour
mat produit par le ciel immuablement gris, l'éclat impérial
des bâtisses, et la neige éternelle du sol. On a reproduit
dans un goût d'énormité singulier toutes les merveilles
classiques de l'architecture. J'assiste à des expositions de
peinture dans des locaux vingt fois plus vastes
qu'Hampton-Court[1]. Quelle peinture ! Un Nabuchodono-
sor norwégien a fait construire les escaliers des ministères ;
les subalternes que j'ai pu voir sont déjà plus fiers que des
Brahmas[2] et j'ai tremblé à l'aspect des gardiens de colosses[3]

et officiers de constructions. Par le groupement des bâtiments en squares, cours et terrasses fermées, on a évincé les cochers. Les parcs représentent la nature primitive travaillée par un art superbe. Le haut quartier a des parties inexplicables : un bras de mer, sans bateaux, roule sa nappe de grésil bleu entre des quais chargés de candélabres géants. Un pont court conduit à une poterne immédiatement sous le dôme de la Sainte-Chapelle. Ce dôme est une armature d'acier[4] artistique de quinze mille pieds de diamètre environ.

Sur quelques points des passerelles de cuivre, des plates-formes, des escaliers qui contournent les halles et les piliers, j'ai cru pouvoir juger la profondeur de la ville ! C'est le prodige dont je n'ai pu me rendre compte : quels sont les niveaux des autres quartiers sur ou sous l'acropole ? Pour l'étranger de notre temps la reconnaissance est impossible. Le quartier commerçant est un circus d'un seul style, avec galeries à arcades. On ne voit pas de boutiques. Mais la neige de la chaussée est écrasée ; quelques nababs aussi rares que les promeneurs d'un matin de dimanche à Londres, se dirigent vers une diligence de diamants. Quelques divans de velours rouge : on sert des boissons polaires dont le prix varie de huit cents à huit mille roupies. À l'idée de chercher des théâtres sur ce circus, je me réponds que les boutiques doivent contenir des drames assez sombres (?) Je pense qu'il y a une police ; mais la loi doit être tellement étrange, que je renonce à me faire une idée des aventuriers d'ici.

Le faubourg aussi élégant qu'une belle rue de Paris est favorisé d'un air de lumière. L'élément démocratique compte quelques cents âmes. Là encore les maisons ne se suivent pas ; le faubourg se perd bizarrement dans la campagne, le « Comté[5] » qui remplit l'occident éternel des forêts et des plantations prodigieuses où les gentilshommes sauvages chassent leurs chroniques sous la lumière qu'on a créée.

Veillées

I[1]

C'est le repos éclairé, ni fièvre ni langueur, sur le lit ou
sur le pré.

C'est l'ami ni ardent ni faible. L'ami.

C'est l'aimée ni tourmentante ni tourmentée. L'aimée.

L'air et le monde point cherchés. La vie.

— Était-ce donc ceci ?

— Et le rêve fraîchit.

————

II[2]

L'éclairage revient à l'arbre de bâtisse. Des deux extrémités de la salle, décors quelconques, des élévations harmoniques se joignent. La muraille en face du veilleur est une
succession psychologique de coupes de frises[3], de bandes
athmosphériques et d'accidences[4] géologiques. — Rêve
intense et rapide de groupes sentimentaux avec des êtres de
tous les caractères parmi toutes les apparences.

————

III [5]

Les lampes et les tapis de la veillée font le bruit des vagues, la nuit, le long de la coque et autour du steerage [6].

La mer de la veillée, telle que les seins d'Amélie [7].

Les tapisseries, jusqu'à mi-hauteur, des taillis de dentelle, teinte d'émeraude, où se jettent les tourterelles de la veillée.

.... [8]

La plaque du foyer noir, de réels soleils des grèves : ah ! puits des magies ; seule vue d'aurore, cette fois.

Mystique

Sur la pente du talus les anges tournent leurs robes de laine dans les herbages d'acier et d'émeraude.

Des prés de flammes bondissent jusqu'au sommet du mamelon. À gauche le terreau de l'arête est piétiné par tous les homicides et toutes les batailles, et tous les bruits désastreux filent leur courbe. Derrière l'arête de droite la ligne des orients, des progrès.

Et tandis que la bande en haut du tableau est formée de la rumeur tournante et bondissante des conques des mers et des nuits humaines,

La douceur fleurie des étoiles et du ciel et du reste descend en face du talus, comme un panier, contre notre face, et fait l'abîme fleurant et bleu là-dessous.

Aube

J'ai embrassé l'aube d'été.

Rien ne bougeait encore au front des palais. L'eau était morte. Les camps d'ombres ne quittaient pas la route du bois. J'ai marché, réveillant les haleines vives et tièdes, et les pierreries regardèrent, et les ailes se levèrent sans bruit.

La première entreprise fut, dans le sentier déjà empli de frais et blêmes éclats, une fleur qui me dit son nom.

Je ris au wasserfall[1] blond qui s'échevela à travers les sapins : à la cime argentée je reconnus la déesse.

Alors je levai un à un les voiles[2]. Dans l'allée, en agitant les bras. Par la plaine, où je l'ai dénoncée au coq. À la grand'ville elle fuyait parmi les clochers et les dômes, et courant comme un mendiant sur les quais de marbre, je la chassais.

En haut de la route, près d'un bois de lauriers, je l'ai entourée avec ses voiles amassés, et j'ai senti un peu son immense corps. L'aube et l'enfant tombèrent au bas du bois.

Au réveil il était midi.

Fleurs

D'un gradin d'or, — parmi les cordons de soie, les gazes grises, les velours verts et les disques de cristal qui noircissent comme du bronze au soleil, je vois la digitale s'ouvrir sur un tapis de filigranes d'argent, d'yeux et de chevelures.

Des pièces d'or jaune semées sur l'agate, des piliers d'acajou supportant un dôme d'émeraudes, des bouquets de satin blanc et de fines verges de rubis entourent la rose d'eau.

Tels qu'un dieu aux énormes yeux bleus et aux formes de neige, la mer et le ciel attirent aux terrasses de marbre la foule des jeunes et fortes roses.

Nocturne vulgaire[1]

Un souffle ouvre des brèches opéradiques[2] dans les cloisons, — brouille le pivotement des toits rongés, — disperse les limites des foyers, — éclipse les croisées. — Le long de la vigne, m'étant appuyé du pied à une gargouille, — Je suis descendu dans ce carrosse dont l'époque est assez indiquée par les glaces convexes, les panneaux bombés et les sophas contournés — Corbillard de mon sommeil[3], isolé, maison de berger de ma niaiserie, le véhicule vire sur le gazon de la grande route effacée : et dans un défaut en haut de la glace de droite tournoient les blêmes figures lunaires, feuilles, seins ; — Un vert et un bleu très foncés envahissent l'image. Dételage aux environs d'une tache de gravier.

— Ici, va-t-on siffler pour l'orage[4], et les Sodomes, et les Solymes[5], — et les bêtes féroces et les armées,

— (Postillon et bêtes de songe reprendront-ils sous les plus suffocantes futaies, pour m'enfoncer jusqu'aux yeux dans la source de soie).

— Et nous envoyer, fouettés à travers les eaux clapotantes et les boissons répandues, rouler sur l'aboi des dogues...

— Un souffle disperse les limites du foyer.

Marine

Les chars d'argent et de cuivre —
Les proues d'acier[1] et d'argent —
Battent l'écume, —
Soulèvent les souches des ronces.
Les courants de la lande
Et les ornières immenses du reflux
Filent circulairement vers l'est,
Vers les piliers de la forêt, —
Vers les fûts de la jetée,
Dont l'angle est heurté par des tourbillons de lumière.

Fête d'hiver

La cascade sonne derrière les huttes d'opéra-comique. Des girandoles prolongent, dans les vergers et les allées voisins du Méandre[1], — les verts et les rouges du couchant. Nymphes d'Horace coiffées au Premier Empire[2], — Rondes Sibériennes, Chinoises de Boucher[3]. —

Angoisse

Se peut-il qu'Elle me fasse pardonner les ambitions continuellement écrasées, — qu'une fin aisée répare les âges d'indigence, — qu'un jour de succès nous endorme sur la honte de notre inhabileté fatale [1],

(Ô palmes ! diamant ! — Amour ! force ! — plus haut que toutes joies et gloires ! — de toutes façons, partout, — Démon, dieu — Jeunesse de cet être-ci ; moi !) [2]

Que des accidents de féerie scientifique et des mouvements de fraternité sociale soient chéris comme restitution progressive de la franchise première ?...

Mais la Vampire qui nous rend gentils commande que nous nous amusions avec ce qu'elle nous laisse, ou qu'autrement nous soyons plus drôles.

Rouler aux blessures, par l'air lassant et la mer ; aux supplices, par le silence des eaux et de l'air meurtriers ; aux tortures qui rient, dans leur silence atrocement houleux.

Métropolitain

Du détroit d'indigo aux mers d'Ossian [1], sur le sable rose et orange qu'a lavé le ciel vineux viennent de monter et de se croiser des boulevards de cristal habités incontinent par de jeunes familles pauvres qui s'alimentent chez les fruitiers. Rien de riche. — La ville !

Du désert de bitume fuient droit en déroute avec les nappes de brumes échelonnées en bandes affreuses au ciel qui se recourbe, se recule et descend, formé de la plus sinistre fumée noire que puisse faire l'Océan en deuil, les casques, les roues, les barques, les croupes. — La bataille [2] !

Lève la tête : ce pont de bois, arqué ; les derniers potagers de Samarie [3] ; ces masques enluminés sous la lanterne fouettée par la nuit froide ; l'ondine niaise à la robe bruyante, au bas de la rivière ; les crânes lumineux dans les plans de pois [4] — et les autres fantasmagories — la campagne.

Des routes bordées de grilles et de murs, contenant à peine leurs bosquets, et les atroces fleurs qu'on appellerait cœurs et sœurs, Damas[5] damnant de longueur, — possessions de féeriques aristocraties ultra-Rhénanes, Japonaises, Guaranies[6], propres encore à recevoir la musique des anciens — et il y a des auberges[7] qui pour toujours n'ouvrent déjà plus — il y a des princesses, et si tu n'es pas trop accablé, l'étude des astres — le ciel.

Le matin où avec Elle[8], vous vous débattîtes parmi les éclats de neige, les lèvres vertes, les glaces, les drapeaux noirs et les rayons bleus, et les parfums pourpres du soleil des pôles, — ta force.

Barbare

Bien après les jours et les saisons[1], et les êtres et les pays,

Le pavillon en viande saignante sur la soie des mers et des fleurs arctiques ; (elles n'existent pas.)[2]

Remis des vieilles fanfares d'héroïsme — qui nous attaquent encore le cœur et la tête — loin des anciens assassins —

Oh ! Le pavillon en viande saignante sur la soie des mers et des fleurs arctiques ; (elles n'existent pas)

Douceurs !

Les brasiers[3] pleuvant aux rafales de givre, — Douceurs ! — les feux à la pluie du vent de diamants jetée par le cœur terrestre éternellement carbonisé pour nous. — Ô monde ! —

(Loin des vieilles retraites et des vieilles flammes, qu'on entend, qu'on sent,)

Les brasiers et les écumes. La musique, virement des gouffres et choc des glaçons aux astres.

Ô Douceurs, ô monde, ô musique! Et là, les formes, les sueurs, les chevelures et les yeux, flottant. Et les larmes blanches, bouillantes, — ô douceurs! — et la voix féminine arrivée au fond des volcans et des grottes arctiques.

Le pavillon…

Scènes

L'ancienne Comédie poursuit ses accords et divise ses Idylles :

Des boulevards de tréteaux.

Un long pier[1] en bois d'un bout à l'autre d'un champ rocailleux où la foule barbare évolue sous les arbres dépouillés.

Dans des corridors de gaze noire, suivant le pas des promeneurs aux lanternes et aux feuilles.

Des oiseaux des mystères[2] s'abattent sur un ponton de maçonnerie mû par l'archipel couvert des embarcations des spectateurs.

Des scènes lyriques accompagnées de flûte et de tambour s'inclinent dans des réduits ménagés sous les plafonds, autour des salons de clubs modernes ou des salles de l'Orient ancien.

La féerie manœuvre au sommet d'un amphithéâtre couronné par les taillis, — Ou s'agite et module pour les Béotiens[3], dans l'ombre des futaies mouvantes sur l'arête des cultures.

L'opéra-comique se divise sur une scène à l'arête d'intersection de dix cloisons dressées de la galerie aux feux.

Soir historique

En quelque soir, par exemple, que se trouve le touriste naïf, retiré de nos horreurs économiques, la main d'un maître anime le clavecin des prés ; on joue aux cartes au fond de l'étang[1], miroir évocateur des reines et des mignonnes, on a les saintes, les voiles, et les fils d'harmonie, et les chromatismes légendaires, sur le couchant.

Il frissonne au passage des chasses et des hordes. La comédie goutte sur les tréteaux de gazon. Et l'embarras des pauvres et des faibles sur ces plans stupides !

À sa vision esclave, — l'Allemagne s'échafaude vers des lunes ; les déserts tartares s'éclairent — les révoltes anciennes grouillent dans le centre du Céleste empire, par les escaliers et les fauteuils de rocs[2] — un petit monde blême et plat, Afrique et Occidents, va s'édifier. Puis un ballet de mers et de nuits connues, une chimie sans valeur, et des mélodies impossibles.

La même magie bourgeoise à tous les points où la malle nous déposera ! Le plus élémentaire physicien sent qu'il n'est plus possible de se soumettre à cet atmosphère personnel[3], brume de remords physiques, dont la constatation est déjà une affliction.

Non ! — Le moment de l'étuve, des mers enlevées, des embrasements souterrains, de la planète emportée, et des exterminations conséquentes, certitudes si peu malignement indiquées dans la Bible et par les Nornes[4] et qu'il sera donné à l'être sérieux de surveiller. — Cependant ce ne sera point un effet de légende !

Mouvement

Le mouvement de lacet sur la berge des chutes du fleuve,
Le gouffre à l'étambot[1],
La célérité de la rampe[2],
L'énorme passade[3] du courant,
Mènent par les lumières inouïes
Et la nouveauté chimique
Les voyageurs entourés des trombes du val
Et du strom[4].

Ce sont les conquérants du monde
Cherchant la fortune chimique personnelle ;
Le sport et le comfort[5] voyagent avec eux ;
Ils emmènent l'éducation
Des races, des classes et des bêtes, sur ce Vaisseau[6].
Repos et vertige
À la lumière diluvienne,
Aux terribles soirs d'étude.

Car de la causerie parmi les appareils, — le sang, les fleurs,
    le feu, les bijoux —
Des comptes agités à ce bord fuyard,
— On voit, roulant comme une digue au-delà de la route
    hydraulique motrice,
Monstrueux, s'éclairant sans fin, — leur stock d'études ; —
Eux chassés dans l'extase harmonique
Et l'héroïsme de la découverte.

Aux accidents atmosphériques les plus surprenants
Un couple de jeunesse s'isole sur l'arche,
— Est-ce ancienne sauvagerie qu'on pardonne ? —
Et chante et se poste.

Bottom[1]

La réalité étant trop épineuse pour mon grand caractère,
— je me trouvai néanmoins chez Ma dame, en gros oiseau
gris bleu s'essorant vers les moulures du plafond et traînant
l'aile dans les ombres de la soirée.

Je fus, au pied du baldaquin supportant ses bijoux adorés
et ses chefs-d'œuvre physiques, un gros ours aux gencives
violettes et au poil chenu de chagrin, les yeux aux cristaux
et aux argents des consoles.

Tout se fit ombre et aquarium ardent. Au matin, — aube
de juin batailleuse, — je courus aux champs, âne, clairon-
nant et brandissant mon grief[2], jusqu'à ce que les Sabines[3]
de la banlieue vinrent se jeter à mon poitrail.

H

Toutes les monstruosités violent les gestes atroces
d'Hortense. Sa solitude est la mécanique érotique, sa lassitude, la dynamique amoureuse. Sous la surveillance d'une
enfance elle a été, à des époques nombreuses, l'ardente
hygiène des races. Sa porte est ouverte à la misère. Là, la
moralité des êtres actuels se décorpore en sa passion ou en
son action — Ô terrible frisson des amours novice[s] sur le
sol sanglant et par l'hydrogène clarteux ! trouvez Hortense.

Dévotion

À ma sœur Louise Vanaen de Voringhem [1] : — Sa cornette bleue tournée à la mer du Nord. — Pour les naufragés.

À ma sœur Léonie Aubois d'Ashby. Baou [2] — l'herbe d'été bourdonnante et puante. — Pour la fièvre des mères et des enfants.

À Lulu [3], — démon — qui a conservé un goût pour les oratoires du temps des Amies et de son éducation incomplète. Pour les hommes ! — À madame ***.

À l'adolescent que je fus. À ce saint vieillard [4], ermitage ou mission.

À l'esprit des pauvres. Et à un très haut clergé.

Aussi bien à tout culte en telle place de culte mémoriale et parmi tels événements qu'il faille se rendre, suivant les aspirations du moment ou bien notre propre vice sérieux,

Ce soir, à Circeto des hautes glaces [5], grasse comme le poisson, et enluminée comme les dix mois de la nuit rouge — (son cœur ambre et spunck), — pour ma seule prière muette comme ces régions de nuit et précédant des bravoures plus violentes que ce chaos polaire.

À tout prix et avec tous les airs, même dans des voyages métaphysiques. — Mais plus *alors* [6].

Démocratie

« Le drapeau va au paysage immonde, et notre patois étouffe le tambour [1].

« Aux centres nous alimenterons la plus cynique prostitution. Nous massacrerons les révoltes logiques [2].

« Aux pays poivrés et détrempés ! — au service des plus monstrueuses exploitations industrielles ou militaires.

« Au revoir ici, n'importe où. Conscrits du bon vouloir, nous aurons la philosophie féroce [3] ; ignorants pour la science, roués pour le confort ; la crevaison [4] pour le monde qui va. C'est la vraie marche. En avant, route [5] ! »

Promontoire

L'aube d'or et la soirée frissonnante trouvent notre brick en large [1] en face de cette Villa et de ses dépendances, qui forment un promontoire aussi étendu que l'Épire et le Péloponnèse [2] ou que la grande île du Japon, ou que l'Arabie ! Des fanums [3] qu'éclaire la rentrée des théories [4], d'immenses vues de la défense des côtes modernes ; des dunes illustrées de chaudes fleurs et de bacchanales ; de grands canaux de Carthage et des Embankments [5] d'une Venise louche ; de molles éruptions d'Etnas et des crevasses de fleurs et d'eaux des glaciers ; des lavoirs entourés de peupliers d'Allemagne [6] ; des talus de parcs singuliers penchant des têtes d'Arbres du Japon ; les façades circulaires des « Royal » ou des « Grand » de Scarbro' [7] ou de Brooklyn [8] ; et leurs railways flanquent, creusent, surplombent les dispositions de cet Hôtel, choisies dans l'histoire des plus élégantes et des plus colossales constructions de l'Italie, de l'Amérique et de l'Asie, dont les fenêtres et les terrasses à présent pleines d'éclairages, de boissons et de brises riches, sont ouvertes à l'esprit des voyageurs et des nobles — qui permettent, aux heures du jour, à toutes les tarentelles [9] des côtes, — et même aux ritournelles des vallées illustres de l'art, de décorer merveilleusement les façades du Palais. Promontoire [10].

[I]

Fairy

Pour Hélène se conjurèrent les sèves ornamentales[1] dans les ombres vierges et les clartés impassibles dans le silence astral[2]. L'ardeur de l'été fut confiée à des oiseaux muets[3] et l'indolence requise à une barque de deuils sans prix par des anses d'amours morts et de parfums affaissés.

— Après le moment de l'air des bûcheronnes à la rumeur du torrent sous la ruine des bois, de la sonnerie des bestiaux à l'écho des vals, et des cris des steppes[4]. —

Pour l'enfance d'Hélène frissonnèrent les fourrures et les ombres, — et le sein des pauvres, et les légendes du ciel.

Et ses yeux et sa danse supérieurs encore aux éclats précieux, aux influences froides, au plaisir du décor et de l'heure uniques.

[II]

Guerre

Enfant, certains ciels ont affiné mon optique : tous les caractères nuancèrent ma physionomie. Les Phénomènes s'émurent[1]. — À présent l'inflexion éternelle des moments et l'infini des mathématiques me chassent par ce monde où je subis tous les succès civils, respecté de l'enfance étrange et des affections énormes. — Je songe à une Guerre, de droit ou de force, de logique bien imprévue.

C'est aussi simple qu'une phrase musicale.

Génie

III

Il est l'affection et le présent puisqu'il a fait la maison ouverte à l'hiver écumeux et à la rumeur de l'été, — lui qui a purifié les boissons et les aliments, — lui qui est le charme des lieux fuyants et le délice surhumain des stations. — Il est l'affection et l'avenir, la force et l'amour que nous, debout dans les rages et les ennuis, nous voyons passer dans le ciel de tempête et les drapeaux d'extase.

Il est l'amour, mesure parfaite et réinventée [1], raison merveilleuse et imprévue, et l'éternité : machine aimée des qualités fatales. Nous avons tous eu l'épouvante de sa concession et de la nôtre : ô jouissance de notre santé, élan de nos facultés, affection égoïste et passion pour lui, — lui qui nous aime pour sa vie infinie…

Et nous nous le rappelons et il voyage… Et si l'Adoration s'en va, sonne, sa Promesse sonne : « Arrière ces superstitions, ces anciens corps, ces ménages et ces âges. C'est cette époque-ci qui a sombré ! »

Il ne s'en ira pas, il ne redescendra pas d'un ciel [2], il n'accomplira pas la rédemption des colères de femmes et des gaîtés des hommes et de tout ce péché : car c'est fait, lui étant [3], et étant aimé.

Ô ses souffles, ses têtes, ses courses ; la terrible célérité de la perfection des formes et de l'action.

Ô fécondité de l'esprit et immensité de l'univers !

Son corps ! Le dégagement rêvé, le brisement de la grâce croisée [4] de violence nouvelle !

Sa vue, sa vue ! tous les agenouillages anciens et les peines *relevés* [5] à sa suite.

Son jour ! l'abolition de toutes souffrances sonores et mouvantes dans la musique plus intense.

Son pas ! les migrations[6] plus énormes que les anciennes invasions.

Ô Lui et nous ! l'orgueil[7] plus bienveillant que les charités perdues.

Ô monde ! et le chant clair des malheurs nouveaux !

Il nous a connus tous et nous a tous aimés. Sachons, cette nuit d'hiver, de cap en cap, du pôle tumultueux au château, de la foule à la plage, de regards en regards, forces et sentiments las, le héler et le voir, et le renvoyer[8], et sous les marées et au haut des déserts de neige, suivre ses vues, — ses souffles — son corps — son jour.

Jeunesse

I

DIMANCHE

Les calculs de côté, l'inévitable descente du ciel, la visite des souvenirs et la séance des rhythmes occupent la demeure, la tête et le monde de l'esprit.

— Un cheval détale sur le turf suburbain, et le long des cultures et des boisements[1], percé par la peste carbonique. Une misérable femme de drame, quelque part dans le monde, soupire après des abandons improbables. Les desperadoes[2] languissent après[3] l'orage, l'ivresse et les blessures. De petits enfants étouffent des malédictions le long des rivières. —

Reprenons l'étude au bruit de l'œuvre dévorante qui se rassemble et remonte dans les masses.

II

Sonnet

Homme de constitution ordinaire, la chair
n'était-elle pas un fruit pendu dans le verger [4] ; — ô
journées enfantes [5] ! — le corps un trésor à prodiguer ; — ô
aimer, le péril ou la force de Psyché [6] ? La terre
avait des versants fertiles en princes et en artistes,
et la descendance et la race vous poussaient aux
crimes et aux deuils : le monde votre fortune et votre
péril. Mais à présent, ce labeur comblé ; toi, tes calculs,
— toi, tes impatiences — ne sont plus que votre danse et
votre voix [7], non fixées et point forcées, quoique d'un
                                                    [double
événement d'invention et de succès + [8] une raison,
— en l'humanité fraternelle et discrète par l'univers
sans images ; — la force et le droit réfléchissent la
danse et la voix à présent seulement appréciées.

III

Vingt ans

Les voix instructives exilées.... L'ingénuité physique amè-
rement rassise.... — Adagio — Ah ! l'égoïsme infini de
l'adolescence, l'optimisme studieux : que le monde était
plein de fleurs cet été ! Les airs et les formes mourant....
— Un chœur, pour calmer l'impuissance et l'absence ! Un
chœur de verres, de mélodies nocturnes.... En effet les nerfs
vont vite chasser [9].

IV

Tu en es encore à la tentation d'Antoine [10]. L'ébat du zèle
écourté, les tics d'orgueil puéril, l'affaissement et l'effroi.
    Mais tu te mettras à ce travail : toutes les possibilités
harmoniques et architecturales s'émouvront autour de ton

siège. Des êtres parfaits, imprévus, s'offriront à tes expériences. Dans tes environs affluera rêveusement la curiosité d'anciennes foules et de luxes oisifs. Ta mémoire et tes sens ne seront que la nourriture de ton impulsion créatrice. Quant au monde, quand tu sortiras, que sera-t-il devenu ? En tout cas, rien des apparences actuelles.

Solde

À vendre ce que les Juifs n'ont pas vendu, ce que noblesse ni crime n'ont goûté, ce qu'ignorent l'amour maudit et la probité infernale des masses : ce que le temps ni la science n'ont pas à reconnaître :

Les Voix reconstituées ; l'éveil fraternel de toutes les énergies chorales et orchestrales et leurs applications instantanées ; l'occasion, unique, de dégager nos sens !

À vendre les Corps sans prix, hors de toute race, de tout monde, de tout sexe, de toute descendance ! Les richesses jaillissant à chaque démarche ! Solde de diamants sans contrôle !

À vendre l'anarchie pour les masses ; la satisfaction irrépressible pour les amateurs supérieurs ; la mort atroce pour les fidèles et les amants !

À vendre les habitations et les migrations, sports, féeries et comforts parfaits, et le bruit, le mouvement et l'avenir qu'ils font !

À vendre les applications de calcul et les sauts d'harmonie inouïs. Les trouvailles et les termes non soupçonnés, possession immédiate,

Élan insensé et infini aux splendeurs invisibles, aux délices insensibles, — et ses secrets affolants pour chaque vice — et sa gaîté effrayante pour la foule —

À vendre les Corps, les voix, l'immense opulence inquestionable [1], ce qu'on ne vendra jamais. Les vendeurs ne sont pas à bout de solde ! Les voyageurs n'ont pas à rendre leur commission [2] de si tôt !

LETTRE DE RIMBAUD
À ERNEST DELAHAYE

[Charleville] 14 8bre [18]75.

Cher ami,

Reçu le Postcard[1] et la lettre de V. il y a huit jours. Pour tout simplifier, j'ai dit à la Poste d'envoyer ses restantes chez moi, de sorte que tu peux écrire ici, si encore rien aux restantes. Je ne commente pas les dernières grossièretés du Loyola[2], et je n'ai plus d'activité à me donner de ce côté-là à présent, comme il paraît que la 2e « portion » du « contingent » de la « classe 74[3] » va-t-être appelée le trois novembre « suiv^{nt} » ou prochain : la chambrée de nuit[4] : « Rêve »

On a faim dans la chambrée —
    C'est vrai...
Émanations, explosions[5]. Un génie :
    « Je suis le Gruère ! —
Lefêbvre[6] : « Keller ! »
Le Génie : « Je suis le Brie ! —
Les soldats coupent sur leur pain :
    « C'est la vie !
Le Génie. — « Je suis le Roquefort !

— « Ça s'ra not' mort !...
— Je suis le Gruère
Et le Brie !... etc.

Valse [7]

On nous a joints, Lefêvre et moi... etc...

de telles préoccupations ne permettent que de s'y absorbère [8]. Cependant renvoyer obligeamment, selon les occases,
les « Loyolas [9] » qui rappliqueraient.

Un petit service : veux-tu me dire précisément et concis
— en quoi consiste le « bachot » « ès sciences » actuel, partie
classique, et mathém. etc. — Tu me dirais le point de
chaque partie que l'on doit atteindre : mathém. phys. chim.
etc., et alors des titres, immédiat, (et le moyen de se procurer) des livres employés dans ton collège ; par ex. pour ce
« Bachot », à moins que ça ne change aux diverses universi-
tés : en tous cas, de professeurs ou d'élèves compétents,
t'informer à ce point de vue que je te donne. Je tiens surtout à des choses précises, comme il s'agirait de l'achat de
ces livres prochainement. Instruct[ion] militaire et
« Bachot », tu vois, me feraient deux ou trois agréables saisons [10] ! Au diable d'ailleurs ce « gentil labeur [11] ». Seulement sois assez bon pour m'indiquer le plus mieux possible
la façon comment on s'y met.

Ici rien de rien.

J'aime à penser que le Petdeloup [12] et les gluants pleins
d'haricots patriotiques ou non [13] ne te donnent pas plus de
distraction qu'il ne t'en faut. Au moins ça ne schlingue [14]
pas la neige, comme ici.

À toi « dans la mesure de mes faibles forces ».

Tu écris :

A. Rimbaud.

31, rue S[ain]t-Barthèlèmy,

Charleville (Ardennes), va sans dire.

P.-S. — La corresp. en « passepoil [15] » arrive à ceci, que le « Némery » avait confié les journaux du Loyola à un *agent de police* pour me les porter !

NOTES

PREMIERS TEXTES

[RÉCIT] P. 11

Nous avons décidé de ne pas publier les vers latins écrits par Rimbaud (la plupart du temps, sur un canevas) et imprimés dans les bulletins de l'académie de Douai. En revanche, nous avons retenu ce « récit », copié par Rimbaud sur ce que l'on a coutume d'appeler le « Cahier des dix ans ». Il a été donné par Suzanne Briet dans son livre *Rimbaud notre prochain*, Nouvelles Éditions latines, 1956, p. 41-45 (Paterne Berrichon l'avait publié pour la première fois sous le titre injustifié de « Narration » dans son livre *La Vie de Jean-Arthur Rimbaud*, Mercure de France, 1897). Le cahier lui-même, de format 14,5 × 20 cm, comporte huit feuillets. Il contient des textes en latin, des textes en français, de faux devoirs d'écolier, des problèmes de calcul et quelques dessins. Certains textes sont signés. La partie « Prologue » n'est pas de Rimbaud et correspond au sujet du devoir (voir « Le Cahier des dix ans », éd. B. Claisse, dans Rimbaud, *Œuvres complètes*, t. II, Honoré Champion, 2007, p. 11-174). Le récit occupe les pages 10 et 11 du cahier.

1. *L'an 1503* : l'action se situe donc sous le règne de Louis XII.
2. *peau de même couleur* : cette description ne correspond en rien à l'aspect du capitaine Frédéric Rimbaud, blond aux yeux bleus (voir Paterne Berrichon, *Jean-Arthur Rimbaud, le poète*, Mercure de France, 1912). Mais en 1864, époque où fut probablement rédigée cette prose, il était âgé lui aussi de cinquante ans. Il vivait d'ailleurs séparé de sa femme depuis 1860. Il mourut à Dijon en 1878.

[LES ÉTRENNES DES ORPHELINS] P. 13

Texte publié dans *La Revue pour tous* (2 janvier 1870, p. 489-491). Pas de manuscrit connu.

« Les Étrennes des orphelins » est le premier poème de Rimbaud que nous connaissions. Courant décembre 1869, Rimbaud avait dû en envoyer une première version, puisque le numéro de *La Revue pour tous* du 26 décembre indique dans la rubrique « Correspondance » : « M. Rim… à Charleville. – La pièce de vers que vous nous adressez n'est pas sans mérite et nous nous déciderions sans doute à l'imprimer si, par d'habiles coupures, elle était réduite d'_un tiers_. » Rimbaud se résolut probablement à suivre ce conseil, ce qu'indiquent la ligne de points de suspension terminant la quatrième partie et peut-être la ligne de points de suspension finale. De multiples influences sont repérables : « Enfants trouvées » de François Coppée (dans son recueil _Les Poèmes modernes_, 1869), mais surtout « Les Pauvres Gens » de Victor Hugo et « L'Ange et l'Enfant » de Jean Reboul. Rimbaud, en effet, avait composé un thème en vers latin à partir du poème de Reboul et son devoir avait été publié dans le _Bulletin de l'académie de Douai_ (1er juin).

v. 63 – _L'armoire était sans clefs !…_ : cette précision surprend, mais on comprend vite que le meuble est ainsi fermé pour que les enfants ne puissent pas toucher aux « surprises ».

v. 81 – _l'ange des berceaux_ : souvenir du poème de Reboul : « Un ange au radieux visage/ Penché sur le bord d'un berceau […]. »

v. 102 – _De la nacre et du jais_ : Rimbaud décrit ici presque dans les termes d'un poète de l'art pour l'art la verroterie funéraire.

Charles d'Orléans à Louis XI p. 17

B.N., n.a.fr. 26499

Georges Izambard raconte qu'à l'occasion du devoir que nous présentons ici et dont il avait proposé le sujet, « Lettre de Charles d'Orléans à Louis XI pour solliciter la grâce de Villon menacé par la potence », il prêta à Rimbaud non seulement les œuvres de Villon (constamment démarquées dans ce texte et dont Rimbaud s'inspirera bientôt pour composer son « Bal des pendus »), mais encore _Notre-Dame de Paris_ de Victor Hugo – ce qui fâcha fort Mme Rimbaud – et la belle pièce poétique de Théodore de Banville, _Gringoire_.

Lettre à Théodore de Banville p. 20

Bibliothèque Jacques Doucet. Cette lettre a été publiée pour la première fois par Marcel Coulon dans _Les Nouvelles littéraires_, 10 et 17 octobre 1925.

Les textes copiés ici par Rimbaud pour la première fois offrent des différences notables avec la version qu'il en donnera dans le « Recueil Demeny », « Par les beaux soirs d'été… » (plus tard intitulé « Sensation »), « Ophélie » et « Credo in unam ».

Théodore de Banville (1823-1891) était un des plus illustres représentants de l'école poétique des Parnassiens, caractérisée par la rigueur de la forme, l'impersonnalité des sujets choisis, le recours fréquent, voire abusif, à la mythologie. Il avait publié plusieurs recueils remarquables par la versification fort travaillée et parfois la fantaisie : *Les Cariatides* (1842), *Les Stalactites* (1846), les *Odes funambulesques* (1857), etc. Son avis comptait beaucoup dans le choix des textes retenus pour publication dans *Le Parnasse contemporain*, ouvrage anthologique publié par séries et où Rimbaud souhaitait figurer.

1. *j'ai presque dix-sept ans* : Rimbaud ne comptait pas encore seize ans à l'époque.

2. *un descendant de Ronsard* : Banville, en effet, avait publié en 1856 un recueil se réclamant de l'inspiration des poètes de la Pléiade et intitulé *Les Odelettes*.

3. *un frère de nos maîtres de 1830* : Rimbaud désigne bien évidemment la deuxième vague du romantisme et les poètes groupés dans le cénacle hugolien. Ces poètes avaient parfois été inspirés par Ronsard, Du Bellay..., et ils en avaient publié des anthologies. Ce fut le cas de Sainte-Beuve, puis de Nerval.

4. *Anch'io* : « moi aussi », en italien. Citation incomplète de l'exclamation du Corrège devant un tableau de Raphaël : *Anch'io son'pittore* (« Moi aussi je suis peintre »), passée à l'état de proverbe.

5. *la dernière série du Parnasse* : le premier *Parnasse contemporain* avait été publié en 1866. Depuis 1869, il paraissait sous forme de séries mensuelles et l'éditeur Alphonse Lemerre avait l'intention de les regrouper pour en former un deuxième volume qui, retardé, ne vit le jour qu'en 1871. Le texte de Rimbaud ne fut pas retenu.

OPHÉLIE P. 22

D'après Georges Izambard, « Ophélie » fut le premier poème que Rimbaud soumit à son attention. Il est inspiré par le drame *Hamlet* (IV, 7) de Shakespeare et reprend certaines expressions de poèmes de Banville (« La Voix lactée » et « À Henry Murger ») parus dans *Les Cariatides*.

v. 27 – Ce « beau cavalier pâle » est évidemment Hamlet, évoqué déjà sous cet aspect par Banville dans « À Henry Murger » (« Caprices en dizains à la manière de Marot »).

v. 34 – C'est en effet couronnée de fleurs qu'Ophélie décide de mourir en se noyant.

CREDO IN UNAM P. 23

Ce titre (que Rimbaud ne conservera pas dans le Recueil Demeny) est évidemment un credo à l'égard de la nouvelle poésie, et notamment de la beauté représentée traditionnellement par Vénus. Izambard assure que « Credo in unam » fut écrit après la lecture du « Satyre » de Hugo (dans *La Légende des siècles*) et de « L'Exil des dieux », pièce placée en tête du recueil

Les Exilés (1866) de Banville. Rimbaud avait également, à l'occasion d'une version latine, traduit en vers le début de l'invocation à Vénus qui ouvre le *De natura rerum* de Lucrèce. Il s'était d'ailleurs contenté de recopier, en y apportant quelques corrections de style, la traduction versifiée qu'en avait donnée Sully Prudhomme en 1869.

v. 18 – *syrinx* : ce mot, habituellement féminin, désigne une flûte de roseau.

v. 25 – *Cybèle* : déesse de la terre et des travaux champêtres, dans la mythologie latine. On la représentait traditionnellement sur son char, parcourant les cités. Voir Virgile, *Énéide*, VI, 785, et Lucrèce, *De natura rerum*, II, 624. Du Bellay a repris cette image : « Telle que dans son char la Bérécynthienne […] ».

v. 39 – *Astarté* : Astarté était la déesse du ciel chez les peuples sémitiques, et Jacques Gengoux eut raison, à propos de ce vers, de noter une confusion faite par Rimbaud avec la Vénus anadyomène, plus bas nommée « Aphroditè marine ». Cette confusion avait déjà été faite par Musset (« Où Vénus Astarté, fille de l'onde amère ») dans son poème *Rolla*.

v. 86 – *La cavale* : référence au mythe d'Athéna (la déesse de l'intelligence chez les Grecs) sortant tout armée du front de Zeus.

v. 120 – *Kallipyge* (et non « Kallypige ») : « qui a de belles fesses », épithète à caractère homérique pour qualifier Aphrodite, et plus particulièrement une statue qui fut trouvée à Rome dans la Maison dorée de Néron.

v. 123 – *Ariadnè* : Ariane, fille de Minos, permit à Thésée de sortir du labyrinthe où il était entré pour tuer le Minotaure. L'ayant suivi dans sa fuite, elle fut abandonnée par le héros dans l'île de Naxos où elle se donna la mort (voir « Le Triomphe de Bacchos » dans *Les Stalactites* de Banville).

v. 128 – *Lysios* : le Libérateur. Autre nom de Bacchus.

v. 132 – *Europè* : Europe avait été enlevée par Zeus métamorphosé en taureau. André Chénier, notamment, avait décrit cette scène dans l'une de ses *Bucoliques*.

v. 141 – *Léda* avait été séduite par Zeus métamorphosé en cygne.

v. 146 – *comme d'une gloire* : dans l'iconographie chrétienne, la gloire est un nuage lumineux qui entoure les représentations des figures saintes.

v. 153 – *La Dryade* : nymphe des forêts.

v. 154-155 – *Séléné* (Rimbaud écrit « Selené ») : la Lune (Séléné en grec) avait séduit le chasseur Endymion et s'était unie à lui dans un rayon. Le vers 154 renvoie aux vers 2 et 3 d'« Ophélie ».

v. 162 – *les sombres marbres* : les statues des dieux abandonnées, mais qui, cette fois, semblent douées de vie.

RECUEIL DEMENY

[PREMIÈRE SÉRIE]

LES REPARTIES DE NINA P. 30

Sur le manuscrit Izambard, la pièce est intitulée « Ce qui retient Nina » et datée du 15 août 1870. Elle fut donc vraisemblablement jointe à la lettre que Rimbaud envoya le 25 août à son professeur. Nous indiquons en notes de bas de page les quatrains supplémentaires de cette version.

v. 44 – *Au Noisetier* : l'expression étant soulignée sur le manuscrit, elle indique sans doute le titre réel d'un andante. Le manuscrit Izambard donne à la place « Joli portier », qui se rapporte au mot « oiseau » et semble de moins bonne venue.

v. 87 – *Le feu qui claire* : le feu qui éclaire. « Clairer » semble un néologisme, peut-être un ardennisme.

v. 108 – *Et mon bureau ?* (Le ms. Izambard donne « Mais le bureau ? »). C'est la seule réplique de Nina dans le poème.

VÉNUS ANADYOMÈNE P. 34

La description n'est pas simplement réaliste. Elle détruit l'image convenue de la femme et, partant, de la Muse, inspiratrice de « la belle poésie ». Rimbaud, cependant, s'était donné un modèle ; il avait emprunté certains éléments de son « tableau » au poème d'Albert Glatigny : « Les Antres malsains » (appartenant au recueil *Les Vignes folles*, 1857). Décrivant les pensionnaires de ces « antres », Glatigny parlait d'une fille « aux énormes appas » et portant un tatouage au bras avec ces « mots au poinçon gravés : PIERRE ET LOLOTTE ».

Anadyomène : du grec *anaduoméné*, qui sort du bain. Surnom donné à Vénus née de l'écume.

v. 2 – Réminiscence d'un vers de Glatigny : « Qui baise ses cheveux fortement pommadés. »

v. 4 – *des déficits* : au sens de défauts.

v. 12 – *Clara Venus* : l'illustre Vénus. Ces mots latins rendent cette femme d'autant plus dérisoire et forment légende au tableau.

« MORTS DE QUATRE-VINGT-DOUZE
ET DE QUATRE-VINGT-TREIZE » P. 35

Malgré l'indication finale, ce sonnet daterait, selon G. Izambard, du dimanche 17 juillet 1870. Il était alors intitulé « Aux morts de Valmy ». Le prétexte en était un article publié dans *Le Pays* (journal bonapartiste) du 16 juillet et signé Paul de Cassagnac. Cassagnac défendait la guerre contre la Prusse en invoquant le courage des sans-culottes.

v. 14 – *Messieurs de Cassagnac* : Paul, l'auteur de l'article du *Pays*, et son père, Adolphe Granier de Cassagnac, défenseur de l'Empire autoritaire, également journaliste dans *Le Pays*.

Première soirée P. 36

Il existe un manuscrit de ce poème, alors intitulé « Comédie en trois baisers » et donné à Izambard. « Première soirée », sous le titre « Trois Baisers », avait été publié dans *La Charge*, hebdomadaire satirique de quatre pages paraissant à Paris, dans le numéro du 13 août 1870.

v. 4 – *Malinement* : Rimbaud écrit « malinement » et « maline » (voir le poème portant ce titre, p. 59), selon une prononciation répandue dans le nord de la France et en Belgique.

Bal des pendus P. 37

Izambard assure dans *Rimbaud tel que je l'ai connu* (Mercure de France, 1946) que ce poème aurait une origine scolaire (voir p. 298).

v. 4 – *Saladin* : sultan d'Égypte (1137-1193) célèbre par sa vaillance, adversaire de Frédéric Barberousse, Richard Cœur de Lion et Philippe Auguste, lors de la troisième croisade. Les « paladins du diable » sont ici les infidèles pendus par les croisés.

v. 27 – *répondant des forêts violettes* : les loups, par leurs hurlements, répondent au bruit du vent dans les arbres de la forêt.

v. 32 – *moustier* : forme ancienne pour « monastère ».

Les Effarés P. 39

On connaît deux autres manuscrits de ce texte. L'un est dédié « à Monsieur Jean Aicard » et porte l'indication « Juin 1871 – Arthur Rimbaud, 5 bis quai de la Madeleine – Charleville, Ardennes. Un ex. des *Rébellions*, s'il plaît à l'auteur. A.R. » Le cachet de la poste porte la date du 20 juin 1871. L'envoi est adressé à A. Lemerre, 47, passage Choiseul. L'autre est une copie faite par Verlaine (noté ici *ms. V.*) qui sert à établir le texte du poème publié dans *Lutèce*, 19 octobre 1883. Cette dernière version est améliorée quand on la compare avec le texte original. C'est pourquoi, exceptionnellement, nous indiquerons les variantes qu'elle présente.

« Les Effarés » fut publié une première fois en Angleterre, sous le titre « Petits Pauvres », dans *The Gentleman's Magazine* de janvier 1878. Cette publication semble due à Verlaine, ou à C. Barrère, qui participait à la revue (voir E.W.H. Meyerstein, *Times Literary Supplement*, 11 avril 1935).

La publication des « Effarés » dans *Lutèce*, puis dans le volume *Les Poètes maudits* (1884) de Verlaine groupe les vers en sizains.

v. 12 – Grogne un vieil air (*ms. V.*).

v. 16-17 – Quand pour quelque médianoche,
        Façonné comme une brioche (*ms. V.*).

Le *médianoche* est un repas qui se fait, minuit sonné, après un jour maigre.

v. 26 – Les pauvres Jésus pleins de givre (*ms. V.*).

v. 29 – Au treillage, grognant des choses (*ms. V.*).

v. 31-32 – Tout bêtes, faisant leurs prières
         Et repliés vers ces lumières (*ms. V.*).

v. 35 – Et que leur chemise tremblotte (*ms. V.*).

ROMAN P. 41

v. 13 – *Dix-sept ans* : à l'époque, Rimbaud avait moins de seize ans. Dans sa lettre à Banville écrite en mai, la même année, il prétendait avoir « presque dix-sept ans » déjà.

v. 17 – *Robinsonne* : Rimbaud a gardé la majuscule pour ce verbe formé à partir du nom propre du *Robinson* de Daniel Defoe et signifiant « vagabonder ».

v. 20 – La description du père pourrait être inspirée du poème de Verlaine « Monsieur Prudhomme », dans les *Poèmes saturniens* : « Son faux col engloutit son oreille […] ».

v. 24 – *cavatines* : airs courts d'opéra chantés à une seule voix.

RAGES DE CÉSARS P. 42

Après la capitulation de Sedan (2 septembre 1870), Napoléon III avait été retenu prisonnier au château de Wilhelmshöhe. Rimbaud se venge à sa manière de « l'Homme pâle » (Napoléon III, miné par la maladie, se fardait et *La Débâcle* de Zola le montre ainsi) qui avait tenu plus de vingt ans la France sous son pouvoir.

v. 12 – *Compère en lunettes* : désigne Émile Ollivier, président du Conseil, qui, le 19 juillet 1870, avait annoncé la déclaration de guerre « d'un cœur léger ».

v. 14 – *Saint-Cloud* était la résidence impériale près de Paris.

LE MAL P. 43

v. 3 – *écarlates ou verts* : les uniformes des Français étaient rouges, et verts ceux des Prussiens. Le mot « Roi » ne vaut ici que pour le roi de Prusse.

v. 5-6 – On notera le zeugme de construction. Un même régime « de cent milliers d'hommes » est attribué à deux verbes de construction différente ici : « broie » et « fait ».

OPHÉLIE P. 43

Pour le commentaire, voir p. 299.

LE CHÂTIMENT DE TARTUFE P. 45

v. 13 – *rabats* : morceaux d'étoffe, de batiste ou de dentelle que portaient au cou les gens de robe et d'église.

v. 14 – Ce dernier vers fait écho à la réplique que la servante Dorine adresse au Tartuffe de Molière : « Et je vous verrais nu du haut jusques en bas/ Que toute votre peau ne me tenterait pas. »

À LA MUSIQUE P. 46

Il existe aussi un manuscrit donné à Izambard. Voir catalogue de la vente de la bibliothèque Jacques Guérin, Étude Tajan, 17 novembre 1998.

Cette poésie correspond assurément à une « chose vue ». Rimbaud, cependant, s'est inspiré également d'un poème d'Albert Glatigny, « Promenades d'hiver » (dans *Les Flèches d'or*, 1864), où celui-ci décrivait des bourgeois autour d'un kiosque à musique. L'épigraphe du manuscrit Izambard précise : « Place de la gare, tous les jeudis soirs, à Charleville ». Le programme du concert du 2 juin 1870 comportait une *Polka-Mazurka des fifres* qui est sans doute devenue sous la plume de Rimbaud la « Valse des fifres » du sixième vers.

v. 6 – *schakos* : coiffure militaire remplacée depuis par le képi.

v. 8 – *breloques à chiffres* : cachets et bijoux de petite valeur que l'on attachait aux chaînes de montre. Elles portaient souvent le chiffre, c'est-à-dire les initiales gravées, de celui qui les possédait.

v. 10 – *bureaux* : employés de bureau.

v. 11-12 – Vers peu clairs. L'apposition « officieux cornacs » (c'est-à-dire conducteurs d'éléphants !), puis la périphrase suivante désignent peut-être les dames de compagnie de ces « grosses dames ». Albert Glatigny avait écrit : « Dont les vastes chapeaux ont des couleurs infâmes. »

v. 15 – *les traités* : les traités de 1866 qui préparaient, dans une certaine mesure, la réunification de l'Allemagne.

v. 16 – *prisent en argent* : prisent dans des tabatières d'argent. Mais le verbe « priser » signifie aussi « estimer le prix d'un objet ».

v. 19 – *onnaing* : sorte de pipe fabriquée à Onnaing, près de Valenciennes.

v. 23 – *fumant des roses* : d'après Delahaye, les roses désigneraient des cigarettes dont le paquet était de couleur rose et qui étaient moins fortes que les cigarettes des paquets bleus.

v. 25 – Glatigny avait écrit : « Moi, je suis doucement les filles aux yeux doux » (qualifiées plus loin, par lui, d'« alertes et discrètes »).

LE FORGERON P. 47

Il existe un autre manuscrit de ce texte, donné par Rimbaud à Izambard. Sur celui-ci, la date placée en épigraphe est « vers le 20 juin 1792 ». L'argument du « Forgeron » fut sans doute inspiré à Rimbaud par une gravure de l'*Histoire de la Révolution française* d'Adolphe Thiers, gravure montrant Louis XVI pris à partie par le boucher Legendre et coiffant le bonnet rouge des révolutionnaires. De ce boucher, Rimbaud a fait un forgeron, tâche plus riche de signification mythique (les Titans en lutte contre les dieux de l'Olympe). Verlaine, présentant « Le Forgeron » dans sa préface aux *Poésies complètes* de 1895, estimera ce poème « par trop démocsoc ».

v. 50 – *palsembleu* : ce mot s'écrit normalement avec un *a*. On l'utilise comme adverbe à valeur de juron. Substantif, il n'est pas attesté. Rimbaud songe à l'étymologie de ce terme, « par le sang bleu », et désigne ainsi les nobles. L'épithète qui suit, « bâtards », justifie cette interprétation.

v. 52 – *petits billets* : désigne par euphémisme les lettres de cachet par lesquelles, sous l'Ancien Régime, on envoyait en prison.

v. 75 – Suzanne Bernard note dans son édition (Rimbaud, *Œuvres*, Garnier, 1960, p. 371) que Camille Desmoulins, le 11 juillet 1789, avait invité le peuple à prendre des cocardes vertes « couleur de l'espérance ». Ceux qui n'avaient pas de cocardes mirent des feuilles vertes à leurs chapeaux.

v. 91 – *droguailles* : boniments pour capter l'attention des passants, comme en faisaient sur les foires les marchands de drogues et d'onguents.

v. 111 – *Crapule* : ce mot va être obstinément répété par Rimbaud. Un an plus tard, pendant la Commune, lui-même prendra la décision de « s'encrapuler » (voir p. 92).

v. 130 – *leur* : manque dans le Recueil Demeny. Il est restitué par le ms. Izambard.

SOLEIL ET CHAIR P. 53

Rimbaud a donné à « Credo in unam » ce nouveau titre moins compromettant. La version qu'il propose ici est très écourtée. On ne peut savoir si c'est oubli ou volonté de sa part.

Pour le commentaire, voir p. 299.

[SECONDE SÉRIE]

Le Dormeur du Val p. 57

Ce sonnet, l'un des plus célèbres de Rimbaud, a paru pour la première fois dans l'*Anthologie des poètes français du XIXᵉ siècle*, Lemerre, 1888, t. IV, p. 107.

Au Cabaret-Vert p. 58

Ce poème de Rimbaud le vagabond évoque un cabaret de Charleroi, La Maison verte, ainsi qualifié parce que tout y était peint en vert, même les meubles (voir Robert Goffin, *Rimbaud vivant*, Corrêa, 1937, p. 15-17).

v. 9 – *épeure* : du verbe « épeurer », vieux mot signifiant « effrayer ». Verlaine l'utilisera dans la deuxième des *Ariettes oubliées* écrite en 1872 : « cher amour qui t'épeures ». Rimbaud l'emploie également dans « Tête de faune » (p. 134).

La Maline p. 59

v. 3 – *met* sans *s* est une licence poétique admise dans la prosodie classique.

v. 12 – *pour m'aiser* : pour me mettre à l'aise (provincialisme).

L'éclatante victoire de Sarrebrück p. 59

Le combat de Sarrebrück avait eu lieu le 2 août 1870. Cette première rencontre avec l'ennemi s'était soldée par un succès de peu de poids. Très fier, cependant, l'empereur, qui en faisait grand cas, avait hautement vanté la bravoure du prince impérial son fils (alors âgé de quatorze ans !), lequel l'avait accompagné sur le champ de bataille.

v. 7 – *Pitou* : nom attribué au soldat naïf de l'époque, l'équivalent du « Bidasse » de nos jours.

v. 9 – *Dumanet* : ce nom de soldat apparaît dans un vaudeville des frères Cogniard, *La Cocarde tricolore* (1831). Type du troupier fanfaron.

v. 10 – *chassepot* : fusil de guerre à aiguille, en usage en France de 1866 à 1874.

v. 13 – *Boquillon* : personnage créé par Albert Humbert dans un journal satirique, *La Lanterne de Boquillon*, et véritable ancêtre des comiques troupiers.

Rêvé Pour l'hiver p. 60

D'après la date, c'est le premier des sept sonnets composés par Rimbaud durant sa fugue en Belgique.

Ma Bohème p. 62

v. 2 – *devenait idéal* : tombait en pièces, devenait une « idée » de paletot.

v. 3 – *ton féal* : ton serviteur (mot ancien, venant du latin *fidelis*). Ce terme appartient au langage médiéval. Il était utilisé dans la poésie courtoise, puis dans la poésie « troubadour » des premières heures du romantisme.

v. 7 – Rimbaud renouvelle ici de façon originale l'expression « dormir à la belle étoile ».

v. 8 – Le *frou-frou* des étoiles reprend, sur un mode familier, la croyance qu'avaient les Anciens dans l'harmonie des sphères. Le mot « étoiles » vaut ici également comme étoiles de ballet, danseuses étoiles.

v. 14 – *un pied près de mon cœur* : Rimbaud avait d'abord écrit « un pied tout près de ».

UN CŒUR SOUS UNE SOUTANE

1. *le champignon nasal du sup*** : dans « Accroupissements » (p. 101), le nez du frère Milotus est comparé à un « charnel polypier ».

2. *effluves* est indifféremment du féminin ou du masculin à cette époque.

3. *le Psalmiste* : c'est-à-dire David, l'auteur des Psaumes.

4. *O altitudo altitudinum !* : « Ô hauteur des hauteurs ! » Il y a peut-être ici une parodie de la parole de l'Ecclésiaste : « Vanitas vanitatum et omnia vanitas » (« Vanité des vanités ; tout est vanité »).

5. *Et pourtant elle se meut !* : traduction de la célèbre parole de Galilée (« *Eppur si muove !* », « Et pourtant elle tourne ! »), condamné à renier ses découvertes concernant la rotation de la Terre autour du Soleil.

6. *fort de mon intérieur* : jeu de mots sur l'expression « for intérieur ».

7. *le Brid'oison* : juge comique affligé d'un bégaiement et abusivement formaliste, dans *Le Mariage de Figaro* de Beaumarchais.

le Joseph : cette dénomination est peu claire. Elle désigne peut-être les frères de Saint-Joseph, également appelés créténites. Le mot suivant, « bêtiot », tendrait à le prouver.

8. *ânonymes* : faute d'orthographe, sans doute volontaire.

9. *Santa Teresa* : sainte Thérèse d'Ávila, célèbre pour ses extases. À dessein, Rimbaud a gardé le mot espagnol.

10. *Stella maris* : Rimbaud reprend ici les litanies de la Vierge.

11. *la lance de l'amour* : l'expression, apparemment mystique, est consciemment équivoque.

12. *Inkermann* : ce détail a l'allure de ces « choses vues » que Rimbaud sait particulièrement mettre en valeur. Lors de cette bataille de la guerre

de Crimée (5 novembre 1854), les Russes avaient été vaincus par les Anglais et les Français. Le capitaine Rimbaud n'y avait pas participé.

13. *Riflandouille* : ce nom est aussi comique et impertinent que Labinette. Très vraisemblablement, il vient du *Quart Livre* de Rabelais (chap. xxxvii), où apparaît le capitaine Riflandouille.

14. *Lamartine* : Alphonse de Lamartine était mort en 1869. Il avait publié en 1836 un long poème narratif, *Jocelyn*, confession d'un pauvre curé de campagne se rappelant une passion de jeunesse qu'il avait sacrifiée au devoir religieux. Il est clair qu'*Un cœur sous une soutane* raconte dérisoirement la même histoire.

LE RÊVE DE BISMARCK

1. À Sarrebrück les Français remportèrent le 2 août une modeste victoire (voir p. 59), mais ils furent battus le 4 août à Wissembourg et le 6 août à Woerth. Le désastre de Sedan (2 septembre) marqua la fin du second Empire.

2. *Phalsbourg*, ville fortifiée de la Moselle, soutiendra un siège de quatre mois. *Bitche*, également en Moselle, important lieu de résistance, sera remise aux Prussiens en mars 1971.

3. *povero* : « pauvre », en italien. Il semblerait que ce mot, véritable interjection, ait comporté un aspect référentiel (pièce de théâtre ? chanson ?) dans la mentalité de l'époque. Mallarmé, dans ses lettres à son ami Cazalis en 1862, l'employait déjà couramment.

4. L'expression doit s'entendre par rapport à « jeune premier », acteur spécialisé dans les rôles de jeune amoureux.

5. On sous-entend ici le vers célèbre du *Tartuffe* de Molière (III, 2) : « Couvrez ce sein que je ne saurais voir ».

POÉSIES
(fin 1870-année 1871)

Les Corbeaux p. 87

Texte adopté : publication dans *La Renaissance littéraire et artistique*, 14 septembre 1872, revue dirigée par Émile Blémont que Rimbaud connaîtra à Paris durant le séjour qu'il y fera au cours de l'hiver 1871-1872. Dans une lettre de juin 1872 adressée à Ernest Delahaye (voir p. 185), Rimbaud témoignera de son mépris pour cette revue. Mais il avait dû communiquer son manuscrit à Blémont bien avant la période où le texte en parut. En effet, nous verrons que les poésies de 1872 révèlent une tout autre technique du vers. Il semblerait même que Rimbaud se soit alors servi de son ancien poème « Les Corbeaux » pour écrire « La Rivière de Cassis ». Par la versification comme par le sujet traité, le poème se rattache à ceux qui furent écrits en 1870-1871. Les morts d'« avant-hier » (donc de la récente guerre franco-prussienne) y sont évoqués.

Léon Dierx, dans la huitième strophe de son poème « Les Paroles du vaincu » (1871), avait écrit : « Qu'ils sont gras, les corbeaux, mon frère !/ Les corbeaux de notre pays !/ Ah ! la chair des héros trahis/ Alourdit leur vol funéraire !/ Quand ils regagnent vers le soir/ Leurs bois déserts, hantés des goules,/ Frère, aux clochers on peut les voir,/ Claquant du bec, par bandes soûles,/ Flotter comme un lourd drapeau noir. »

LES ASSIS P. 88

Texte adopté : copie établie par Verlaine et figurant dans son cahier, p. 1-2. Dans la présentation qu'il en fit dans *Les Poètes maudits*, Verlaine assure que Rimbaud exerçait ainsi sa verve contre un bibliothécaire de Charleville qui « maugréait » à chaque fois que le jeune homme lui demandait un nouveau livre et le forçait ainsi à se lever.

v. 1 – *loupes* : tumeurs bénignes qui viennent sous la peau.

v. 2 – *boulus* : néologisme, pleins de boules, cagneux.

v. 3 – *sinciput* : sommet de la tête.

v. 10 – *percaliser* : néologisme formé sur « percale ». Rendre comme de la percale, tissu de coton fin et serré.

v. 39 – *en lisière* : la lisière était une bande ou un cordon que l'on attachait aux vêtements d'un petit enfant pour le soutenir quand il commençait à marcher. On remarquera la liberté que prend Rimbaud avec les rimes indifféremment au singulier ou au pluriel : « lisière » rime avec « visières » et, dans le quatrain suivant, « virgule » rime avec « libellules ».

v. 44 – *leur membre* : le singulier confirme l'interprétation érotique des deux dernières strophes.

LES DOUANIERS P. 90

Texte adopté : copie établie par Verlaine dans son cahier, p. 16.

Ce sonnet a été inspiré à Rimbaud par la réalité locale. Avec Ernest Delahaye, il allait fréquemment jusqu'à la frontière pour se procurer du tabac belge.

v. 1 – *Cré Nom* : juron pour « sacré nom (de Dieu) ! ».

macache : mot arabe signifiant « il n'y a pas » et utilisé comme juron, dès 1830, dans l'argot de l'armée française d'Afrique.

v. 3 – *les Soldats des Traités* : les soldats allemands postés à la frontière et chargés de faire respecter les mesures territoriales fixées par les traités.

v. 4 – *l'azur frontière* : « frontière » est ici adjectif et signifie limitrophe. Sur les cartes, la frontière était coloriée en bleu.

grands coups d'hache : le mot « hache » comporte normalement un *h* aspiré qui empêche l'élision de la voyelle précédente.

v. 9 – *les faunesses* : les femmes faciles et impudiques.

v. 10 – *Fausts* et *Diavolos* : personnages d'opéras, le *Faust* de Gounod (1859) et le *Fra Diavolo* d'Auber et Scribe (1830).

v. 11 – *les anciens* : façon de parler familière pour désigner les habitués, et notamment les repris de justice. Les « jeunesses » du vers suivant s'opposent à ce mot.

v. 12 – *sa sérénité* : terme de majesté risible.

v. 13 – *se tient aux appas* : « s'en tient aux appas », c'est-à-dire, « s'en contente ». Mais on passe facilement du sens moral au sens physique, « toucher à », que précise le vers suivant.

LETTRES DITES « DU VOYANT »

LETTRE À GEORGES IZAMBARD, 13 MAI 1871 P. 91

Fac-similé publié pour la première fois par G. Izambard dans la *Revue européenne*, octobre 1928.

Georges Izambard, jeune professeur de Rimbaud, s'était engagé pendant la guerre franco-prussienne. En février 1871, l'armistice ayant été signé, il attendait d'être affecté à un nouveau poste. En avril, après avoir décliné une proposition de préceptorat à Saint-Pétersbourg en Russie, il avait donné des cours au lycée de Douai en tant que vacataire.

1. *le principe* : Rimbaud obéit donc à une détermination diamétralement opposée à « la bonne ornière » suivie par Izambard.

2. *en filles* : en bouteilles de vin. Le diminutif « fillettes » est plus usité en ce sens.

3. *Stat mater dolorosa…* : « la mère se tient douloureuse, pendant que le fils est suspendu » (sur la croix). Rimbaud adapte malicieusement à son propre cas la célèbre prose d'église du *Stabat mater* : « Stabat mater dolorosa/ Juxta crucem lacrimosa/ Dum pendebat Filius. »

4. *Je est un autre* : la formule est belle et retint plus d'une fois les psychanalystes. André Guyaux a montré que plus d'un écrivain l'avait pressenti (Montaigne, Diderot, Nerval…) : voir « Trente répliques à "Je est un autre", petite phrase », *Revue des sciences humaines*, 1984, n° 1, p. 39-43.

5. *aux inconscients, qui ergotent* : sans doute une allusion à Descartes, qui précisément ergotait dans son *Cogito, ergo sum* : « Je pense, donc je suis ».

LE CŒUR SUPPLICIÉ P. 92

Ce texte sera repris sous le titre « Le Cœur du pitre » dans la lettre à
P. Demeny du 10 juin (p. 112) et Rimbaud l'enverra à Verlaine, fin
août 1871, sous le titre « Le Cœur volé ». Verlaine le recopiera dans son
cahier à la huitième page. Enfin, le même poème sera cité pour deux
strophes et avec ce premier vers « Mon pauvre cœur bave à la poupe »
dans « Pauvre Lelian », partie des *Poètes maudits* que Verlaine consacrera
à lui-même (première publication dans *La Vogue*, 7 juin 1886). Voir
Steve Murphy, « Note pour l'édition de trois textes de Rimbaud », *Parade
sauvage*, bulletin n° 1, février 1983, p. 47-56.

Écrit en triolets, sans doute par référence à Banville, « Le Cœur supplicié » pose un problème de datation, s'il est considéré comme uniquement
référentiel. Selon Delahaye, Rimbaud serait parti de Charleville au début
de mai pour rejoindre les communards. Il serait revenu après la victoire
complète des Versaillais. « Le Cœur supplicié » témoignerait alors des brutalités homosexuelles qu'il aurait subies dans une caserne de communards.
On retiendra surtout que la troisième venue de Rimbaud à Paris, avant le
franc départ de l'automne 1871, reste improbable. Le premier, Izambard
a contesté l'interprétation réaliste du poème (dans lequel il vit surtout un
canular d'écolier). Cependant, tout prouve que Rimbaud y attachait une
importance toute particulière, puisqu'il est le seul à illustrer la première
lettre dite « du voyant ». Il est vraisemblable que Rimbaud utilise *objecti-
vement* un texte antérieur, en l'occurrence « L'Albatros » de Baudelaire,
pour en faire une « fantaisie » nouvelle. Ce qui expliquerait la bizarrerie
de la scène maritime et le locuteur aux prises ici avec des hommes
« d'équipage » (voir Baudelaire) devenus caporal et pioupious.

v. 1 – Comme souvent chez Rimbaud, le mot « cœur » semble être
employé dans un sens narquois. Verlaine parodiera ce premier vers dans
un « Vieux Coppée » rageur écrit à propos de Rimbaud, vraisemblablement en 1877, et envoyé à Ernest Delahaye : « Mon pauvre cœur bave à
la quoi, bave à la merde ! » (voir Verlaine, *Œuvres poétiques*, Gallimard,
« Bibliothèque de la Pléiade », 1954, p. 720).

v. 2 – *caporal* : tabac ordinaire. Mais le grade militaire de caporal est
également à prendre en compte ici et forme jeu de mots. De même,
Rimbaud écrit ensuite : « un rire général ».

v. 9 – *Ithyphalliques* : adjectif formé des mots grecs *ithus*, « dressé », et
phallos.

v. 11 – *À la vesprée* : dans la soirée (expression ancienne).

LETTRE À PAUL DEMENY DU 15 MAI 1871 P. 93

B.N., n.a.fr. 26440.

Lettre publiée par Paterne Berrichon dans *La Nouvelle Revue française*,
octobre 1912, p. 570-576. Elle fut republiée dans la revue *Le Grand Jeu*

(printemps 1929) et amplement commentée par ses collaborateurs, André Rolland de Renéville, Roger Vailland et Roger-Gilbert Lecomte.

CHANT DE GUERRE PARISIEN P. 94

En face des 2ᵉ, 3ᵉ, 4ᵉ et 5ᵉ strophes, Rimbaud a écrit verticalement sur le manuscrit « Quelles rimes ! ô ! quelles rimes ! » – ce qu'il fera aussi pour les deux autres poèmes.

« Chant de guerre Parisien » rappelle la situation politique en mai 1871. La Commune de Paris existait depuis le 18 mars 1871. En mai, les membres du gouvernement réfugiés à Versailles (on les appelait pour cette raison les Versaillais ou les Ruraux) décidèrent, aidés en cela par les occupants prussiens, d'intervenir pour mettre fin à ce pouvoir illégitime. Ce fut la Semaine sanglante (du 21 au 28 mai). Le titre « Chant de guerre Parisien » parodie sans doute un poème de François Coppée, « Chant de guerre circassien », également composé de huit quatrains d'octosyllabes en rimes croisées (dans *Premières Poésies*, A. Lemerre, 1869, p. 69-71).

v. 2 – les *Propriétés vertes* désignent les endroits qu'occupaient alors ceux qui avaient fui la capitale, et notamment Versailles, où l'Assemblée nationale était réfugiée depuis le 10 mars 1871.

v. 3 – *Thiers* et *Picard* faisaient partie des Versaillais. Thiers était le chef du pouvoir exécutif. Ernest Picard avait traité la capitulation. Il avait été nommé ministre de l'Intérieur le 19 février 1871.

v. 5 – *cul-nus* : Rimbaud désigne ainsi les Amours souvent représentés dans les décorations en stuc de l'époque.

v. 8 – *les choses printanières* : par euphémisme, les bombes que lançaient les Versaillais sur la banlieue rouge de Paris.

v. 10 – *la vieille boîte à bougies* : dans l'artillerie, le mot « boîte » désigne « un corps cylindrique et concave, fondu de bronze ou forgé de fer, avec une anse ou lumière. On remplit la boîte de poudre, on la place ensuite dans le pierrier par la culasse, derrière le reste de la charge qu'elle chasse en prenant feu » (*Bescherelle*). La « boîte à bougie » désigne un équipement militaire dépassé.

v. 11 – *qui n'ont jam, jam...* : jamais navigué !... comme dans la chanson du « Petit Navire ».

v. 14 – *nos tanières* : Rimbaud a écrit en marge cette variante : « Quand viennent sur nos fourmilières ».

v. 15 – *les jaunes cabochons* : les cabochons sont des pierres précieuses, polies, mais non taillées. Rimbaud veut exprimer ici la lueur des obus qui éclatent.

v. 17 – *des Éros* : entendre « des zéros » (plutôt que « des héros » !).

v. 18 – *Des enleveurs d'héliotropes* : le sens n'est pas clair. Doit-on entendre un jeu de mots avec « éleveurs » ou considérer que les Versaillais brisent les fleurs ?

v. 19 – *ils font des Corots* : Corot, qui peignait souvent des paysages des environs de Paris, pratiquait la peinture à l'huile. Les Versaillais ont évidemment adopté une tout autre manière. Avec des bombes à pétrole, ils brossent des tableaux champêtres !

v. 20 – *hannetonner leurs tropes* : on peut comprendre « bourdonner leurs figures de style », autrement dit « leurs racontards ». Mais le mot « tropes » peut être également pris pour la forme ancienne (attestée au XVIᵉ siècle) de *troupes*. Ces troupes chasseraient le « hanneton ».

v. 21 – *familiers du Grand Truc* : autrement dit du Grand Turc. Ce mot vient peut-être du « Chant de guerre circassien » dont Rimbaud semble avoir calqué la forme.

v. 23 – *cillement aqueduc* : un cillement qui amène l'eau (des larmes). Jules Favre, ministre des Affaires étrangères, qui avait négocié la capitulation, avait fait, à cette occasion, étalage de sa tristesse. *Le Cri du peuple* (journal de Jules Vallès) avait alors parlé de ses larmes de crocodile.

LETTRE À PAUL DEMENY DU 15 MAI 1871 (SUITE) P. 95

1. *Ennius* : poète latin, auteur d'*Annales* et non pas d'*Origines*, comme il est dit par la suite (« le premier venu auteur d'*Origines* »).

2. *Théroldus* : c'est-à-dire Turold, qui passe pour avoir écrit *La Chanson de Roland*.

3. *Casimir Delavigne* (1793-1843) : poète et auteur dramatique, auteur notamment des *Messéniennes* et des *Vêpres siciliennes*. Il était peu apprécié des romantiques.

4. *le Divin Sot* : les romantiques se plaisaient déjà à dire que Racine était « un polisson ». Rimbaud ravive ici une querelle d'école.

5. *un jeune-France* : les Jeunes-France représentaient une tendance extrême du romantisme de 1830. On comptait dans leur nombre Gautier, Borel, Nerval... Gautier lui-même raillera cette tendance dans ses *Jeunes-France, romans goguenards* (1833).

6. La poésie romantique, aux yeux de Rimbaud, est donc le fait de tempéraments et non de décisions théoriques.

7. *borgnesse* annonce, par contraste, le thème du voyant.

8. *rhythment l'Action* : on remarquera l'orthographe du verbe, courante à l'époque.

9. *comprachicos* : le deuxième chapitre de *L'homme qui rit*, roman de Victor Hugo publié en 1869, est intitulé « Les comprachicos ». Hugo note que ce mot espagnol composé signifie « les achète-petits », et que ces individus « faisaient le commerce des enfants. Ils en achetaient et ils en vendaient [...]. Et que faisaient-ils de ces enfants ? Des monstres ».

10. *voyant* : ce mot avait déjà été maintes fois utilisé. Le *Louis Lambert* de Balzac (1833), type du génie avorté, est, aux dires de Mme de Staël, sa protectrice, « *un vrai voyant* » (souligné dans le texte). L'expression se retrouve dans le « Kaïn » de Leconte de Lisle (publié dans *Le Parnasse contemporain* de 1869), dans « Stella » de Victor Hugo (*Les Châtiments*, 1853), etc.

11. *à l'inconnu* : on songe au dernier vers du poème de Baudelaire, « Le Voyage » : « Au fond de l'Inconnu pour trouver du *nouveau* ! »

Mes Petites amoureuses p. 97

Par la prosodie, « Mes Petites amoureuses » s'apparente aux « Reparties de Nina ». Le titre, à nouveau parodique, serait une réplique au poème « Les Petites Amoureuses » d'Albert Glatigny (dans *Les Flèches d'or*, 1864).

v. 1 – *hydrolat* : terme de pharmacie, liquide obtenu en distillant de l'eau sur des substances aromatiques. L'*hydrolat lacrymal* désigne ici la pluie.

v. 3 – *l'arbre tendronnier* : « tendronnier » est un néologisme. Comprendre « le jeune arbre ». On peut penser aussi à un arbre qui abrite des « tendrons ». Rimbaud narrerait « à sa façon » l'histoire d'Adam et Ève !

v. 4 – Les *caoutchoucs* désignent vraisemblablement des chaussures en caoutchouc.

v. 6 – *pialats* : ce mot n'est attesté dans aucun dictionnaire. Marcel Ruff l'interprète comme des « traces particulières aux larmes de pluie » (Rimbaud, *Poésies*, Nizet, 1978, p. 113). Il suppose un verbe « pialer » argotique, sur « chialer », et une suffixation nominale en *at*, du type « crachat » (sur « cracher »), « pissat » (sur « pisser »). C.A. Hackett pense que les vers 4-6 doivent être considérés comme une sorte d'ablatif absolu latin : « vos caoutchoucs [étant] blancs de lunes particulières aux taches rondes causées par les gouttes d'eau [les pialats ronds] » (Rimbaud, *Œuvres poétiques*, Imprimerie nationale, 1986, p. 104).

v. 7 – *genouillères* : parties d'une botte qui recouvrent le genou.

v. 17 – *bandoline* : sorte de brillantine.

v. 19-20 – Les cordes de la mandoline (et non plus de la harpe ou de la lyre poétique) seraient coupées par le front étroit et aigu de ce laideron.

v. 27 – *fouffes* : selon Louis Forestier, ce mot dialectal du nord de la France signifie « chiffons » ou « loques ».

v. 35 – *une étoile à vos reins* : les laiderons sont attifées comme des chevaux de cirque.

v. 37 – *éclanches* : épaules de mouton. Le mot concerne les omoplates et les hanches des laiderons.

v. 41 – *amas d'étoiles ratées* : Rimbaud pense sans doute aux « ballerines » évoquées plus haut. Mais le vers suivant montre aussi qu'il conduit le sens d'« étoiles » à « toiles » (d'araignée) « comblant les coins ».

v. 43-44 – Rimbaud voit la destinée bigote et ménagère des petites amoureuses.

LETTRE À PAUL DEMENY DU 15 MAI 1871 (SUITE) P. 99

12. « Les Amants de Paris » et « La Mort de Paris » désignent des poèmes de Rimbaud qui n'ont pas été retrouvés.

13. *voleur de feu* : allusion à Prométhée qui vola le feu aux dieux pour le donner aux hommes.

14. *parfums, sons, couleurs* : Rimbaud semble se souvenir du sonnet des « Correspondances » de Baudelaire : « Les parfums, les couleurs et les sons se répondent. »

15. *sa marche au Progrès* : c'est un thème courant à l'époque (en 1863, le poète Louis-Xavier de Ricard avait fondé la *Revue du Progrès*), et Rimbaud y reviendra souvent (dans *Une saison en enfer* et les *Illuminations*). Hugo avait écrit dans *Les Misérables* : « Chose admirable, la poésie d'un peuple est l'élément de son progrès. Le progrès est le mode de l'homme. La vie générale du genre humain s'appelle le Progrès. »

16. *étranglé par la forme vieille* : à quelle œuvre de Lamartine songe Rimbaud ? Sans doute à *La Chute d'un ange*, surprenante épopée publiée en 1838.

17. *Les Châtiments* avaient été publiés en 1853. Le poème « Stella » se trouve dans le sixième livre de ce recueil. Il se termine sur une exaltation de la « Poésie ardente » qui éveille les peuples au nom de la Liberté et de la Lumière.

18. *Belmontet* : Rimbaud, dans l'*Album Zutique*, composera à partir des vers de ce poète sans talent un poème satirique (voir p. 146). Il semble vouloir dire ici que l'expression de Hugo est encore chargée de scories – comme celles que draine la poésie de Belmontet. Il critique l'emphase hugolienne ; aux « vieilles énormités crevées », il souhaiterait opposer la nouvelle « énormité » destinée à devenir norme.

19. *Musset* : Musset était alors l'objet d'attaques multiples. Baudelaire l'avait traité de « maître des gandins » ; Ducasse, dans ses *Poésies*, le surnomme « le Gandin-Sans-Chemise-Intellectuelle ».

20. *commenté par M. Taine* : la thèse de Taine, ensuite publiée, portait en effet sur *La Fontaine et ses fables* (1854). Taine était né à Vouziers (Ardennes) en 1828.

21. *panadif* : terme sans doute créé par Rimbaud sur « panade » : gluant, sans consistance.

22. Ce bilan, établi d'après *Le Parnasse contemporain* de 1866 et les livraisons de celui de 1869, propose un défilé de véritables fantômes qui ne signifient plus rien pour un lecteur moderne : Armand Renaud (1836-1895) et Charles Coran (1814-1901) appartenaient à l'école parnassienne ; Georges Lafenestre (1837-1919) et Claudius Popelin (1825-1892) sont surtout connus pour leurs travaux sur l'histoire de l'art ; Joséphin Soulary (1815-1891) s'était acquis une belle notoriété par ses *Sonnets humoristiques*. Gabriel Marc avait publié *Soleils d'octobre* (1869) et *La Gloire de Lamartine* (1869). Jean Aicard (1848-1921) est encore

célèbre pour son roman régionaliste *Maurin des Maures* (1908) ; il avait
peu publié en 1872. André Theuriet (1833-1907) n'avait donné alors que
Le Chemin des bois, 1867. Pêle-mêle, Rimbaud entasse ensuite Joseph
Autran (1813-1877), auteur notamment de *La Mer* (1835) ; Auguste Barbier (1805-1882), célèbre pour ses *Iambes* (1831) ; Laurent Pichat ; André
Lemoyne (1822-1907) ; les frères Deschamps, Émile (1791-1871) et
Antony (1800-1869), qui avaient participé au mouvement romantique et
créé avec Hugo *La Muse française ;* les Desessarts père et fils ; Léon Cladel
(1835-1892), qui avait débuté avec un livre préfacé par Baudelaire, *Les
Martyrs ridicules* (1862) ; Louis-Xavier de Ricard (1843-1911), que Rimbaud parodiera dans l'*Album Zutique* ; Catulle Mendès (1842-1909), fondateur du *Parnasse contemporain* (avec Ricard) et d'abord de la *Revue
fantaisiste* en 1860. Rimbaud distingue toutefois Sully Prudhomme dont
il s'était déjà inspiré (voir p. 300), mais qu'il ne mettait plus très haut
dans sa lettre à Izambard du 27 août 1870 ; Coppée (qu'il raillera dans
l'*Album Zutique* fin 1871) ; enfin Léon Dierx, également moqué dans
l'*Album Zutique*, mais dont il semble s'être inspiré pour élaborer *Le
Bateau ivre* (voir p. 130). Rimbaud fait la part belle à Verlaine (bien sûr)
et à Mérat (ce qui nous surprend davantage). Mérat avait alors écrit des
sonnets en collaboration avec Léon Valade, des poésies sous le titre *Les
Chimères* (1866) et *L'Idole* (1869), objet bientôt de plusieurs parodies
« zutistes ». Suzanne Bernard (*op. cit.*, p. 554) a raison de s'étonner de
l'indifférence de Rimbaud aux poèmes de Stéphane Mallarmé, qu'il avait
dû lire cependant en certaines livraisons du *Parnasse contemporain*.

ACCROUPISSEMENTS P. 101

v. 2 – *Le frère Milotus* : ce nom viendrait d'Ernest Millot, l'un des
amis de Rimbaud à Charleville. Millot comptait un prêtre dans sa famille.
Dans l'édition Vanier des *Poésies complètes* (1895), le nom propre Calotus
remplace Milotus.

v. 4 – *darne* : pris de vertige, ébloui, selon Stéphane Taute, cité par
J. Mouquet et Rolland de Renéville (Rimbaud, *Œuvres complètes*, Gallimard,
« Bibliothèque de la Pléiade », 1946). Cet adjectif serait un ardennisme.

L'ORGIE PARISIENNE OU PARIS SE REPEUPLE P. 103

Texte adopté : publication dans les *Poésies complètes* (Vanier, 1895).
Nous n'avons pas de manuscrit de ce poème. E. Raynaud le fit d'abord
paraître sous le titre « Paris se repeuple » dans *La Plume* du 15 septembre
1890. Il ne comportait pas alors la septième strophe de l'édition Vanier
et l'actuelle huitième strophe occupait la place de la sixième. Le texte fut
reproduit avec ces mêmes caractéristiques dans *Reliquaire* (Genonceaux,
1891).

Dans *Les Poètes maudits* (1884), Verlaine, en citant quelques vers de ce texte, remarque : « "Paris se repeuple", écrit au lendemain de la Semaine sanglante, fourmille de beautés. » « L'Orgie parisienne » n'apparaît qu'en 1895 dans l'édition des *Poésies complètes*.

Ce poème intègre de nombreuses influences : « Le Sacre de Paris » de Leconte de Lisle (poème daté de « janvier 1871 » et qui sera repris dans les *Poèmes tragiques* en 1886), *Les Châtiments* de Victor Hugo, *Fer rouge*. *Nouveaux Châtiments* d'Albert Glatigny, « Ballade parisienne » d'Eugène Vermersch (paru dans *Le Cri du peuple* du 6 mars 1871), tous livres ou poèmes que cite Rimbaud dans sa lettre à Demeny du 17 avril 1871.

v. 4 – *belle* : la version de *La Plume* (1990) propose « sainte ».

v. 9 – *les palais morts* : le Palais-Royal et les Tuileries avaient été incendiés les 23 et 24 mai 1871 et recouverts de planches pour cacher leurs ruines.

v. 11 – *des tordeuses de hanches* : des prostituées.

v. 14 – *maisons d'or* : allusion, sans doute, à la Maison dorée, située au coin de la rue Laffitte et du Boulevard, établissement très en vogue sous le second Empire.

v. 25 – Cette septième strophe a été donnée pour la première fois dans l'édition Vanier de 1895.

v. 59 – Les *Stryx* sont des sortes de rapaces nocturnes et des vampires (dans la mythologie grecque). Il faudrait écrire « Strix ».

Les *Cariatides* (voir le recueil de Banville portant ce titre et paru en 1842) étaient des statues d'hommes ou de femmes soutenant une corniche et caractérisées de ce fait par la fixité de leur regard.

v. 65 – Le *e* muet de « sacrée » suivi d'une consonne (« suprême ») forme hiatus. L'édition des *Œuvres* (Mercure de France, 1912) propose *sacra* au lieu de *sacrée*.

LES MAINS DE JEANNE-MARIE P. 106

Texte adopté : ms. B.N. n.a.fr. 14122 (le fac-similé en a été reproduit dans l'édition critique des *Œuvres* de Rimbaud donnée par Bouillane de Lacoste, Hazan, 1945). Ce manuscrit n'est pas entièrement autographe. Les strophes huitième, onzième et douzième ont été ajoutées, en marge ou au bas du feuillet, de la main de Verlaine qui a également daté *in fine* le poème : « Fév. 72 ». Paginé 9-10, ce feuillet peut appartenir au cahier de poèmes recopiés par Verlaine ; mais on ne comprend pas pourquoi en ce cas la majorité du texte est calligraphiée par Rimbaud. La première publication en fut faite dans la revue surréaliste *Littérature*, n° 4, juin 1919, p. 1-3. Ce texte a paru la même année sous forme de plaquette aux éditions Au Sans Pareil (tirage à 500 ex.). Il s'inspire surtout des « Études de mains », poème écrit en quatrains d'octosyllabes par Théophile Gautier et repris dans le recueil *Émaux et Camées* (1852).

v. 1 – *Jeanne-Marie* : on ne peut expliquer de façon satisfaisante le choix de ce prénom. Un drame de Dennery et Maillan, représenté le 11 novembre 1845, avait pour titre *Marie-Jeanne ou la Femme du peuple*.

v. 4 – *Juana* : héroïne du poème de Musset « Don Paez » (1830).

v. 15 – *belladones* : la belladone est une plante vénéneuse, mais son nom signifie « belle dame ».

v. 18 – *Dont bombinent les bleuisons* : « bombiner » est un néologisme formé sur le latin *bombinare*, « bourdonner ». Le mot se retrouve dans « Voyelles ». « Bleuisons » est un néologisme formé sur le verbe « bleuir ».

v. 19 – *nectaires* : appendices ou parties de la corolle qui contiennent le nectar.

v. 22 – *pandiculations* : actions de s'étirer.

v. 24 – *Khenghavars* : on n'a pu identifier ce nom. Il s'agit peut-être de Kengaver, ville d'Iran.

v. 29 – *cousine* : ce mot n'a sans doute pas ici son acception habituelle. On trouve comme autres sens « travailleuse dans les forges » (*Trévoux*) et « fille de joie » (*Bescherelle*, 1871 : « Il va voir les cousines »).

v. 50 – *un sein d'hier* : un sein vieilli.

v. 60 – *une chaîne aux clairs anneaux* : la chaîne pénitentiaire imposée à certains communards, hommes ou femmes, durant la répression.

v. 63 – *déhâler* : ôter le hâle, ici en le recouvrant de sang.

LES SŒURS DE CHARITÉ P. 108

Texte adopté : copie faite par Verlaine, p. 17-18 de son cahier. Ce poème figurait parmi ceux que Rimbaud lui avait envoyés en septembre 1871.

Une lettre de Rimbaud à P. Demeny (qui venait de se marier), datée du 17 avril 1871, signale : « Oui, vous êtes heureux, vous. Je vous dis cela, – et qu'il est des misérables qui, femme ou idée, ne trouveront pas la *sœur de charité*. » Baudelaire, dans « Les Deux Bonnes Sœurs » (*Les Fleurs du Mal*, éd. de 1861), avait déjà indiqué ce thème, la Débauche et la Mort étant alors présentées comme « deux aimables filles/ Prodigues de baisers [...] ».

v. 4 – *un Génie* : le Génie est ici référé à l'Orient, au monde des *Mille et Une Nuits*, et déjà uni à une certaine image du poète.

v. 27 – *la Muse verte* : peut-être l'absinthe.

v. 31 – *almes* : nourriciers.

v. 40 – Rimbaud rejoint ici le Baudelaire du « Voyage » : « Ô Mort, vieux capitaine, il est temps, levons l'ancre. »

L'HOMME JUSTE P. 110

Texte adopté : autographe de l'ancienne collection Barthou publié par Paul Hartmann (Rimbaud, *Œuvres*, Club du meilleur livre, 1957). Ce manuscrit figure depuis novembre 1985 au département des Manuscrits de la Bibliothèque nationale. Il se trouvait dans le cahier Verlaine, mais écrit de la main de Rimbaud, p. 5-6. La page 7 de ce même dossier comporte, de la main de Verlaine cette fois, la neuvième strophe (déjà sur la page 6) et l'indication « 75 vers » surchargeant « 80 », ainsi que la date « juillet 1871 ». Tel qu'il nous est parvenu, le poème ne compte que 55 vers. On doit donc penser que 20 vers, soit quatre strophes, occupaient les pages 3-4 précédant l'ensemble que nous avons. Le titre « L'Homme juste » figure sur la page 7, au-dessus de la neuvième strophe recopiée par Verlaine.

Depuis l'article d'Yves Reboul, « À propos de "L'Homme juste" » (*Parade sauvage*, n° 2, avril 1985, p. 44-54), la lecture de ce texte a été entièrement rénovée. Yves Reboul a montré, en effet, qu'il s'agissait de Victor Hugo, l'ancien exilé de Guernesey (« Barde d'Armor »), « Barbe de la famille et poing de la cité ». Hugo était revenu d'exil à la chute de l'Empire. Au gré de Rimbaud, il n'avait sans doute pas pris parti pour les insurgés de façon assez marquée. Entre le 19 avril et le 7 mai 1871 (période de la Commune), il avait publié dans *Le Rappel* trois poèmes (« Un cri », « Pas de représailles », « Les Deux Trophées ») appelant à la réconciliation entre Communeux et Versaillais. « Pas de colère ; et nul n'est juste s'il n'est doux », écrivait-il. C'est assurément ce Victor Hugo auquel Rimbaud s'oppose ici dans une mise en scène grandiloquente qui parodie l'emphase de celui que Corbière appelait, de son côté, le « garde-national épique » !

v. 4 – *flueurs* : *fleurs* et *flux* forment ce mot qui, dans le vocabulaire médical, désigne les menstrues. L'attitude du Juste face au ciel nocturne renvoie à certains poèmes de Hugo comme « Magnitudo parvi », « Pleurs dans la nuit » ou « Ce que dit la bouche d'ombre ».

v. 9 – *quelque égaré* : l'expression pourrait désigner les Communeux qui s'étaient exilés en mai 1871. Hugo en avait accueilli certains – et pour cette raison avait été chassé de Belgique, où il résidait alors.

ostiaire (vieux mot) : portier.

v. 13 – *tes genouillères* : dans « Pas de représailles », poème paru dans *Le Rappel* du 21 avril 1871, Hugo avait écrit : « À demander pardon j'userai mes genoux. »

v. 15 – *Pleureur des Oliviers* : momentanément, Hugo est assimilé au Christ implorant son Père au jardin de Gethsémani.

v. 16 – *Barbe* reprend irrévérencieusement le mot « Barde » du vers 14.

v. 19 – *les lices* : femelles du chien de chasse, mais aussi femmes lascives, comme on disait des « louves » pour désigner les prostituées. On retrouve plus loin (v. 49) « la chienne après l'assaut des fiers toutous ».

v. 25 – *torpide* : du latin *torpidus*, endormi.

v. 29 – *thrènes* : déplorations funèbres chez les anciens Grecs.

v. 30 – *becs de canne fracassés* : le manuscrit ne porte pas de traits d'union entre les mots formant l'expression « becs de canne » qui, de plus, doit s'écrire « becs de cane ». Le sens le plus courant est « petites serrures à ressort ». Yves Reboul (art. cité, p. 49), pour éclairer l'allusion qu'il devine en ce passage, cite des vers de « Pleurs dans la nuit » (Victor Hugo, *Les Contemplations*) : « Et levez à la voix des justes en prière/ Ces effrayants écrous […]. »

v. 42 – *les nœuds* : Hugo avait écrit dans « Ce que dit la bouche d'ombre » : « De la création compte les sombres nœuds ».

v. 52 – Le texte est indécidable en ce passage. Avant le *daines* final, il manque deux syllabes. Certains éditeurs (Paul Hartmann, par exemple) ont proposé de rétablir « à bedaines ».

Lettre à Paul Demeny du 10 juin 1871 p. 112

Texte adopté : autographe de l'ancienne collection Saffrey. Première publication par Paterne Berrichon dans *La Nouvelle Revue française* (octobre 1912, p. 576-578. B.N., n.a.fr. 26499).

Indépendamment de cette lettre, publiée seulement en 1912, « Les Poètes de sept ans », « Les Pauvres à l'Église » et « Le Cœur du pitre » avaient déjà paru dans *Reliquaire* en 1891, puis dans les *Poésies complètes* de 1895.

Les Poètes de sept ans p. 112

Le titre au pluriel tend à généraliser une expérience qui reste cependant profondément individuelle et rappelle l'époque où la famille Rimbaud habitait au 73, rue Bourbon, dans un quartier populaire de Charleville.

v. 1 – *le livre du devoir* : « le livre du travail scolaire », dit C.A. Hackett (*Œuvres poétiques* de Rimbaud, *op. cit.*, p. 305). Je m'en tiendrai plutôt, comme la plupart des commentateurs, à la Bible plus bas nommée (v. 46).

v. 18 – *s'illunait* (néologisme) : s'éclairait sous la lumière de la lune. Ce mot se retrouve dans « Les Premières Communions ».

v. 20 – Voir note p. 316.

v. 25 – *la foire* : l'excrément.

v. 30 – Soit : elle obtenait de la part de son fils un regard bleu, mais hypocrite. Soit : elle lui adressait son propre regard bleu, mais c'était un mensonge.

v. 32 – *la Liberté ravie* : on peut comprendre la Liberté qui nous a été ravie, mais qui se retrouve au désert. Parmi les prix obtenus par Rimbaud en 1862 figurait *L'Habitation du désert* de Mayne Reid, illustré par Gustave Doré.

v. 49 – *en blouse* : ainsi étaient vêtus les ouvriers de l'époque.

v. 53 – *pubescences* : duvets des tiges ou des feuilles.

v. 55 – Cette dernière strophe semble composée d'une seule phrase exclamative introduite par « comme », qui n'est donc pas ici conjonction de subordination, ainsi qu'on pourrait d'abord le croire, mais adverbe.

v. 59 – *ciels* : le mot s'écrit avec un *s* au pluriel quand il a le sens de climat.

v. 60 – *bois sidérals* : il fallait écrire « sidéraux ».

LES PAUVRES À L'ÉGLISE P. 114

v. 3 – *orrie* : ornement d'or. Ce mot est orthographié « orie » dans certains dictionnaires. Verlaine l'emploie sous la forme « orerie » dans une de ses *Dédicaces* (« À Laurent Tailhade », *Le Chat noir*, 12 octobre 1889).

v. 17 – Il manque deux syllabes à ce vers pour faire un alexandrin, mètre utilisé dans tout le poème. Rimbaud a dû oublier un mot en recopiant le texte. Jules Mouquet le restitue ainsi : « Dehors, le froid, la faim, [*et puis*] l'homme en ribote ». Étiemble propose : « Dehors [*la nuit*], le froid, la faim, l'homme en ribote ».

v. 23 – *fringalant* : la fringale désigne une faim dévorante. Rimbaud transforme l'expression « dévorant des yeux » en « fringalant du nez », puisqu'il parle d'aveugles.

v. 30 – *Farce* : le terme est en apposition aux noms précédents, les « maigres mauvais », les « méchants pansus ». Il désigne les gens faussement prostrés en prières.

LETTRE À PAUL DEMENY DU 10 JUIN 1871
(SUITE ET FIN) P. 116

1. *une antithèse* : Rimbaud avait défini ce même poème (« Le Cœur du pitre ») comme une « fantaisie » dans la lettre à Izambard du 13 mai. « Le Cœur du pitre » s'oppose donc à l'habituelle poésie sentimentale encombrée souvent de réminiscences mythologiques : Cupidon, le promontoire de Leucade d'où la poétesse Sapho, désespérée d'amour, s'était précipitée dans la mer. Les vers soulignés ensuite sont une citation ; mais elle n'a pu être localisée.

2. *tous les vers* : il s'agit donc des deux cahiers communément désignés sous l'appellation « Recueil Demeny ». On remarquera toutefois que parmi tous ces textes désavoués figurait « Les Effarés », que Rimbaud enverra à Verlaine en septembre.

3. *vos Glaneuses* : pourquoi Rimbaud réclame-t-il à Demeny ce volume qu'il avait déjà lu chez Izambard (voir lettre à Izambard du

25 août 1870) et jugé sans intérêt ? Peut-être voulait-il composer un nouveau manuscrit en prenant modèle sur la présentation matérielle de cette
publication ?

Lettre à Théodore de Banville du 15 août 1871 p. 118

Ancienne collection Bernard Zimmer. Une première publication en
fac-similé a paru dans l'édition de tête du livre de Marcel Coulon, *Au
cœur de Verlaine et Rimbaud*, Le Livre, 1925.

Ce qu'on dit au Poète à propos de fleurs p. 118

« Ce qu'on dit au Poète à propos de fleurs » (titre transformant « Ce
que dit la bouche d'ombre », célèbre poème des *Contemplations* de Hugo)
fut presque toujours interprété comme une parodie de l'écriture de Banville. Cependant, le talent de celui-ci ne se réduisait pas à la composition
des poésies parnassiennes que Rimbaud avait peu ou prou démarquées
l'année précédente dans « Credo in unam ». Banville aussi appréciait la
parodie, comme en témoignent ses *Odes funambulesques* et la suite qu'il
leur donna en 1869. En ce mois d'août 1871, Rimbaud tient à présenter
à son correspondant non pas des textes que celui-ci pourrait trouver inac-
ceptables, mais des essais d'une nouvelle manière que Banville (un certain
Banville, du moins) serait à même de comprendre. Un véritable art poétique par le dénigrement, une lecture railleuse de la poésie contempo-
raine, un exemple d'« antilyrisme panique », pour reprendre une heureuse
expression d'Yves Bonnefoy (*Rimbaud par lui-même*, Seuil, 1961, p. 55).

On notera que Rimbaud utilise à l'occasion dans ce texte quelques
éléments d'un poème satirique naguère écrit par le communard Eugène
Vermersch, « Théodore de Banville, glorieux pantoum » (repris dans *La
Lanterne en vers de Bohême*, Imprimerie parisienne, 1868, illustrations par
Félix Régamey, p. 27-30).

v. 4 – La poésie parnassienne regorgeait de fleurs pures et de pierres
précieuses. Vermersch avait écrit dans son poème : « C'est pour eux [*les
grands poètes*] que le lys est blanc. »

v. 5 – *sagous* : fécule alimentaire tirée de certains palmiers. Mais on
entend également le mot « sagouin ».

v. 8 – *Proses religieuses* : hymnes latines composées de vers rimés.

v. 9 – *monsieur de Kerdrel* : élu à l'Assemblée nationale en 1871, il
représentait la tendance légitimiste. On comprend qu'il se réclamât du
lys royaliste.

v. 10 – *Le Sonnet de mil huit cent trente* : les romantiques ne furent
pourtant pas de grands auteurs de sonnets. Peut-être Rimbaud pense-t-il
plus précisément aux sonnets consacrés à des fleurs que rime Lucien de
Rubempré, le héros d'*Illusions perdues* de Balzac.

v. 12 – *l'œillet et l'amarante* récompensaient les lauréats des Jeux floraux de Toulouse, concours poétique qui, durant la période romantique, ambitionnait de reprendre la tradition des concours poétiques du Moyen Âge.

v. 20 – *les myosotis immondes* : le myosotis ne saurait être immonde que si l'on se réfère à l'étymologie de ce mot signifiant « oreille de rat » en grec ancien.

v. 28 – *de mille octaves enflées* : l'octave est un mot du vocabulaire musical. Il désigne aussi dans la poésie une strophe de huit vers. Je crois que Rimbaud fait également allusion au mètre qu'il utilise ici, l'octosyllabe.

v. 33-36 – Banville s'était servi de la même rime : « photographe »/ « bouchons de carafe » dans « Méditation poétique et littéraire » (*Odes funambulesques*).

v. 42 – *Lotos, Hélianthes* : fleurs exotiques que les Parnassiens nommaient souvent dans leurs poèmes.

v. 45 – *L'Ode Açoka cadre* : Rimbaud, pour se moquer d'un facile exotisme, recherche les cacophonies. L'açoka est une plante exotique. C.A. Hackett signale (*Œuvres poétiques, op. cit.*, p. 312) qu'on peut lire dans *Le Hanneton* (journal satirique) du 12 août 1866 : « Trop d'açokas, monsieur Mendès, trop, beaucoup trop. » Catulle Mendès, avec Banville, présidait aux destinées du *Parnasse contemporain*.

v. 46 – *lorette* : sous le second Empire, le terme désignait une jeune femme élégante et de mœurs faciles (du nom du quartier de Paris où vivaient ces femmes : Notre-Dame-de-Lorette).

v. 50 – *croquignoles* : petites pâtisseries sèches.

v. 51 – *des vieux Salons* : comprendre les Salons de peinture, pleins de tableaux démodés. Rimbaud imagine ainsi une transition pour parler de Grandville.

v. 54 – *Grandville* (1803-1847), célèbre dessinateur français, qui avait composé, entre autres, deux recueils que Rimbaud désigne ici : *Fleurs animées* et *Les Étoiles*. Rimbaud trouvait idiots ce genre de dessins fantaisistes (voir lettre à Izambard du 25 août 1870).

v. 80 – La *chandelle* est nommée parce que la matière dont elle est faite provient d'un animal utilitaire, la baleine.

v. 95 – Un *Velasquez* fonda La Havane (Habana) ; mais on pense surtout aux cigares de havane, parfaitement rentables.

v. 96 – *Incague la mer de Sorrente* : couvre d'excréments (le mot est ironiquement noble) la mer de Sorrente, c'est-à-dire la mer italienne face à Naples, chère aux poètes romantiques (Lamartine et sa *Graziella*) ou parnassiens. Banville avait écrit dans sa « Ballade de ses regrets pour l'an 1830 » (*Parnasse contemporain*, 1869, p. 48) : « La brise en fleur nous venait de Sorrente. »

v. 110 – La *garance* fournissait la couleur des pantalons de l'infanterie de l'armée française.

v. 128 – *gemmeuses* : de la nature des pierres précieuses.

v. 132 – *Alfénide* : le chimiste Halphen inventa en 1830 un alliage métallique, l'alfénide, servant à fabriquer des couverts de table.

v. 134 – Le *grand Amour* et les *Indulgences* évoquent l'amour chrétien, ce qui entraîne au vers suivant la mention de Renan, bien connu pour sa *Vie de Jésus* (1863).

v. 135 – *le chat Murr* : chat fantastique d'un roman de E. T. A. Hoffmann portant le même titre (1822).

v. 136 – *Thyrses* : bâtons terminés par une pomme de pin et entourés de pampres, que portaient Bacchus et son cortège.

v. 146 – *dioptriques* : en rapport avec la réfraction de la lumière selon les milieux traversés. Les couleurs énumérées aux vers 145-146 sont placées dans un ordre proche de celui des couleurs des « Voyelles ».

v. 157 – *Tréguier* : la ville de Bretagne où Renan (v. 135) était né en 1823.

v. 158 – *Paramaribo* : capitale et port de la Guyane hollandaise.

v. 159 – Louis Figuier, remarquable vulgarisateur, avait publié aux éditions Hachette une *Histoire des plantes* (1865) où Rimbaud puisa peut-être des renseignements pour écrire son poème.

LETTRE À THÉODORE DE BANVILLE DU 15 AOÛT 1871 (SUITE ET FIN) P. 124

1. *Alcide Bava* : j'ai proposé (*Littérature*, n° 11, octobre 1973, p. 22-23) de décomposer ainsi ce pseudonyme : « Alcide », soit « le vaillant », épithète grecque traditionnelle pour désigner Héraclès ; « bava », c'est-à-dire cracha (son encre). Autrement dit, le fort, le vaillant écrivit ce texte (et vous en voyez le résultat !).

2. *répondre* : Rimbaud rappelle la lettre qu'il avait adressée à Banville le 24 mai 1870 et qui contenait plusieurs poèmes, dont « Credo in unam » (devenu dans le Recueil Demeny « Soleil et Chair »). La réponse de Banville n'a malheureusement pas été retrouvée.

3. *Charles Bretagne* : ce personnage excentrique (1835-1881) eut une grande importance dans la vie intellectuelle du Rimbaud de l'époque. Ce fut lui qui communiqua à l'adolescent l'adresse de Verlaine qu'il avait connu en 1869, à Fampoux, près d'Arras, lorsqu'il travaillait dans cette localité aux Contributions indirectes.

LES PREMIÈRES COMMUNIONS P. 124

Texte adopté : copie faite par Verlaine, p. 19-24 de son cahier. Le poème lui avait été envoyé en septembre par Rimbaud. Cette copie appartenant à l'ancienne collection Barthou est entrée en novembre 1985 au département des Manuscrits de la Bibliothèque nationale. Il existe une seconde copie faite par Verlaine et conservée au fonds Doucet de la bibliothèque Sainte-Geneviève sous la cote 1306-B. VI, 29.

La composition d'ensemble surprend par la longueur inégale de ses parties. Les deux premières sont écrites en sixains sur deux rimes ; les sept autres en quatrains de rimes croisées. Rappelons, pour l'anecdote, que la même année, durant le mois de mai, Isabelle Rimbaud avait fait sa première communion.

v. 3 – *grasseyant* : prononçant de la gorge la lettre *r*.

v. 4 – Ce *noir grotesque* (autrement dit cet homme d'église, ce prêtre), dont fermentent les souliers, évoque, à coup sûr, le séminariste d'*Un cœur sous une soutane* (voir p. 64) et sa misérable aventure amoureuse.

v. 12 – *fuireux* : « foireux » (ardennisme). C'est, du moins, ce que prétendent les commentateurs. À mon sens, Rimbaud désigne simplement des rosiers sauvages aux teintes rouillées.

v. 26 – *le Petit Tambour* : Joseph Bara, mort à quatorze ans, en 1793, durant la guerre de Vendée. Il était souvent représenté dans l'imagerie populaire.

v. 43 – *parmi les catéchistes* : c'est le mot « catéchumènes » (au sens de futurs communiants, par exemple) qui conviendrait ici. Cet hémistiche répété à la rime (v. 47) laisse penser à une négligence de retranscription.

v. 55 – *nitides* : brillantes (du latin *nitidus*).

v. 57 – *Adonaï* : dans l'Ancien Testament, Dieu est ainsi nommé parfois. Mais Rimbaud laisse entendre aussi le nom « Adonis », jeune homme d'une beauté merveilleuse qui fut aimé de Vénus.

v. 64 – *Reine de Sion* : reine de Jérusalem, appellation appliquée à la Vierge dans les litanies qui lui sont consacrées.

v. 105 – *pitiés immondes* : Rimbaud utilise la même expression dans « Les Poètes de sept ans » (v. 27).

v. 109 – Comme l'indique la ligne de points de suspension précédente, une rupture se fait entre la situation décrite auparavant et cette huitième partie. Ce n'est plus la jeune communiante qui parle, mais la femme qu'elle est devenue et qui s'adresse à son amant.

v. 135 – *céphalalgies* : migraines.

LE BATEAU IVRE P. 130

Texte adopté : copie faite par Verlaine. La première publication en fac-similé fut donnée dans *Le Manuscrit autographe*, Blaizot, novembre-décembre 1927. Le manuscrit qui appartenait à l'ancienne collection Barthou est entré depuis novembre 1985 au département des Manuscrits de la Bibliothèque nationale.

Il serait lassant de relever toutes les sources présumables du *Bateau ivre*. L'une, cependant, doit retenir l'attention – ce qu'a bien mis en valeur Roger Caillois dans « La Source du "Bateau ivre" » (*La Nouvelle Revue française*, 1ᵉʳ juin 1959, p. 1075-1084). Il s'agit d'un poème de Léon Dierx, « Le Vieux Solitaire », paru dans le deuxième *Parnasse contemporain*, p. 283-284, et qui contient une longue comparaison entre celui qui écrit et un vaisseau abandonné roulant au gré des flots :

> « Je suis tel qu'un ponton sans vergues et sans mâts,
> Aventureux débris des trombes tropicales,
> Et qui flotte, roulant des lingots dans ses cales,
> Sur l'Océan sans borne et sous de froids climats. »

v. 7 – Il faut comprendre que le tapage des Peaux-Rouges « criards » a cessé une fois provoquée la mort des haleurs.

v. 11 – *démarrées* : ayant rompu leurs amarres.

v. 31 – *exaltée* : qui s'est élevée, qui a pris son envol.

v. 43 – *des Maries* : Marie la sainte Vierge, qui règne sur la mer et calme les flots.

v. 47-48 – *glauques troupeaux* : l'expression peut dépendre de « tendus » ; les arc-en-ciel tiendraient comme des brides les troupeaux marins. Mais elle peut dépendre aussi du verbe « mêler » sous-entendu dans cette deuxième phrase.

v. 50 – *Léviathan* : monstre marin qui apparaît dans la Bible, notamment Job 40, 25, où l'on voit également Béhemot (v. 82).

v. 51 – *bonaces* : calmes plats de la mer.

v. 59 – *dérades* : néologisme formé à partir du verbe « dérader », quitter une rade, un mouillage.

v. 65 – *Presque île* et non *presqu'île*, comme le portent certaines éditions.

v. 71 – *Monitors* : bâtiments de guerre cuirassés, bas sur l'eau, créés en Amérique en 1863. Les Américains des deux camps en firent un grand usage pendant la guerre de Sécession.

Hanses : au Moyen Âge, associations commerciales entre certaines villes de l'Allemagne de l'Ouest. Elles avaient pour but de protéger le commerce contre les pirates de la Baltique.

v. 73 – *monté* : surmonté.

v. 80 – *ultramarins* : qui sont au-dessus de la mer ou couleur d'outre-mer. Le deuxième sens paraît préférable.

v. 93 – *flache* : le mot est normalement utilisé en Belgique et dans tout le nord de la France au sens de « mare d'eau dans un bois dont le sol est argileux » (*Littré*).

v. 98 – *Enlever leur sillage* : Michel Décaudin (Rimbaud, *Poèmes*, Hachette, « Flambeau », 1963, p. 265) explique ainsi cette expression : « enlever par son propre sillage celui que laissent les navires portant le coton ».

v. 99 – *flammes* : oriflammes.

v. 100 – *nager* : naviguer.

pontons : ce mot commençait le poème de Dierx. Depuis les guerres entre l'Angleterre et la France sous le premier Empire, il pouvait désigner de vieux navires hors d'usage où l'on mettait les prisonniers. Après la Commune, on avait également enfermé dans des pontons certains détenus politiques.

LES CHERCHEUSES DE POUX P. 133

Texte adopté : poème publié dans *Lutèce*, 19-26 octobre 1883, par les soins de Verlaine et repris l'année suivante dans son volume *Les Poètes maudits*. Il n'existe pas de manuscrit connu. Les strophes troisième et quatrième avaient été publiées dans *Dinah Samuel* (Ollendorff, 1882), roman à clé écrit par Félicien Champsaur, où Rimbaud figure sous le nom d'Arthur Cimber.

Selon Izambard, ce poème aurait été écrit par Rimbaud en octobre 1870, au moment où il s'était réfugié à Douai chez les demoiselles Gindre. Mais « Les Chercheuses de poux » ne figure pas dans le Recueil Demeny qui recouvre presque tous les écrits de cette période, et les rimes des vers 17-19 ne sont pas compatibles : « paresse »/ « caresses », puisqu'un singulier y rime avec un pluriel. Or Rimbaud ne s'autorisa jamais de telles licences dans les poèmes de son recueil.

TÊTE DE FAUNE P. 134

Texte adopté : poème recopié par Verlaine dans son cahier, p. 7. « Tête de faune » a d'abord été publié sous une version différente (*La Vogue*, 7-14 juin 1886) dans « Pauvre Lelian », texte de Verlaine consacré à lui-même (repris dans la 2ᵉ série des *Poètes maudits*, Vanier, 1888).

Verlaine, dans ses *Fêtes galantes* (1869), avait écrit un « Faune ». Dans « Antique » (voir p. 261), Rimbaud montrera encore un « gracieux fils de Pan ». On notera l'usage prosodique, unique alors chez Rimbaud, du décasyllabe (sans doute une concession à Verlaine) et les constants déplacements de la césure – ce qui laisse supposer une date de composition tardive (septembre 1871 ?).

v. 9 – Ce dernier quatrain contient, volontairement semble-t-il, certains mots : « écureuil », « bouvreuil » et le vieux mot « épeure », qui modifient le cadre où le faune apparaît traditionnellement.

ORAISON DU SOIR P. 135

Texte adopté : manuscrit donné par Rimbaud à Léon Valade, bibliothèque municipale de Bordeaux. Il existe aussi une copie établie par Verlaine et qui se trouve sur la page 16 de son cahier, à la suite des « Douaniers ».

v. 3 – *hypogastre* : partie inférieure du ventre.

une Gambier : pipe en terre cuite, du nom de son premier fabricant.

v. 7 – *mon cœur triste* : cette expression se retrouve dans « Le Cœur supplicié ». Elle a une résonance verlainienne.

v. 12 – *le Seigneur du cèdre et des hysopes* : périphrase empruntée à la Bible. L'expression proverbiale « depuis le cèdre jusqu'à l'hysope » signifie « de la chose la plus importante à la plus petite ».

VOYELLES P. 136

Texte adopté : autographe donné par Rimbaud à Émile Blémont. Il fut acheté en 1982 par la bibliothèque de Charleville. De ce texte, il existe aussi une copie faite par Verlaine, intitulée « Les Voyelles » et occupant la page 15 de son cahier.

En dépit de ce qu'en a dit Verlaine lui-même (« Arthur Rimbaud », *Les Hommes d'aujourd'hui*, n° 318, janvier 1888 : « L'intense beauté de ce chef-d'œuvre le dispense à nos humbles yeux d'une exactitude théorique dont je pense que l'extrêmement spirituel Rimbaud se fichait sans doute pas mal »), ce sonnet est l'un des poèmes les plus commentés de la langue française. Étiemble a pu faire un livre sur l'ensemble de ces exégèses : *Le Sonnet des "Voyelles". De l'audition colorée à la vision érotique*, Gallimard, 1968.

L'honnêteté critique conseille de dire qu'avec « Voyelles » Rimbaud propose une somme : celle de l'alphabet et celle du monde. Et, puisqu'il nous donne ainsi une totalité, toute explication spécialisée se trouve de ce fait réductrice. La seule remarque décisive à faire porte sur l'ordre dans lequel Rimbaud a placé ses voyelles : de A à O, cette dernière valant pour l'oméga. L'axe de signification du texte choisit donc prioritairement le début (l'alpha) et la fin (l'oméga) du monde – Dieu étant traditionnellement défini comme l'alpha et l'oméga. Toutes les rimes des quatrains sont féminines, contrairement à la règle prosodique d'alternance entre rimes féminines et rimes masculines.

Signalons enfin un poème du musicien bohème Cabaner que connut Rimbaud à Paris (hiver 1871-1872). Intitulé « Sonnet des Sept Nombres », ce poème est dédié « à Rimbald ». Cabaner, depuis longtemps, estimait que les couleurs et les sons se répondaient. Il apparaît, d'ailleurs, professant cette théorie dans le roman à clé de Félicien Champsaur, *Dinah Samuel*.

v. 4 – *bombinent* : bourdonnent. Verbe déjà utilisé dans « Les mains de Jeanne-Marie » (p. 106).

v. 9 – *virides* : vertes (du latin *viridus*). Le *U* est mis en rapport avec le *Y* grec (cycles) et le *V* latin.

v. 11 – *l'alchimie* : première apparition du mot dans l'œuvre de Rimbaud. La partie d'*Une saison en enfer* sous-titrée « Alchimie du verbe » citera l'expérience du sonnet des « Voyelles ».

v. 12 – *Suprême Clairon* : la trompette de l'Apocalypse et du Jugement dernier. La majuscule à « Ses Yeux » du vers 14 renvoie vraisemblablement à l'œil de Dieu. Le *O* n'est plus bleu, mais *Oméga* violet, comme l'une des couleurs extrêmes du spectre solaire.

L'ÉTOILE A PLEURÉ ROSE AU CŒUR DE TES OREILLES P. 136

Texte adopté : copie de Verlaine, sous le sonnet « Les Voyelles », p. 15 de son cahier.

Ainsi placé, ce quatrain semble une illustration analogique du sonnet des « Voyelles ». Néanmoins, ce ne sont plus les lettres qui dominent ici, mais les éléments d'un corps féminin auxquels, à chaque fois, se rapporte une couleur. Cette couleur, cependant, n'est pas donnée arbitrairement ; elle est le résultat d'une action qui, dans tous les cas, touche un lieu du corps. Blason du corps féminin, comme on l'a souvent dit ? Soit. Mais, surtout, création (par le poème) d'un corps.

On remarquera, comme dans « Les Chercheuses de poux », un mot pluriel (« reins ») rimant avec un mot singulier (« souverain »).

POÈMES DE L'*ALBUM ZUTIQUE*

LYS P. 138

Album Zutique (désormais désigné par l'abréviation *A.Z.*), f° 2v°.

v. 1 – *balançoirs* : il faut bien lire ce pluriel insolite sur le manuscrit. Mais le sens est évidemment « balivernes », « sornettes ».

clysopompes : sortes de clystères.

v. 3 – *un amour détergent* : un amour qui lave (comme des lavements). La métaphore reste médicale.

Armand Silvestre (1837-1901) : poète, il avait alors publié *Rimes neuves et vieilles* (1866) préfacé par George Sand, *Les Renaissances* (1870), *La Gloire du souvenir* (1872). Ses poésies se signalaient par leur sensualité. Il y faisait grand abus de fleurs ornementales.

LES LÈVRES CLOSES P. 138

A.Z., f° 3r°.

Le titre reprend celui d'un recueil que Léon Dierx avait publié en 1867, chez Alphonse Lemerre.

v. 3 – *écarlatine* : qui a la couleur de l'écarlate. Cet adjectif, quoique rare, n'est pas un néologisme.

v. 6 – *chanoines du Saint Graal* : la formulation de Rimbaud n'est pas claire. L'allusion au Graal, le vase sacré où Joseph d'Arimathie avait recueilli le sang du Christ, est inattendue. Elle traduit peut-être une connaissance du *Parsifal* de Wagner.

Léon Dierx (1838-1912) avait collaboré au *Parnasse contemporain*. Rimbaud, dans sa lettre à Demeny de mai 1871, le considérait comme un talent de l'école parnassienne.

Fête galante p. 139

A.Z., fᵒ 3rᵒ.

Rimbaud parodie dans ce texte « Colombine », poème des *Fêtes galantes* de Verlaine (Lemerre, 1869). Il lui emprunte le nom de Colombine et, pour une strophe, la référence à des notes de musique. Les équivoques obscènes sont nombreuses.

« J'occupais un wagon de troisième : un vieux prêtre » p. 139

A.Z., fᵒ 3rᵒ.

Inspirés par les dix-huit dizains des *Promenades et intérieurs* que François Coppée avait publiés dans le deuxième *Parnasse contemporain* (p. 225-234), les poèmes que les Zutistes nommeront « Vieux Coppées » accentuent volontairement le monde banal décrit par cet auteur.

v. 8 – *rejeton royal* : malgré l'épithète « royal », Suzanne Bernard puis Pascal Pia suggèrent qu'il pourrait être question de Napoléon III, plusieurs fois condamné et emprisonné (en 1836, puis en 1840) et, depuis la débâcle de 1870, captif en Allemagne au château de Wilhelmshöhe. Il était fils de Louis Bonaparte, roi de Hollande sous l'Empire.

« Je préfère sans doute, au printemps, la guinguette » p. 140

A.Z., fᵒ 3rᵒ.

Rimbaud emprunte les premières rimes « guinguette »/ « baguette » au septième dizain des *Promenades et intérieurs* de Coppée. L'expression « soirs d'hyacinthe » (v. 6) doit être perçue comme une référence au Baudelaire de l'« Invitation au voyage ». Rappelons enfin que le « diacre » Pâris, célébré ensuite par les convulsionnaires de Saint-Médard, était mort en 1727.

« L'Humanité chassait le vaste enfant Progrès » p. 140

A.Z., f° 3r°.

Louis-Xavier de Ricard (1843-1911) avait été l'un des fondateurs du *Parnasse*. Auteur des *Chants de l'aube* (1862), de *La Résurrection de la Pologne* (1863), de *Ciel, Rue et Foyer* (1865) et du *Cri de la France* (1871), il avait également créé en 1863 *La Revue du Progrès moral* pénétrée d'idées humanitaires, que ce vers de Rimbaud tourne évidemment en ridicule. L'« ouverture » (II) de *Ciel, Rue et Foyer* contient, par exemple, ce vers : « Salut à toi, progrès, ô soldat et prophète ! »

Jeune goinfre p. 141

A.Z., f° 6v°.

v. 14 – *Et foire* : et va à la selle.

Paris p. 141

A.Z., f° 6v°.

Ce sonnet est formé des noms que propageait la publicité dans le Paris de 1871-1872. Pour une interprétation politique de ce texte, voir Y. Reboul, « Rimbaud devant Paris », *Littératures*, n° 54, 2006.

v. 1 – *Godillot* : inventeur de la chaussure militaire portant ce nom.

Gambier : fabricant d'une pipe qui prit son nom (voir aussi p. 135).

v. 2 – *Galopeau* : pédicure et manucure parisien. Un dizain de l'*Album Zutique* signé « Valade » le mentionne également.

Auguste Wolff était un célèbre facteur de pianos, associé au compositeur Camille Pleyel.

v. 3 – *Robinets* : opposant irréductible à l'Empire, le Dr Robinet, élu en 1871 parmi les maires républicains de Paris, avait pris ses distances ensuite à l'égard des Communeux.

Justin *Menier* était fabricant de chocolat.

v. 4 – *Leperdriel* vendait des bas contre les varices.

v. 5 – *Kinck* (Jean) avait été assassiné avec sa femme et ses enfants par Jean-Baptiste Troppmann, qui fut guillotiné en 1870 et dont l'exécution fit grand bruit (Isidore Ducasse le mentionne également).

Jacob : plutôt que la célèbre marque de pipes, ce nom désigne le zouave Jacob, illustre charlatan guérisseur de l'époque (voir Pascal Pia, *Album Zutique*, introduction, p. 80).

Bombonnel s'était acquis une réputation de chasseur de fauves. Il avait publié en 1860 *Bombonnel, le tueur de panthères, ses chasses, écrites par lui-même* (Hachette).

v. 6 – *Veuillot*, Louis (1813-1883) : journaliste et littérateur catholique.

Augier, Émile : dramaturge, auteur notamment du *Gendre de Monsieur Poirier*. C'est par moquerie que Rimbaud mêle à ces noms de respectables écrivains celui de Troppmann l'assassin.

v. 7 – *Gill*, André (1840-1885) : caricaturiste qui avait accueilli Rimbaud lors de sa première fugue à Paris.

Mendès, Catulle (1842-1909) : l'une des autorités de la poésie parnassienne.

Manuel, Eugène (1823-1901) : auteur notamment des *Poèmes populaires* (1870) et du drame *Les Ouvriers* (1870).

v. 8 – *Guido Gonin* : dessinateur de *L'Esprit follet* (voir Steve Murphy, « Le texte de Rimbaud », *Rimbaud vivant*, n° 22, p. 23).

v. 8-9 – *Panier/ Des Grâces* : d'après S. Murphy, ce panier pourrait être par antiphrase celui de la guillotine où tombait la tête de l'exécuté.

v. 9 – *L'Hérissé* : ce n'est pas le nom d'un chapelier, mais la dénomination de son enseigne, au 28 *bis*, boulevard de Sébastopol (elle est décrite dans le *Dictionnaire des enseignes* imprimé par Balzac). Pour ce détail, voir C.A. Hackett (*Œuvres poétiques, op. cit.*, p. 367).

v. 13-14 – *Enghiens/ Chez soi* : formule publicitaire pour les eaux d'Enghien-les-Bains et la cure que l'on pouvait faire « à domicile » grâce à des pastilles, des bouteilles de cette eau, voire un appareil vaporisateur. Rimbaud ajoute un *s* au nom propre.

COCHER IVRE P. 142

A.Z., f° 8v°.

L'*Album Zutique* présente un grand nombre de ces sonnets en vers monosyllabiques (Charles Cros en reproduira plusieurs dans un article de *La Revue du monde nouveau*, en 1874).

v. 1 – *Pouacre* : doublet populaire de « podagre ». Ce mot signifie « sale », « dégoûtant ». Verlaine écrivit, daté « Bruxelles, septembre 1873 », un poème intitulé « Un pouacre », qui plus tard sera repris dans *Jadis et naguère*.

VIEUX DE LA VIEILLE ! P. 143

A.Z., f° 9r°.

Tel était le nom que l'on donnait aux vétérans de l'ancienne garde impériale. On trouve un poème portant ce titre dans le recueil de Théophile Gautier, *Émaux et Camées* (1852).

v. 4 – *Au fils de Mars* : au fils du dieu de la guerre. Mais Rimbaud entretient à dessein l'équivoque ; car ce fut le 16 mars 1856 (et non le 18) que naquit le Prince impérial, fils de Napoléon III et d'Eugénie de Montijo. Le 18 mars 1871, en revanche, avait été proclamée la Commune de Paris.

ÉTAT DE SIÈGE ? P. 143

A.Z., f° 9r°.
À dessein, le titre interrogatif est un jeu de mots. Il évoque à la fois la récente occupation de Paris par les Prussiens et le postillon assis, conduisant son omnibus. L'esprit « onaniste » des Zutistes se lit à mots couverts dans ce « Vieux Coppée ». On comprend mieux ainsi l'« engelure énorme » et l'« aine en flamme ».
v. 6 – *L'honnête intérieur* : l'intérieur de l'omnibus où se trouvent des gens honnêtes et notamment des gendarmes.

LE BALAI P. 144

A.Z., f° 9v°.
Quoique non signé de Rimbaud, ce dizain est de son écriture.

EXILS P. 144

A.Z., f° 12r°.
Le titre semble bien être « Exils » et non « Exil », comme le portent la plupart des éditions actuelles. Il est intéressant de voir Rimbaud nous présenter ici un « fragment ». L'ensemble du poème reste peu compréhensible, malgré les précisions données en fin de texte. Il faut supposer que Napoléon III, alors en exil en Angleterre au château de Chiselhurst (après avoir été captif au château de Wilhelmshöhe en Prusse ; voir « Rages de Césars », p. 42), envoie une épître à son fidèle médecin, le Dr Henri Conneau, dont le nom donnait lieu à de nombreuses moqueries.
v. 2 – *l'Oncle Vainqueur* : Napoléon Bonaparte.
Petit Ramponneau : au XVIIIe siècle, célèbre cabaretier du quartier de la Courtille à Paris. On avait fait de lui un personnage de comédies et de chansons satiriques.
v. 6 – *Bari-barou* : le tonnerre (et le pet) en argot de marin.

L'ANGELOT MAUDIT P. 145

A.Z., f° 12v°.
Rimbaud a prétendu parodier ici le poète Louis Ratisbonne (1827-1900), auteur de poésies mettant souvent en scène des enfants : *La Comédie enfantine, fables morales* (1860), *Les Petits Hommes* (1868), *Les Petites Femmes* (1870).

« LES SOIRS D'ÉTÉ, SOUS L'ŒIL ARDENT DES DEVANTURES » P. 145

A.Z., f° 13v°.
v. 6 – *le kiosque mi-pierre* : Rimbaud décrit ici une vespasienne.
v. 7 – *Ibled* : marque de chocolat très connue en 1871.

« Aux livres de chevet, livres de l'art serein » p. 146

A.Z., f° 15r°.

Obermann de Senancour, les romans de Mme de Genlis (1746-1830), auteur d'ouvrages d'éducation, le « Vert-Vert », malicieux poème de Gresset, « Le Lutrin », poème burlesque de Boileau, composent, en effet, aux yeux de Rimbaud les livres de « l'art serein » – et sans doute de piètres réussites !

Le Dr Nicolas Venette (Rimbaud italianise ce nom) avait écrit au xviie siècle un *Tableau de l'amour conjugal*.

Hypotyposes saturniennes p. 146

A.Z., f° 22r°.

L'*hypotypose* est une description ou un récit qui non seulement cherche à signifier son objet au moyen du langage, mais s'efforce en outre de toucher l'imagination et d'évoquer la scène par des moyens imitatifs ou associatifs. *Saturniennes*, qui, volontairement ou non, rappelle les *Poèmes saturniens* de Verlaine, fait songer plutôt ici aux vers saturniens, vers latins archaïques. Rimbaud se moquerait ainsi du style vieilli des vers de Belmontet qu'il qualifie d'« archétype » parnassien. Ce texte est un centon formé de vers empruntés à différents poèmes de Belmontet.

Belmontet, Louis (1799-1879) : il composa d'innombrables poèmes. Le dithyrambe était sa spécialité. Rimbaud l'avait déjà nommé en mauvaise part dans sa lettre du 15 mai 1871 : « Trop de Belmontet et de Lamennais […] ».

Les Remembrances du vieillard idiot p. 147

A.Z., f° 25r°.

Le titre se réfère aux *Remembrances* écrites sur le même sujet et dans le même album par Verlaine. Dans le vieux mot « remembrances » (souvenirs), les Zutistes entendaient, bien sûr, le mot « membre », désignant l'organe viril.

v. 9 – *Fils du travail* : l'expression se retrouvera dans « Mémoire », p. 157.

v. 26 – *Les almanachs couverts en rouge* : voir, dans « Les Poètes de sept ans », « Des journaux illustrés où, rouge, il regardait/ Des Espagnoles rire et des Italiennes », et dans « Mémoire » : « Des enfants lisant dans la verdure fleurie/ Leur livre de maroquin rouge […] ».

v. 39 – *la chancelière bleue* : l'objet désigné par ce mot est une boîte ou un sac fourré pour tenir les pieds au chaud.

RESSOUVENIR P. 149

A.Z., f⁰ 25r⁰.

Écrit de la main de Rimbaud et signé « François Coppée ».

De l'année 1856, Rimbaud – qui n'avait alors que deux ans ! – devait, à vrai dire, garder bien peu de souvenirs. La feuille sur laquelle est copié ce dizain est illustrée sur sa partie droite par une caricature représentant l'empereur et « la Sainte Espagnole », Eugénie de Montijo. Celle-ci tourne la tête vers une sorte de mât orné d'un *N* enrubanné.

« L'ENFANT QUI RAMASSA LES BALLES, LE PUBÈRE » P. 149

Ce dizain, qui n'appartient pas à l'*Album Zutique*, se trouve reproduit en fac-similé dans le livre de Félix Régamey, *Verlaine dessinateur*, Paris, Floury, 1896. Régamey l'attribuait alors à Verlaine, mais il est incontestablement de l'écriture de Rimbaud (qui l'avait copié à Londres le 12 septembre 1872 sur l'album de Régamey) et il reprend une expression (publicitaire il est vrai) déjà utilisée dans le sonnet « Paris » (voir p. 141). En outre, le premier vers fait allusion à un épisode de l'« éclatante victoire de Sarrebrück » (voir le poème portant ce titre, p. 59) : le jeune prince accompagnant son père sur le champ de bataille avait ramassé un éclat d'obus. On avait brocardé ce geste dans une chanson vite devenue célèbre :

> « Et le petit prince ramassait les balles
> Qu'on avait mis là tout exprès… »

Le dernier vers est une double citation. En effet, comme l'a remarqué André Guyaux (*Berenice*, avril-août 1982, n° 5, p. 143-145), il reprend un alexandrin de la célèbre pièce de François Coppée, *Le Passant* (1869) : « Pauvre petit ! il a sans doute l'habitude », et la rime avec « solitude » ; en outre, le dernier mot majuscule met en valeur l'expression « avoir l'habitude », désignant assez couramment la masturbation.

Enghien : le commentaire que fait Rimbaud lui-même en note est éloquent. On peut aussi lire dans Enghien « engin ». Des balles et de l'ancien jouet, le Pubère en est venu à s'occuper de « son bel Enghien » !

LES IMMONDES

Le titre *Stupra* (« obscénités », en latin) est celui que portait la plaquette regroupant ces trois sonnets et publiée par A. Messein en 1923. Mais Verlaine, dans ses lettres à Charles Morice, les appelait « Les Immondes », dénomination que nous conservons ici.

L'Idole. Sonnet du Trou du Cul p. 151

A.Z., f° 2v°.

Bien qu'il figure sur le deuxième feuillet de l'*Album Zutique*, nous avons tenu à grouper ce poème avec les deux autres sonnets obscènes que l'on a coutume de ranger sous le titre *Stupra*. Dans l'*Album Zutique*, le sonnet, écrit tout entier de la main de Rimbaud, porte toutefois, sous la fausse signature « Albert Mérat » (poète ici parodié), les initiales « P.V.-A.R. ». Le 25 décembre 1883, Verlaine en communiquait une version légèrement différente à Charles Morice (*Lettres inédites à Charles Morice*, publiées et annotées par Georges Zayed, Genève-Paris, Droz-Minard, 1964, p. 49-50), et la présentait ainsi : « "Tu l'as voulu, n'te plains pas." Et voici le deuxième immonde. C'est un compliment à l'*Idole* de Mérat (*lui* toujours, *lui* partout !) fait en collaboration par Rimbaud et moi. C'est naturellement et chastement intitulé *Le Trou du Cul* […]. » Ce sonnet a été publié pour la première fois par Messein dans *Hombres*, recueil posthume de Verlaine publié sous le manteau en 1904. En face des deux quatrains se trouve l'indication « Paul Verlaine fecit » ; en face des deux tercets, « Rimbaud invenit », remarque portée par Verlaine lui-même sur le manuscrit Vanier (prédécesseur de A. Messein) qui avait recopié ce texte.

Le titre *L'Idole* nomme le livre d'Albert Mérat publié en 1869 que Verlaine et Rimbaud s'étaient amusés à parodier. Dans ce recueil se trou-vaient célébrées toutes les parties du corps féminin.

v. 4 – *blanches* : Verlaine, dans sa lettre à Charles Morice, renvoie à cet endroit à une note ainsi rédigée : « Notez bien qu'il y a *blanches* et non pas *blêmes* (se reporter au 1ᵉʳ immonde). Morale, es-tu assez respectée ? – Excusez ces enfantillages d'ailleurs. » Le « 1ᵉʳ immonde » désigne le son-net « Nos fesses ne sont pas les leurs ».

v. 14 – *Chanaan* : ancien nom de la Terre promise où devaient couler des ruisseaux de lait et de miel.

« Nos fesses ne sont pas les leurs. Souvent j'ai vu » p. 151

Ce sonnet, ainsi que le suivant, est fort comparable à « L'Idole » que contenait l'*Album Zutique*. Il fut vraisemblablement écrit à la même époque. Verlaine l'envoya à Charles Morice le 20 décembre 1883 avec une lettre où il le présentait ainsi : « Voici le 1ᵉʳ immonde. Les deux autres suivront » (voir Paul Verlaine, *Lettres inédites à Charles Morice*, *op. cit.*, p. 45). Vittorio Pica, un collectionneur italien en relation avec Verlaine, en eut également une copie (voir lettre du 11 octobre 1888 de V. Pica au directeur de *La Cravache parisienne*).

« LES ANCIENS ANIMAUX SAILLISSAIENT,
MÊME EN COURSE » P. 152

Ce sonnet, comme le précédent, fut recopié par Verlaine dans une lettre adressée à Charles Morice le 30 décembre 1883. Verlaine porte sur lui une appréciation sévère : « Pour être vaguement obscur ce sonnet n'en est pas moins toqué. Si nous lui pardonnions ? D'ailleurs c'est le dernier » (*Lettres inédites à Charles Morice, op. cit.*, p. 55).

v. 5 – *ange ou pource* : ange ou pourceau. Le mot « pource », non attesté, équivaut au féminin de pourceau. Le catalogue de la librairie Cornuau du 12 mai 1936 annonce, mise en vente, une note de Verlaine à Vanier lui demandant de placer en épigraphe à la série « Filles » de *Parallèlement* « Ange ou Pource. Rimbaud » – expression qui n'apparaîtra d'ailleurs pas dans le livre imprimé, une autre épigraphe « Capellos de Angelos » la remplaçant.

v. 7 – *Kléber* : célèbre général de la Révolution française. Peut-être Rimbaud évoque-t-il plus précisément la statue de Kléber (aux formes éloquentes !) qui figure, rue de Rivoli, sur le côté gauche du porche introduisant dans la cour du Louvre.

VERS NOUVEAUX

« QU'EST-CE POUR NOUS, MON CŒUR,
QUE LES NAPPES DE SANG » P. 156

Texte adopté : manuscrit de la collection Pierre Berès. Première publication de ce poème dans *La Vogue* (n° 7, 7 juin 1886).

Le poème est écrit en quatrains d'alexandrins (en rimes croisées dans les strophes impaires, embrassées dans les autres, sauf pour la sixième strophe), mais de telle sorte que la coupe normale à l'hémistiche n'y soit que rarement perceptible. Les rimes sont souvent anomiques (pluriel rimant avec des singuliers). Apocalyptique, « Qu'est-ce pour nous... » se rapproche des poèmes communards de Rimbaud, et semble annoncer l'inspiration destructrice de certaines *Illuminations* (« Après le déluge », « Barbare »). Elle se rapproche aussi d'un poème d'Eugène Vermersch, « Les Incendiaires », plaquette publiée à Londres en 1873 (Imprimerie de la Société coopérative).

v. 14 – *Que nous* : excepté nous. Ce tour apparaît dans le français classique (chez La Fontaine, chez Malherbe).

v. 15 – *romanesques amis* : les amis poètes (qui apparaissent sous ce nom dans « Comédie de la Soif », voir p. 162) ou les anciens communards ?

v. 22 – *Noirs inconnus* : l'adjectif « noirs » a une valeur morale. Il n'est pas dépréciatif. Dans « Les Poètes de sept ans », Rimbaud parlait ainsi des « hommes […]/ Noirs, en blouse […] ».

v. 25 – Cette phrase isolée n'est sans doute pas un vers supplémentaire (elle ne compte que neuf syllabes).

MÉMOIRE P. 157

Texte adopté : autographe de l'ancienne collection Lucien-Graux. Première publication dans *L'Ermitage*, 19 septembre 1892, pour les deux dernières parties, et dans *Poésies complètes* (Vanier, 1895) pour la totalité du texte. Voir aussi l'autre version, « D'Edgar Poe », p. 159.

Favorisée par le cours de la rivière, une rêverie se dessine où la réalité familiale apparaît (partie 3), mais enveloppée de nombreux symboles.

v. 6 – *Elle* : pour André Dhôtel (*Rimbaud et la révolte moderne*, Gallimard, 1952, p. 15), « Elle » est « la manifestation de la nature, apparition étonnante, *illumination* aux yeux de l'enfant qui, l'ayant saisie, pense à toutes ces choses matérielles qui lui ressemblent : les corps de femmes, la soie, le travail des bras humains ».

v. 8 – *l'arche* : l'arche d'un pont.

v. 9 – *l'humide carreau* : cette fenêtre disposée dans le texte donne à voir sur une scène à la fois fond de l'eau et fond de la mémoire. Plusieurs mots prennent ici un double sens : « bouillons » qui vaut pour l'eau et l'étoffe bouillonnée des rideaux ; les robes et les saules se ressemblent aussi.

v. 14 – *le souci d'eau* : il s'agit d'une fleur, qu'elle soit nénuphar (d'après Delahaye) ou populage (selon M. Ruff).

l'Épouse : le même mot avec une majuscule apparaît dans « Michel et Christine » (p. 172).

v. 17 – *Madame* : l'attitude sévère de cette femme pourrait rappeler Mme Rimbaud.

v. 18 – *les fils du travail* : ces « fils du travail » qui neigent sur la prairie sont évidemment les fils de la Vierge, ou filandres, « fil sécrété par certaines jeunes araignées et qui assure leur transport au gré du vent ». Mais Rimbaud a transformé l'expression (« Vierge » devient « travail ») ; et les fils arachnéens se confondent alors avec les fils (les enfants) de la gestation et de l'accouchement.

v. 21 – *Lui* : soit le père qui s'en va (reconstitution d'une scène traumatique), soit Rimbaud lui-même. Aucune de ces identifications ne parvient cependant à saturer le sens qu'implique ce pronom.

v. 23 – *la montagne* : Rimbaud rend légendaire les éléments de son univers (on en verra un autre exemple dans « Honte », p. 178). Ici la montagne peut tout simplement évoquer une colline dominant Charleville, le mont Olympe.

v. 26 – *saint lit* surmonte *sentier*, biffé.

v. 34 – *canot immobile* : réplique figée du « bateau ivre ». De son bord, aucune des fleurs symboliques ne peut être saisie, ni la jaune (la foi conjugale), ni la bleue (l'amour simple et fleur bleue de « Première soirée »).

v. 36 – *la* [fleur] *bleue* : un poème de Marceline Desbordes-Valmore, poétesse romantique dont Rimbaud conseillera à Verlaine de lire toute l'œuvre, s'intitule « La Fleur d'eau » (voir le recueil *Pauvres Fleurs*, 1839) et débute par ces vers :

> « Fleur naine et bleue, et triste, où se cache un emblème,
>   Où l'absence a souvent respiré le mot : J'aime ! »

D'EDGAR POE. FAMILLE MAUDITE P. 159

Le poème suivant, autre version signée « R. », a été mis en vente et vendu le 25 mai 2004 (hôtel Drouot, Mᵉ Tajan). Il faisait partie des papiers laissés par Verlaine à son domicile (chez les Mauté) quand il partit avec Rimbaud le 7 juillet 1872.

LARME P. 161

Texte adopté : autographe donné à Forain et reproduit dans le fac-similé Messein, 1919. Il existe un autre état de « Larme », sans titre et non daté. Il appartient à la collection Berès et a été reproduit pour la première fois dans l'édition des *Œuvres*, Club du meilleur livre, 1957. Ce manuscrit a servi pour la première publication de « Larme » dans *La Vogue* (n° 9, 21 juin 1886).

« Larme », sous une version différente, est cité dans *Une saison en enfer*.

Le poème est écrit en hendécasyllabes, mètre extrêmement rare jusqu'à cette époque. Rimbaud en avait pu trouver l'exemple dans « Rêve intermittent d'une nuit triste » de Marceline Desbordes-Valmore, dans le recueil *Poésies inédites* publié à Genève en 1860. Rappelons que cette poétesse était née à Douai en 1785.

v. 5 – *jeune Oise* : d'après Robert Goffin (*Rimbaud et Verlaine vivants*, Paris-Bruxelles, Écran du monde, 1937, p. 176), il s'agirait d'un ruisseau passant près de Roche et dont le vrai nom serait l'Alloire ou la Loire. Ce cours d'eau se jette dans l'Aisne qui elle-même grossit l'Oise.

v. 7 – *colocase* : plante exotique consommée en Océanie. Rimbaud semble prendre un mot pour un autre (« coloquinte » : variété de concombre oriental dont on peut faire des gourdes). Il n'a d'ailleurs pas maintenu *colocase* dans les autres versions. Le texte de *La Vogue* donne en effet pour ce vers et le suivant : « boire à ces gourdes vertes, loin de ma case/ claire quelque liqueur d'or qui fait suer. » Le texte d'*Une saison en enfer* porte « ces gourdes jaunes ».

v. 9 – *Tel, j'eusse été mauvaise enseigne d'auberge* : le texte de *La Vogue* donne « Effet mauvais pour une enseigne d'auberge ».

v. 14 – Le texte de *La Vogue* et celui d'*Une saison en enfer* donnent « Le vent de Dieu jetait des glaçons aux mares ».

LA RIVIÈRE DE CASSIS P. 161

Texte adopté : autographe donné à Forain et appartenant à l'ancienne collection Barthou. Entré à la Bibliothèque nationale en 1985. Il existe une autre version dans la collection Berès. C'est celle qui a servi à la première publication de cette poésie dans le n° 9 de *La Vogue*, 21 juin 1886. « La Rivière de Cassis » n'a pas été repris par Rimbaud dans *Une saison en enfer*.

Rimbaud semble reprendre un ancien texte, « Les Corbeaux » (qu'il cite au v. 16) et le transposer. La Rivière de Cassis ne désignerait pas alors, comme l'a prétendu Delahaye, la Semois à Bouillon, mais (sans évacuer cette hypothèse réaliste) la rivière tachée du sang des morts d'« avant-hier » dont parlait le poème « Les Corbeaux ».

v. 5 – *sapinaies* : néologisme pour « sapinières ». Rimbaud a pu le former analogiquement sur « chênaies », par exemple.

v. 7 – *mystères révoltants* : qui émeuvent, qui provoquent un profond bouleversement.

v. 8 – Ces *campagnes d'anciens temps* indiquent plutôt des campagnes militaires. Les chevaliers errants confirment cette ligne de compréhension.

v. 12 – André Breton appréciait particulièrement ce vers, « courte(s) formule(s) dont l'effet sur moi se montre magique » (*L'Amour fou*, Gallimard, 1937, 1ᵉʳ chapitre), qu'il a cité dans « Forêt-Noire », poème de son recueil *Mont de Piété*, Au Sans pareil, 1919. Rimbaud était censé le dire.

v. 18 – *trinque* : c'est-à-dire boite. À moins d'entendre dans « moignon » un équivalent de « main », ce qu'attestait le langage populaire à l'époque de Rimbaud.

COMÉDIE DE LA SOIF P. 162

Texte adopté : autographe donné à Forain et reproduit dans le fac-similé Messein. Appartenant à l'ancienne collection Barthou, le manuscrit est entré à la Bibliothèque nationale en 1985. Il existe une autre version de ce texte dans la collection Berès. C'est à partir d'elle que fut publié le texte paru dans *La Vogue* (n° 7, 7 juin 1886). Enfin, l'on connaît un autre manuscrit intitulé « Enfer de la soif », dont les parties 1, 2 et 3 se trouvaient dans la collection Ronald Davis (voir vente de la bibliothèque J. Guérin, Étude Tajan, 17 novembre 1998) et les parties 4 et 5 à la Fondation Bodmer, Cologny, Suisse. Ni « Comédie de la Soif » ni ses autres versions n'ont été repris dans *Une saison en enfer*.

En 1870, Rimbaud avait écrit « Comédie en trois baisers ». Sa « Comédie de la Soif », d'une tout autre teneur, indique cependant les participants d'un dialogue. Le moi (comme dans « Âge d'or ») est aux prises avec ses voix secrètes. Ainsi entendons-nous les répliques d'une véritable sotie intime. Devant chacun de ses possibles, Rimbaud prend parti. Il choisit toujours la fusion avec l'objet même du désir.

v. 24 – Les *urnes* prennent un double sens, puisque l'on a parlé de la visite au cimetière.

v. 25 – La partie consacrée à l'Esprit met en cause la poésie idéaliste des Parnassiens, et tout son matériel mythologique : ondines, Vénus...

v. 29 – Plus qu'au Juif errant, Rimbaud pense à Ophélie. La rime « Norwège »/ « neige » se trouvait déjà dans son poème « Ophélie » de 1870.

v. 31 – *Anciens exilés chers* : Ulysse, Énée, ou le poète latin Ovide qui, exilé chez les Scythes, avait écrit les *Pontiques*.

v. 41 – La partie consacrée aux Amis pourrait faire allusion aux beuveries des Zutistes comme à certaines tendances vaguement ésotériques de la nouvelle poésie.

v. 43 – *Bitter* : mélange d'eau-de-vie et de genièvre.

v. 46 – *L'Absinthe aux verts piliers* : cette vision de l'absinthe (la verte, comme on disait en argot) comprend une explicite référence au sonnet « Correspondances » de Baudelaire : « La Nature est un temple où de vivants piliers [...]. »

v. 53 – Le mot « Songe » débutant par une majuscule, ce titre correspond à un syntagme nominal désignant le locuteur du passage et non pas à une phrase.

v. 66-67 – Jamais l'auberge verte (c'est-à-dire vraisemblablement le Cabaret-Vert) ne peut m'être ouverte dans de bonnes conditions.

BONNE PENSÉE DU MATIN P. 165

Texte adopté : celui du premier fac-similé Messein. L'édition des fac-similés Messein reproduit deux états du texte, dont le second est sans titre ni date. « Bonne pensée du matin » est repris sous une version différente dans *Une saison en enfer*.

Cette poésie rappelle certains éléments de la lettre de « Jumphe » adressée par Rimbaud à Delahaye (voir p. 185). Mais si Rimbaud semble transposer l'ambiance dans laquelle il vivait à cette époque, il ajoute des références mythiques qui la transmuent vite en légende.

v. 6 – Les mythologiques Hespérides, dont le jardin contenait des arbres aux pommes d'or, régnaient pourtant sur l'extrême ouest du monde. Mais Rimbaud assimile le soleil aux fruits précieux dont elles avaient la garde.

v. 17 – Vénus est également appelée l'étoile du Berger, et c'est Pâris, alors qu'il était berger, qui lui avait accordé le prix dans le jugement où il avait dû se prononcer sur la beauté des Immortelles.

v. 20 – Vénus anadyomène était née de l'écume.

FÊTES DE LA PATIENCE P. 166

Ce titre général ainsi que la liste des quatre poèmes qu'il regroupe se trouvent inscrits au verso du dernier feuillet d'« Âge d'or ».

BANNIÈRES DE MAI P. 166

Texte adopté : autographe donné à Jean Richepin et reproduit dans le fac-similé Messein. Un autre manuscrit (titre : « Patience », sous-titre « D'un été ») a été utilisé par Vanier pour son édition des *Poésies complètes*, 1895 (voir *Livres du cabinet de Pierre Berès*, musée Condé, château de Chantilly, 2003). En haut de la page se lit un fragment (épigraphe ?) : « Prends-y garde, ô ma vie absente ! » Olivier Bivort a découvert (voir *RHLF*, juillet-août 2001) qu'il s'agit d'un vers du poème « C'est moi », publié pour la première fois dans *Élégies et poésies nouvelles* (1825) de Marceline Desbordes-Valmore. Ce poème n'a pas été repris dans *Une saison en enfer*.

Marqué par l'échec qui pourrait être celui de sa tentative poétique durant l'hiver 1871-1872, mais aussi celui de ses relations jusqu'alors inabouties avec Verlaine, Rimbaud s'abandonne à la déception et s'en remet à l'imprévisible sort qui l'attend.

v. 3 – Ces *chansons spirituelles* (face à « La Bonne Chanson » de Verlaine) semblent définir le genre poétique que Rimbaud met en pratique dans de tels textes, même s'il ne faut pas trop croire qu'il va jusqu'à s'inspirer de celles qu'écrivit Mme Guyon (voir Étiemble, « Sur les chansons spirituelles », *Lectures de Rimbaud, Revue de l'Université de Bruxelles*, 1982, p. 61-75).

v. 13 – *l'été dramatique* : l'été participe de l'action essentielle, du *drama* de l'année et de la course du soleil. Char du soleil et char du drame peuvent faire penser au chariot de Thespis, le premier comédien d'après les anciens Grecs. Le sort de Rimbaud serait *lié* à cette comédie essentielle.

v. 15-18 – Ces quatre vers posent un problème d'interprétation. « Toi » s'y oppose à « Bergers », « mourir beaucoup » à « meurent à peu près ». Or peut-on mourir plus ou moins ? Il apparaît que Rimbaud pense à deux types de mort, l'une absolue et comme extatique (fusionnelle avec la nature), l'autre incomplète et navrante. On retrouve ce double type de mort dans « Conte » (voir p. 259).

v. 24 – Il est naturel de rire au soleil, comme l'enfant sourit à ses parents.

CHANSON DE LA PLUS HAUTE TOUR P. 167

Texte adopté : autographe donné à Jean Richepin et reproduit dans le fac-similé Messein. Il existe un autre manuscrit dans la collection Berès, qui a servi à la publication faite dans *La Vogue* (n° 7, 7 juin 1886). Ce poème a été repris dans *Une saison en enfer* pour deux strophes seulement.

D'après Izambard (*Rimbaud tel que je l'ai connu*), le modèle de ce poème viendrait d'une chanson que connaissait Rimbaud : « Avène, avène/ Que le beau temps t'amène. » C'est la parole d'un guetteur. Le même désespoir habite toujours celui qui attend – et la même science poétique pour endormir sa douleur.

v. 3-4 – L'explication biographique vaut pour ce passage. Rimbaud venait, en effet, de regagner Charleville, incité à cela par Verlaine qui souhaitait reprendre la vie conjugale avec Mathilde, sa femme.

v. 12 – Cette expression, même si elle n'est pas absolument typique, se trouve également dans « Vies III » (« mon illustre retraite ») et c'est dans « Vies II » (toujours dans les *Illuminations*) que l'on rencontre le mot « veuvages » (voir ici v. 25).

v. 19 – Tout comme le Bois, la Prairie est un lieu essentiel du paysage rimbaldien. Son ambivalence apparaît bien ici.

v. 25 – On comparera avec un paragraphe de « Délires I » (*Une saison en enfer*, p. 216), où Verlaine est censé parler : « Je suis veuve… — J'étais veuve […]. Et souvent il s'emporte contre moi, *moi, la pauvre âme.* »

L'ÉTERNITÉ P. 169

Texte adopté : autographe donné à Jean Richepin et reproduit dans le fac-similé Messein. Il existe un autre manuscrit dans la collection Berès, qui a servi à la publication du texte dans *La Vogue* (n° 7, 7 juin 1886). « L'Éternité », sous une version différente, est repris dans *Une saison en enfer*.

Dans cette poésie, écrite en pentasyllabes, Rimbaud semble avoir trouvé une issue au mal qui le déchirait. Son « âme sentinelle » a fini par voir, du haut de la tour, le moment de l'aube, temps parfait qui émet le signe de l'éternité.

v. 7 – La nuit annulée par l'éclat du soleil.

v. 12 – Et voles suivant ton gré. L'âme s'est dégagée de la communauté humaine.

v. 13 – La quatrième strophe telle que Rimbaud la citera dans *Une saison en enfer* est peut-être plus explicite : « Plus de lendemain,/ Braises de satin,/ Votre ardeur/ Est le devoir. » Le Devoir coïncide avec la nécessité de vivre l'instant. L'Éternité est proche d'un présent pur auquel il faut se vouer.

v. 18 – Nul « il naîtra ». C'est le même verbe latin *oriri* qui a donné le mot « orient ».

ÂGE D'OR P. 170

Texte adopté : autographe donné à Jean Richepin et reproduit dans le fac-similé Messein. Un autre manuscrit se trouve dans la collection Berès. Il a servi à la publication du texte dans *La Vogue* (n° 7, 7 juin 1886). À ce texte manquent deux strophes, la quatrième et la cinquième. En face de la troisième strophe, on peut lire, écrit à côté d'une accolade : *terque quaterque* (« trois et quatre fois ») ; en face de l'avant-dernière, *pluries* (« plusieurs ») ; en face de la dernière : *indesinenter* (« indéfiniment »). « Âge d'or » devait être repris dans *Une saison en enfer*, comme l'indiquent les brouillons.

Dans cette poésie de l'altérité ou de l'altération de la personne, diverses voix (angéliques ou non) parlent, comme dans « Comédie de la Soif ». Le débat interne s'exprime par un obsédant cantique raisonneur qui se répète à n'en plus finir (*indesinenter* en latin). Écouter les bons conseils du for intérieur, être à l'unisson du bon sens, Rimbaud, par patience, feint d'y consentir.

v. 4 – *Vertement* : avec force et peut-être avec « verté » (« vérité », au Moyen Âge).

v. 9 – *ce tour* : cette façon d'être et cette manière de chanter qui rapproche Rimbaud du naturel (onde et flore), du familial et de l'évident (visible à l'œil nu).

v. 27 – Il n'y a pas d'explication satisfaisante à cette précision. Rappelons toutefois que *L'Ange du bizarre* (texte d'Edgar Poe traduit par Baudelaire et appartenant aux *Histoires grotesques et sérieuses*) s'exprime avec un accent d'Allemagne.

v. 35 – La réponse est donnée par le titre : de l'âge d'or. Ce retour vers un temps mythique est, comme l'éternité, une solution au malheur du temps.

v. 36 – La *Nature princière* de Rimbaud peut être entendue avec ironie puisque, à l'époque (s'il faut se fier à la date du poème), il habitait rue Monsieur-le-Prince. Une telle coïncidence ne pouvait toutefois que surdéterminer son univers poétique – et non pas le conditionner.

v. 39 – Ce sont les « voix » qui parlent à Rimbaud (très intimement) et non les « sœurs » réelles.

JEUNE MÉNAGE P. 171

Texte adopté : autographe au verso d'une lettre de Forain à Rimbaud, reproduit dans le fac-similé Messein. Voir vente bibliothèque Jacques-Guérin, Étude Tajan, 17 novembre 1998.

À la date que porte cette poésie, Rimbaud logeait à l'Hôtel de Cluny, face à la Sorbonne. Beaucoup de commentateurs ont pensé qu'il fait ici allusion au couple qu'il formait alors avec Verlaine (« intrigues de génies »). Croyons plutôt que Rimbaud, face à une fenêtre ouverte, invente un couple en proie à la malignité des esprits : lutins, feux follets, etc. Les deux derniers vers laissent voir nettement le parti qu'il prend pour ce « jeune ménage ».

v. 1 – *bleu-turquin* : bleu très foncé.

v. 3 – *aristoloches* : plantes vivaces poussant dans des endroits pierreux. Le mot vient du grec et signifie « meilleur accouchement ». Partant de cette étymologie, C.A. Hackett a vu dans ce poème l'indication d'une naissance.

v. 8 – *La mûre* : le mot rappelle « le mur » du v. 3. La fée africaine, la fée noire, apporte un fruit de même couleur.

v. 13 – Le vent trompe le marié. Pénétrant par la fenêtre grande ouverte, il prend sa place dans l'alcôve.

v. 15 – Émanations et traces d'humidité. Rimbaud avait d'abord écrit : « Même des fantômes des eaux, errants ».

v. 23 – Les *Spectres de Bethléem* évoquent le « jeune ménage » biblique, Joseph et Marie.

MICHEL ET CHRISTINE P. 172

Texte adopté : autographe de la collection Pierre Berès. C'est à partir de ce manuscrit que fut faite la publication du texte dans *La Vogue* (n° 8, 14 juin 1886).

Cette poésie non datée se rattache par sa prosodie aux vers écrits en 1872 (usage d'un mètre impair, l'hendécasyllabe, et rimes parfois réduites à des assonances). Le titre surprend. Parce que Rimbaud a écrit dans *Une saison en enfer* : « un titre de vaudeville dressait des épouvantes devant moi », on a cru pouvoir le référer à une comédie-vaudeville homonyme écrite par Scribe et représentée en 1821 (voir Étiemble et Yassu Gauclère, « À propos de "Michel et Christine" », *Cahiers du Sud*, décembre 1964, p. 927-931). L'action de la pièce se déroule pendant les guerres napoléoniennes. Michel est un paysan fiancé à Christine. Stanislas, le soldat, se sacrifie pour leur bonheur. Gaulois et Francs, autochtones et barbares, moutons et loups forment les oppositions fondamentales de cette poésie jusqu'à l'harmonisation finale, peut-être ironique, placée sous le signe du Christ. Yves Reboul y perçoit une invasion barbare ravageant le vieux monde que Rimbaud haïssait.

v. 1 – Ce « Zut » initial pourrait bien être un acte de foi « zutiste ».

v. 3 – *la vieille cour d'honneur* : dans sa lettre de juin 1872 à Delahaye, Rimbaud rappelle qu'en mai 1872 sa chambre rue Monsieur-le-Prince donnait sur les jardins du lycée Saint-Louis.

v. 5 – *cent agneaux* : l'équivalent des nuages qui « moutonnent ». Mais Rimbaud annonce bientôt une autre comparaison. Les nuages sont aussi des « soldats blonds ». Il en résulte tout un paysage pastoral (l'idylle) avec berger, troupeau, Sologne, loups.

v. 20 – *l'Europe ancienne* : « l'Europe aux anciens parapets », dit « Le Bateau ivre ». La vision apocalyptique et barbare que dessine Rimbaud rappelle aussi (ou préfigure) celle de « Qu'est-ce pour nous, mon Cœur… ».

v. 26 – *L'Épouse aux yeux bleus* : on remarquera la majuscule du mot « Épouse ». Cette femme aux yeux bleus allégoriserait la Gaule, l'homme au front rouge l'envahisseur Franc. L'idylle de ces deux peuples aurait donné la France, fille aînée de l'Église.

« Plates-bandes d'amarantes jusqu'à » p. 174

Texte adopté : autographe de la collection Pierre Berès. Publié dans *La Vogue* (n° 8, 14 juin 1886). Ce poème ne comporte pas de titre. « Bruxelles » est une simple indication locale. « Boulevart » est écrit avec un *t* (comme il était d'usage jusqu'en 1870 environ).

Le texte a vraisemblablement été rédigé quand Verlaine et Rimbaud, ayant quitté la France, commençaient leur randonnée en Belgique ; à Bruxelles, ils logèrent quelque temps au Grand Hôtel liégeois. Il peut être comparé à certains poèmes de Verlaine, contemporains ou postérieurs, notamment « Bruxelles. Simples fresques » I et II, repris dans *Romances sans paroles*, et « Images d'un sou », repris dans *Jadis et naguère*.

v. 1 – *amarantes* : plantes ornementales qui donnent des grappes de fleurs rouges. Ce mot, en grec, signifie « immortelles », ce qui explique peut-être le nom de Jupiter apparaissant par la suite.

v. 2 – Soit le palais du Roi, soit le palais des Académies. Le jeu de mots signalé au vers 1 conseillerait d'adopter cette deuxième signification. « Toi », au vers suivant, reprend vraisemblablement « Jupiter ».

v. 7 – *Cage de la petite veuve* : Rimbaud au vers 8 décrit un jardin, un parc. Le mot « veuve » désignerait alors un oiseau exotique du genre des passereaux, d'où, peut-être, à la cinquième strophe, la « salle à manger guyanaise ».

v. 10 – *la Folle par affection* : allusion à *Nina ou la Folle par amour*, comédie en un acte mêlée d'ariettes de Marsollier de Vivetières sur une musique de Dalayrac (créée le 15 mai 1786). La « petite veuve » produit de nouveaux personnages plus ou moins identifiables. Ophélie, peut-être, folle de Hamlet, mais aussi Juliette, dont le balcon est évoqué au vers suivant. Plus loin encore, Henriette et la blanche Irlandaise. Dans « Images d'un sou », où sont nommées quantité de figures légendaires, Verlaine écrira : « La Folle-par-amour chante/ Une ariette touchante ».

v. 11. – *les fesses des rosiers* : d'après Charles Bruneau (« Le patois de Rimbaud », *La Grive*, n° 53, avril 1947), cette expression serait un ardennisme et désignerait une branche flexible servant à soutenir des rosiers grimpants.

v. 13 – *l'Henriette* : Henriette est aussi un personnage des *Femmes savantes* de Molière, et Théodore de Banville avait déjà associé Juliette et Henriette dans « La Voie lactée », une pièce de ses *Cariatides*.

v. 16 – Les *diables bleus* évoquent la fumée des trains, mais semblent bien une traduction détournée de l'expression anglaise *blue devils* (qui équivaut à nos « idées noires »), utilisée déjà par Vigny dans *Stello* (chap. II).

v. 17 – *paradis d'orage* : cette expression, qui se trouve aussi dans une des *Illuminations* (« Villes », [II] : « le paradis des orages »), désigne ici le ciel.

v. 21 – *Fenêtre du duc* : la demeure du duc d'Arenberg. Rimbaud montre comment il fait une association avec les « escargots ». Le terme commun caché de cette devinette est évidemment « Bourgogne », qui convient aussi bien à « duc » qu'à « escargots ».

v. 24 – *C'est trop beau! trop!* : la même formule sera reprise dans « Est-elle aimée ? » (voir p. 175), vraisemblablement écrit à la même date.

« Est-elle aimée ?... aux premières heures bleues » p. 175

Texte adopté : autographe de l'ancienne collection Lucien-Graux. Première publication dans *Poésies complètes* (Vanier, 1895). Voir vente bibliothèque Jacques-Guérin, Étude Tajan, 17 novembre 1998.

v. 1 – *almée* : danseuse orientale dont les danses étaient accompagnées de chants. Le *Bescherelle* donne comme premier sens : « mot arabe qui signifie savante ».

v. 6 – *la chanson du Corsaire* : inspirée du « Corsaire » de Byron. Verdi avait écrit un opéra (1848) sur ce thème. Un mélodrame comique de Nicolas Dalayrac (1783) porte également ce titre.

Fêtes de la faim p. 175

Texte adopté : autographe musée Arthur-Rimbaud, Charleville-Mézières. « Fêtes de la faim » a été repris partiellement dans *Une saison en enfer*. La dernière strophe semble avoir été recréée par Rimbaud dans une autre poésie qu'il donne à la suite : « Le loup criait sous les feuilles… » (voir p. 225).

Les faims de Rimbaud sont aussi essentielles que ses soifs. Elles se nourrissent de l'incomestible, des sons, des odeurs, et traduisent le même désir de se fondre avec les éléments du monde.

v. 1 – On pense à la sœur Anne du conte *Barbe-bleue*, veilleuse de la plus haute tour.

v. 3 – *goût* : le mot est souligné, car il a un double sens. La sensibilité esthétique (le goût) devient voracité éperdue.

v. 7 – Ce vers semble être une réplique au poème « Chevaux de bois » de Verlaine, daté « août 1872 » et repris dans ses *Romances sans paroles*.

v. 9 – Rimbaud a d'abord écrit : « Puis l'humble et vibrant venin ».

v. 22 – *doucette* : espèce de mâche.

« Ô SAISONS, Ô CHÂTEAUX… » P. 176

Texte adopté : autographe de la collection Pierre Berès. Dans ce manuscrit, les six derniers vers ont été biffés. Dans le n° 9 de *La Vogue* (21 juin 1886) qui publie pour la première fois ce texte, ils ont été supprimés. Il existe un autre brouillon que Bouillane de Lacoste a étudié dans son édition critique des *Poésies* (Mercure de France, 1939, p. 223-225) ; il appartient visiblement aux quelques pages autographes d'*Une saison en enfer* qui nous sont parvenues. Le texte est précédé de deux lignes biffées : « C'est pour dire que ce n'est rien, la vie/ voilà donc les saisons. »

Autre poème-chanson, « Ô saisons, ô châteaux… » se donne pour refrain certains mots clés du monde rimbaldien. Les saisons correspondent à des périodes de vie, à des temps d'expérience (il y a aussi les veuvages). Les châteaux transposent sur un plan architectural de tels moments.

v. 1 – Pour l'autre manuscrit, on peut lire entre les deux premiers vers « Où court où vole où coule », biffé ; et pour le vers 2 : « Quelle âme n'est pas sans défauts ».

v. 5 – « le Bonheur était ma fatalité », écrira Rimbaud dans *Une saison en enfer*, avant de présenter ce poème.

v. 7 – *son coq Gaulois* : plusieurs sens sont admissibles et peut-être superposables. L'expression « coq gaulois » est en soi banale, puisque le coq se dit *gallus* en latin. On a souvent pensé, étant donné le contexte catholique rappelé par Rimbaud quand il présente ce poème dans *Une saison en enfer* (voir p. 228), que se trouvait remémoré ici un hymne des laudes du dimanche : « Gallo canente spes redit » (« L'espoir revient quand chante le coq »). Mais ce chant pourrait aussi désigner l'acte amoureux, après lequel le coq a l'habitude de chanter. Rimbaud avait d'abord écrit (brouillon examiné par Bouillane de Lacoste) : « Je suis à lui chaque fois/ Si chante son coq gaulois. »

v. 10 – *Charme* : le mot a le sens fort d'incantation magique et correspond au chant du coq.

v. 15-20 – Sur le manuscrit, ces vers ont été biffés.

v. 17 – *las !* : mot ancien pour « hélas ! ».

« ENTENDS COMME BRAME » P. 177

Texte adopté : autographe de la vente de l'hôtel Drouot du 5 février 1993. Première publication dans *Reliquaire* (1891) sous le titre factice « Silence ».

Ce poème sans titre (sur le manuscrit) et sans date est comparable par sa prosodie aux poèmes de 1872. Le troisième vers pourrait, à la rigueur, donner une indication de date : « avril ». Aucun commentaire sûr ne peut en être fait ; plusieurs, néanmoins, y ont vu une parodie de l'esthétique que Verlaine, à la même époque, mettait en œuvre dans ses *Romances sans paroles* (notamment la neuvième des *Ariettes oubliées*) et qu'il avait déjà expérimentée dans « La Bonne Chanson » (sixième poème, « La Lune blanche… », par exemple).

v. 6 – *Phœbé* : la Lune pour les anciens Grecs et, partant, pour les Parnassiens.

v. 13-16 – C.A. Hackett perçoit dans les épithètes « fériale » et « astrale » une double critique de la poésie verlainienne, celle des *Fêtes galantes* (fériale, qui a trait à la fête) et celle des *Poèmes saturniens* (astrale). La « brume » ou le « brouillard » (v. 19) correspondent bien aux effets de paysage verlainiens. Rimbaud les met au compte de l'ancienne poésie qui avait besoin d'un tel « philtre sournois ».

HONTE P. 178

Texte adopté : autographe de la collection Pierre Berès, d'après lequel fut publié cette poésie dans *La Vogue* (n° 8, 14 juin 1886).

Pour Émilie Noulet, « Honte » daterait de mai 1872, comme tendrait à le prouver la versification de Rimbaud dans cette pièce. Dans « Honte », il semble évident que Rimbaud se désigne par l'expression « l'enfant gêneur ». Il ferait donc ici parler Verlaine, comme dans « Délires I » (voir *Une saison en enfer*), où la Vierge folle retrace sa vie avec l'Époux infernal.

v. 4 – *À vapeur jamais nouvelle* : sans idée neuve.

v. 5 – *Lui* : pour Albert Henry, ce pronom « ne peut couvrir que le même être que celui qui est désigné à la quatrième strophe » (*Contributions à la lecture de Rimbaud*, Bruxelles, Académie royale de Belgique, 1998). Pour Michel Décaudin (*Poèmes*, Hachette, 1958, p. 267), cette deuxième strophe opposerait les commentaires ironiques de Rimbaud aux plaintes de Verlaine à son égard (dont l'ensemble du texte présenterait une parodie).

v. 17 – *un chat des Monts-Rocheux* : Suzanne Briet a suggéré qu'une telle expression pouvait désigner avec humour la région de Roche où ce poème aurait été écrit. Dans une lettre à Verlaine du 31 décembre 1881, Delahaye, pour parler de la présence possible de Rimbaud à Roche, écrit : « le "Monstre" hypothétiquement rocheux ».

LES DÉSERTS DE L'AMOUR

Autographe de l'ancienne collection Barthou entré depuis novembre 1985 à la Bibliothèque nationale. Le fac-similé de l'« Avertissement » a paru dans Henry de Bouillane de Lacoste, *Rimbaud et le problème des Illuminations*, Mercure de France, 1949.

L'ensemble est composé de trois feuillets libres. Le premier porte au recto le titre et au verso l'« Avertissement », signé « A. Rimbaud ». Les deux autres feuillets contiennent chacun un récit et ne sont écrits qu'au recto. En 1925, François Mauriac a publié son roman *Le Désert de l'amour*, qui lui valut alors le grand prix du roman de l'Académie française.

AVERTISSEMENT P. 182

Cet « Avertissement » permet de supposer un projet d'une certaine ampleur. Cependant, Rimbaud tient bien à se présenter comme l'éditeur de ces « écritures » de jeune homme. Il s'en distingue et prend le parti d'un « nous tous » face à cette « âme égarée ».

1. *homme* : le mot est souligné, comme il le sera dans « Sonnet » (voir *Illuminations*), texte appartenant à l'ensemble « Jeunesse ».

2. *jeunes hommes* : paradoxalement, ce jeune homme unique rappelle certains de ses devanciers. On pense, bien sûr, au héros de *La Confession d'un enfant du siècle* d'Alfred de Musset, et peut-être plus encore au *René* de Chateaubriand qui se présente ainsi : « Sans parents, sans amis, pour ainsi dire seul sur la terre, n'ayant point encore aimé, j'étais accablé d'une surabondance de vie. »

3. *élevés* : au sens moderne de « sublimés ».

4. *des Mahométans légendaires* : épisode de la légende chrétienne également rapporté dans le Coran (sourate XVIII, 9-22). Sept enfants persécutés par l'empereur Dèce avaient été murés dans une grotte où ils s'étaient réfugiés. Miraculeusement, ils s'y endormirent et ne se réveillèrent que deux siècles plus tard.

[I] P. 182

5. *un de mes jeunes amis anciens, prêtre et vêtu en prêtre* : Delahaye, dans *Rimbaud, l'artiste et l'être moral* (repris dans *Delahaye témoin de Rimbaud*, La Baconnière, 1974, p. 38), assure que ce personnage ne fut pas inventé : « C'était un condisciple [*de Rimbaud*] – les élèves du séminaire suivaient nos cours du collège – et un bibliophile qui lui prêtaient des livres. » Mais il est évident que Rimbaud (ou son rêve) tire le personnage vers la fiction et lui donne une importance toute romantique, quand il parle de ses livres « qui avaient trempé dans l'océan ». L'étrange

précision « c'était pour être plus libre » laisse entendre que cet ami n'avait pas choisi l'état ecclésiastique par vocation, mais par paresse.

6. *minant* : il faut bien lire « minant » et non « mimant ».

[II] p. 183

L'ensemble du texte, quoique progressif, est orchestré par l'afflux des larmes qui marquent la fin de chacun des trois principaux paragraphes. L'effusion des pleurs est à l'image des « larmes d'Éros » et semble se substituer à la satisfaction du corps.

DEUX LETTRES (1872-1873)

Lettre à Ernest Delahaye de juin 1872 p. 185

Autographe de l'ancienne collection Saffrey. B.N., n.a.fr. 26499. Première publication par Paterne Berrichon dans *La Nouvelle Revue française* (octobre 1912, p. 578-580).

Cette lettre est fondamentale pour comprendre les conditions de vie et l'état d'esprit dans lesquels se trouvait Rimbaud à Paris, quand il écrivait certains de ses « vers nouveaux » peu avant son départ avec Verlaine en Belgique. Elle est parsemée de mots inventés (ou plutôt déformés) qui signalent l'argot particulier que Rimbaud, Verlaine, Delahaye et quelques autres avaient coutume d'utiliser entre eux.

1. *Parmerde, Jumphe* : c'est-à-dire Paris, juin.

2. *le cosmorama Arduan* : Littré définit le mot *cosmorama* comme « une espèce d'optique où l'on voit des tableaux représentant les principales villes ou vues du monde ». Rimbaud venait de goûter les amères beautés des Ardennes de février à avril 1872.

3. *chacun est un porc* : en 1873, Rimbaud écrira dans *Une saison en enfer* : « ainsi j'ai aimé un porc ».

4. Cette dernière phrase semble évidemment en accord avec les poèmes datés de mai 1872 : « Comédie de la Soif », « Bonne pensée du matin », « Chanson de la plus haute Tour » (« Et la soif malsaine/ Obscurcit mes veines »).

5. *L'académie d'Absomphe* (c'est-à-dire d'Absinthe) se trouvait au 176, rue Saint-Jacques. Quarante tonneaux d'eau-de-vie y étaient alignés le long des murs ; de là le nom de l'établissement.

6. *geinte* (du verbe « geindre ») : motif à plaintes.

7. Henri Perrin était professeur. Il avait succédé à Georges Izambard. Quand il était devenu rédacteur du *Nord-Est*, Rimbaud lui avait communiqué certains textes pour qu'il les publiât dans ce journal, mais il s'y était refusé énergiquement.

8. Le café de l'Univers, face au square de Charleville, était fréquenté par Rimbaud et ses amis.

9. Cette mansarde, rue Monsieur-le-Prince, se trouvait, d'après P. Petitfils (*Rimbaud*, Julliard, 1982, p. 172), soit au n° 41, à l'hôtel d'Orient, soit, plutôt, dans un immeuble vétuste et abandonné qu'occupait alors la bohème du quartier Latin.

10. Ce paragraphe fait penser à certains textes de Rimbaud, et notamment à « Bonne pensée du matin » (voir p. 165).

11. Le 1ᵉʳ numéro de *La Renaissance littéraire et artistique* avait paru le 27 avril 1872. Les directeurs de la revue étaient Émile Blémont (auquel Rimbaud avait confié son sonnet « Voyelles ») , Jean Aicard et Richard Lesclide. Le numéro du 14 septembre 1872 publia « Les Corbeaux » ; mais Rimbaud était alors en Angleterre.

12. *Caropolmerdès* : Carolopolitains. Malgré ce qu'il dit, il est établi qu'il vit alors Jules Mary, un ancien du collège (voir *Littérature*, octobre 1919). Jules Mary, 1851-1922, deviendra l'auteur de romans populaires, tels que *Roger la Honte*.

Lettre à Ernest Delahaye de mai 1873 p. 187

Première publication dans *La Nouvelle Revue française*, juillet 1914, p. 52-54. Fac-similé reproduit, accompagné de notes de Steve Murphy, dans le *Bulletin* n° 1 de *Parade sauvage* (février 1985, p. 61-64). Nous avons respecté les bizarreries graphiques de Rimbaud. Depuis 1998, B.N., n.a.fr. 26499.

Rimbaud était arrivé à Roche le 11 avril, jour du vendredi saint. Isolé dans sa famille, il ne pouvait venir à Charleville. Ernest Delahaye restait l'ami fidèle à qui il aimait se confier.

1. *Laïtou* : l'explication du curieux « Laïtou » est donnée dans la parenthèse : « (Roches [*sic*]) », et dans un dessin de la lettre elle-même représentant grossièrement une agglomération et sous-titré « Laïtou, mon village ». À côté de ce croquis, on lit la phrase : « La *mother* m'a mis là dans un triste trou. » Or, « trou la la laïtou » était le refrain de plusieurs tyroliennes en vogue à l'époque.

2. *Ô Nature ! ô ma mère !* : parodie du vers de Musset dans « Souvenir », « Eh bien ! qu'importe encore ? Ô nature ! ô ma mère !/ En ai-je moins aimé ? » La première page de la lettre de Rimbaud est ornée d'un dessin où il se représente, les cheveux longs et tenant un bâton. Autour de lui, grossièrement indiqués, un décor champêtre, une oie chantant « ô nature, ô ma tante » et, plus loin, un paysan brandissant une pelle et disant « ô nature, ô ma sœur ! ».

3. *Charlestown* : Charleville.

4. *l'Univers, la Bibliothè* [*sic*] : le café de l'Univers et la bibliothèque municipale restaient donc toujours les lieux d'élection de Rimbaud.

5. Rimbaud semble clairement indiquer ici qu'il écrit la partie de la future *Saison en enfer* qui sera intitulée « Mauvais sang », et tout spécialement les cinquième et sixième sections. Le projet proprement dit d'*Une saison en enfer* n'apparaît donc pas encore, mais l'idée d'un livre s'opposant à l'esprit du christianisme semble d'ores et déjà retenue.

6. *Nôress* : pour *Nord-Est*, journal de Charleville. Verlaine devait voir, en effet, Léon Deverrière, un ancien ami de Georges Izambard, bien connu de Rimbaud également et qui, après avoir été quelque temps professeur de philosophie à l'Institution Rossat, était devenu secrétaire de rédaction du *Nord-Est* (dont l'imprimeur était F. Devin). Le livre que Verlaine voulait faire imprimer était les *Romances sans paroles*, alors dédiées à Rimbaud.

7. *enmerdés* [*sic*] : gras, encrassés d'encre.

8. *contemplostate* : bon exemple du genre de néologismes que Verlaine, Rimbaud et Delahaye utilisaient entre eux. On comprend, bien entendu, la « contemplation ». Mais le mot « prostate » s'entend aussi et détruit le sens noble du mot « nature » qui suit.

9. *m'absorculant* : m'absorbant.

10. *un rendez-vol* : un rendez-vous.

11. *Boulion* : pour « Bouillon », petite ville des Ardennes belges située près de la frontière, où Rimbaud retrouva le dimanche Verlaine et Delahaye. Verlaine lui aussi jouera sur ce nom propre et le transformera en « Boglione ».

12. *fraguemants en prose* : pour « fragments en prose ». Quels textes Rimbaud désigne-t-il ici ? André Guyaux (*Poétique du fragment*, La Baconnière, 1985) a pensé aux *Illuminations* dont Verlaine dira plus tard qu'il s'agissait de « superbes fragments ». Mais en quoi, dans ce cas, consistaient les fragments de Verlaine ?

13. *Prussmars* : Prussiens.

14. *à Vouziers, une sous-préfecte* : sous-préfecture du département des Ardennes, située sur l'Aisne, Vouziers comptait alors un peu plus de 3 000 habitants et non « 10 000 âmes », comme le dit Rimbaud. Considère-t-il alors que les « Prussmars » ont apporté un tel renfort de population ? C'est probable, et volontairement comique.

15. *demi-douzaine* : le renseignement donné par Rimbaud est d'importance. Il a donc déjà écrit à cette date trois histoires (font-elles partie de la future *Saison* ou des *Illuminations* ?). Son projet semble comporter alors neuf histoires. *Une saison en enfer* contiendra huit chapitres (?) de longueur très inégale. On notera surtout que « Mauvais sang » (qui contient deux « histoires nègres ») est formé de huit parties, ou séquences.

16. *Faust* : c'est évidemment une histoire satanique par excellence qui correspond assez aux ambitions d'*Une saison en enfer*.

17. *Shakespeare* : les références à Shakespeare sont nombreuses chez Rimbaud, mais surtout dans les *Illuminations* (voir « Bottom »).

18. *cette biblioth* : la Bibliothèque populaire ; elle publiait une « collection des chefs-d'œuvre des littérateurs français et étrangers » à 25 centimes le volume.

PROSES ÉVANGÉLIQUES

Autographe de l'ancienne collection Jacques Guérin. Un feuillet recto-verso. Reproduction dans le catalogue de vente de l'hôtel Drouot, Étude Tajan, 17 novembre 1998.

Les crochets encadrent les lectures conjecturales, les mots ou lettres restitués ainsi que les passages n'ayant pu être déchiffrés dans le manuscrit autographe.

« À Samarie » p. 192

1. *Samarie* : Samarie désigne une province centrale de la Palestine. Les Samaritains étaient en conflit religieux avec les Juifs et les détestaient.
2. *Juda* : la Judée. Les tables antiques désignent les Tables de la Loi données par Yahvé à Moïse sur le Sinaï.
3. *la femme à la fontaine* : cette rencontre est narrée dans l'Évangile selon saint Jean. On y lit notamment la phrase : « Seigneur, je vois bien que vous êtes un prophète » (Jean 4, 19, traduction de Lemaistre de Sacy, à laquelle nous nous référerons désormais). Le mot « prophète » est ici considéré comme « sinistre » parce que les prophètes étaient menacés de mort par les Samaritains.
4. *l'homme d'état* : cette parole peut annoncer celle d'*Une saison en enfer* : « Ce sont les seuls élus. Ce ne sont pas des bénisseurs. »

« L'air léger » p. 193

Texte écrit sur la même page que le précédent.
1. *les marchands de gibier* : « Et il trouva dans le temple des gens qui vendaient des bœufs, des moutons et des colombes, comme aussi des changeurs qui y étoient assis » (Jean 2, 14).
2. *un officier* : épisode rapporté dans Jean 4, 46-54.
3. *vous ne croyez point* : « Si vous ne voyez des miracles et des prodiges, vous ne croyez point » (Jean 4, 48).
4. *Il avait [...] parlé un peu hautement à la Sainte Vierge* : allusion à la parole du Christ à la Vierge pendant l'épisode des noces de Cana : « Femme, qu'y a-t-il de commun entre vous et moi ? Mon heure n'est pas encore venue » (Jean 2, 1-12).
5. *« Allez, votre fils se porte bien »* : Jean 4, 50.
6. *pharmacie* : le mot est à prendre ici au sens de « remède ».

« BETHSAÏDA » P. 196

Verso de la page précédente.

1. *Bethsaïda* : « Or il y a à Jérusalem une piscine des brebis, appelée en hébreu Bethsaïda ; et elle est environnée de cinq galeries, dans lesquelles étoient couchés un grand nombre de malades, d'aveugles, de boiteux, et d'autres dont les membres étoient desséchés, qui tous attendoient le mouvement de l'eau » (Jean 5, 2-3).

2. *pareil à un ange blanc* : « Car l'ange du Seigneur descendoit un certain temps dans cette piscine, et en agitonnoit l'eau ; et celui qui y entroit le premier après que l'eau avoit été ainsi agitée, étoit guéri, quelque maladie qu'il eût » (Jean 5, 4).

3. *le démon tirait sa langue en leur langue* : paraphrase faite par Rimbaud ; le démon ironisait (tirait la langue) dans leurs paroles (en leur langue). Façon de désigner les railleries que proféraient ces hommes pleins de péchés.

4. *Le Paralytique se leva* : « Jésus lui dit : levez-vous ; emportez votre lit, et marchez. Et aussitôt cet homme fut guéri ; et prenant son lit, il commença à marcher » (Jean 5, 8-9).

UNE SAISON EN ENFER

« JADIS, SI JE ME SOUVIENS BIEN » P. 201

1. *Une saison en enfer* s'ouvre sur ces guillemets qui ne seront jamais refermés par la suite.

2. Nombreuses chez les poètes, les comparaisons de la vie avec le festin. Citons le vers de Gilbert, poète du XVIIIᵉ siècle : « Au banquet de la vie, infortuné convive ». L'évocation de ce « festin » est peut-être également un souvenir de la Bible, et plus précisément de l'épisode des noces de Cana, rappelé dans l'une des *Proses évangéliques* (p. 192).

3. *Ô sorcières* : je pense qu'il faut comprendre que la misère et la haine, nommées ensuite, sont les sorcières dont parle Rimbaud.

4. *le dernier couac !* : l'expression populaire « faire un couac » signifie « faire une fausse note », « commettre une bévue ». Rimbaud, par une épithète, la rend plus expressive et synonyme de « rendre le dernier soupir ». Il est plus que probable qu'il fait ainsi allusion au 10 juillet 1873 et au drame de Bruxelles.

5. *de si aimables pavots* : comprendre, par antiphrase, « d'illusions si détestables ». Le pavot est la fleur du sommeil.

6. *tous tes appétits* : Verlaine semble avoir plusieurs fois cité ces mots puisqu'il les écrivit en italique dans « Invocation » (premier état de « Luxures », envoyé le 16 mars 1873 à Edmond Lepelletier) : « Chair !

Amour ! ô tous les appétits vers l'Absence,/ Toute la délivrance et toute l'innocence. » On les retrouve dans *Sagesse* (« Malheureux ! Tous les dons… : Tout appétit parmi ces appétits féroces ») et dans « Crimen amoris », écrit dès 1873 et envoyé à Rimbaud : « Les Appétits, pages prompts que l'on harcèle. »

7. *petites lâchetés en retard* : ces mots laissent entendre d'autres textes où certains critiques, non sans vraisemblance, ont voulu voir les poèmes en prose des *Illuminations*.

MAUVAIS SANG P. 203

1. *mes ancêtres gaulois* : Rimbaud commence son histoire là où traditionnellement commence l'Histoire de France. Comme il répétera le caté-chisme (pour le parodier), il répète l'enseignement des manuels scolaires.

2. *plus oisif que le crapaud* : Verlaine, dans une lettre à Rimbaud du 2 avril 1872, se dit « *l'ami des crapauds* », pour signifier à Rimbaud qu'il est son ami. Rimbaud, en effet, lors d'une altercation avec le photographe Carjat, avait été traité de crapaud par celui-ci.

3. *race inférieure* : faut-il créditer Rimbaud d'un certain nombre de lectures qui donneraient à cette expression tout son arriéré historique ? S'il paraît peu probable qu'il ait lu l'*Essai sur la noblesse de France* (1732) du comte de Boulainvilliers, montrant que la noblesse descendait des anciens Francs et le tiers-état des Gaulois vaincus, il est plus plausible qu'il ait eu connaissance des *Récits des temps mérovingiens* d'Augustin Thierry (1840), insistant sur la domination franque et l'état de servage des Gaulois de souche. Rimbaud se veut plus gaulois que français, et la fin de « Mauvais sang » (c'est-à-dire « mauvaise origine ») tend à rejeter définitivement « la vie française ».

4. *Solyme* : ancien nom poétique de Jérusalem.

5. *bivaqué* : forme ancienne pour « bivouaqué ».

6. *Pourquoi ne tournerait-il pas ?* : rappel de la parole de Galilée « Eppur si muove ! » (« Et pourtant elle tourne ! ») que Rimbaud avait déjà citée par moquerie dans *Un cœur sous une soutane*.

7. *la plage armoricaine* : le texte enregistre ce curieux déplacement de l'Est (pays de l'Évangile) à l'Ouest (la Bretagne du sang païen).

8. *retour des* : expression elliptique de la langue parlée pour « au retour des ».

9. *mon vice* : vraisemblablement l'homosexualité (voir le brouillon de ce passage, p. 240).

10. *se garder de la justice* : le brouillon de ce passage permet de com-prendre que Rimbaud, dans sa résolution enragée, souhaite éviter toute-fois les pénalités qu'impose la société. Donc pas de fin sur l'échafaud (on chantait souvent des complaintes pour les condamnés à mort). Pas de

popularité de cette sorte. Cependant, la justice s'était bel et bien emparée de lui et de Verlaine à Bruxelles !

11. *soulever [...] le couvercle du cercueil* : pour y entrer, bien entendu. « Enfance V » fait écho à cette résolution : « Qu'on me loue enfin ce tombeau [...] très loin sous terre. »

12. *De profundis Domine* : Rimbaud ponctue *Une saison en enfer* de tels rappels de chants et répons d'église. Baudelaire, lui aussi, avait écrit un sonnet de désespoir lucide, « De profundis clamavi » (*Les Fleurs du Mal*, éd. de 1861).

13. *le forçat intraitable* : ce forçat peut être le Jean Valjean des *Misérables* de Victor Hugo, ouvrage que cite Rimbaud dans sa lettre à Paul Demeny du 15 mai 1871.

14. *nuits d'hiver* : vraisemblablement une allusion à la fugue de Rimbaud à Paris durant l'hiver 1871 (du 25 février au 10 mars) et surtout à son retour à pied à Charleville.

15. *ne m'ont peut-être pas vu* : Rimbaud souligne ce passage. Il semble ainsi se référer à l'Évangile selon saint Matthieu (13, 13) : « parce que regardant, ils ne regardent pas, et entendant ils n'entendent ni ne comprennent ».

16. *la race qui chantait dans le supplice* : la phrase précédente, « je n'ai jamais été chrétien », conseille de ne pas voir en Rimbaud un martyr de la religion. S'il est brûlé (vraisemblablement sur un bûcher, « comme Jeanne d'Arc »), c'est parce qu'on le considère comme un sorcier (il a précisé plus haut qu'il dansait le sabbat).

17. *empereur, vieille démangeaison* : citation d'« Eviradnus », l'une des petites épopées de *La Légende des siècles* de V. Hugo. En voici le texte :

« Est-ce que tu n'as pas des ongles, vil troupeau,
Pour ces démangeaisons d'empereur sur ta peau ! »

18. *des enfants de Cham* : Cham était l'un des fils de Noé. De lui naquit la race noire.

19. *Deux amours* : Rimbaud distingue bien l'amour terrestre, qui est aussi le « dévouement » (la charité), et l'amour divin, qui est la foi.

20. *Jésus-Christ pour beau-père* : cette plaisanterie est une conséquence logique de ce qu'avait écrit Rimbaud auparavant, rappelant que la France était « fille aînée de l'Église ». Il est évident que si Rimbaud « épouse » la vie française (morale et religion), il aura Jésus-Christ pour beau-père ! Une autre version de cette « idylle » est donnée dans « Michel et Christine » (voir *Vers nouveaux*, p. 172).

21. *J'ai dit : Dieu* : cette précision tend à éliminer tout dogmatisme religieux, et plus particulièrement le christianisme. Rimbaud voulant trouver Dieu n'a pas besoin d'intermédiaires.

22. *le siècle des cœurs sensibles* : le XVIIIᵉ siècle, siècle de Fénelon et de Jean-Jacques Rousseau, dont Ernest Delahaye prétend que Rimbaud fut l'assidu lecteur.

23. *ce cher point du monde* : on pense à la parole d'Archimède : « Qu'on me donne un point d'appui, et je soulèverai la terre. » Mais il apparaît bien que Rimbaud veut échapper à l'action qui accapare les hommes.

Nuit de l'enfer p. 211

1. *une fameuse gorgée de poison* : il est difficile de savoir ce qu'entend Rimbaud par ce poison. Un poison matériel, une drogue (voir « Matinée d'ivresse ») ? Ou un poison spirituel (l'ignominie, dit Enid Starkie ; le doute, dit Mario Matucci ; la foi chrétienne, assimilée plus bas au « baiser mille fois maudit », prétend Suzanne Bernard) ?

2. *Je me crois en enfer, donc j'y suis* : c'est encore ce que l'on peut lire dans certains manuels de catéchisme commentant le Credo : « croire veut dire je suis certain ».

3. *le clair de lune quand le clocher sonnait douze* : l'italique indique sans doute une citation. Ce membre de phrase se présente comme un alexandrin. On n'a pu localiser ce vers, mais, comme l'indiquait déjà Y.-G. Le Dantec (Verlaine, *Œuvres poétiques complètes*, Gallimard, « Bibliothèque de la Pléiade », 1938), Verlaine le reprendra dans « Lunes I », poème de *Parallèlement* : « [...] après le bal sur la pelouse,/ Le clair de lune quand le clocher sonnait douze ».

4. *en bas* : comme l'indique le latin *infernum*, « qui est en bas ».

5. *Ferdinand* : d'après Delahaye, nom donné à Satan par les paysans vouzinois.

6. *La lanterne nous le montra* : il s'agit d'un spectacle de lanterne magique. Ce jouet était courant à l'époque.

7. *houris* : femmes qui peuplent le paradis de Mahomet, selon le Coran. Rimbaud veut simplement dire de très belles femmes.

8. *l'anneau* : Rimbaud fait allusion à plusieurs anneaux légendaires – celui de Polycrate, qui, comblé de bonheur et pour défier le destin, avait jeté ce bijou dans la mer, et surtout celui du roi Gygès, qui permettait à son possesseur de disparaître à volonté (or Rimbaud vient d'écrire : « Veut-on que je disparaisse »).

9. *ma Saxe* : rien ne permet de comprendre l'allusion contenue dans ce mot, à moins de se reporter au *Faust* de Goethe (que Rimbaud souhaitait lire en mai 1873). Leipzig, en effet, où se passe l'action de *Faust*, est dans la province de Saxe.

Délires I p. 215

Vierge folle : l'organisation de ce chapitre est inspirée par la parabole des Vierges folles et des Vierges sages rapportée dans l'Évangile selon saint Matthieu (25, 1-13). Au royaume des cieux, dix jeunes filles prennent leurs lampes pour accueillir l'époux divin. Cinq d'entre elles (ce sont les Vierges folles) ne se sont pas munies d'huile. Les cinq autres ont été plus prévoyantes. C'est pourquoi elles peuvent recevoir l'époux divin.

Les commentateurs sont divisés lorsqu'il s'agit de mettre un nom sur l'époux infernal et la vierge folle. Certains croient qu'il s'agit de Rimbaud en lutte contre lui-même ; en somme, un dialogue entre Animus et Anima, pour reprendre la parabole inventée par Claudel dans ses « Réflexions et propositions sur le vers français » (1ʳᵉ parution dans *La Nouvelle Revue française*, 1ᵉʳ novembre 1925) « pour faire comprendre certaines poésies d'Arthur Rimbaud ». Toutefois il est plutôt admis que la vierge folle représente le faible Verlaine et que l'époux infernal est Rimbaud en personne. Le débat du texte semble le prouver.

1. *Je suis veuve* : dans plusieurs poèmes de 1872, Rimbaud parle de veuvages ou de veuve, notamment dans « Vies II » et la « Chanson de la plus haute Tour », où l'on rencontre aussi l'expression « la si pauvre âme » (présentée ici comme une citation). Ces termes appartiennent évidemment au vocabulaire verlainien, repris et souvent moqué par Rimbaud.

2. *L'amour est à réinventer* : on lit, dans « Génie III » de Rimbaud, « L'amour, mesure parfaite et réinventée. »

3. *d'être éclairé sur tout* : plus tard, Verlaine, demandant par lettres des nouvelles de Rimbaud à Ernest Delahaye, l'appellera le « philomathe », celui qui a le goût d'apprendre.

4. *Duval, Dufour, Armand, Maurice* : dans cette suite de noms et de prénoms, on entend « Armand Duval », le héros de *La Dame aux camélias* (1848) d'Alexandre Dumas fils. La phrase qui suit offre en effet un ironique commentaire de ce drame.

5. *assomption* : Rimbaud choisit à dessein ce mot du vocabulaire religieux qui désigne l'enlèvement de la Vierge au ciel par les anges (l'Ascension nommant l'élévation miraculeuse du Christ au ciel). Appliqué à l'époux infernal, le terme, quoique doublement impropre, est particulièrement blasphématoire.

DÉLIRES II P. 221

Alchimie : Baudelaire, pour sa part, avait écrit une « Alchimie de la douleur » (*Les Fleurs du Mal*, éd. de 1861). Dans le sonnet des « Voyelles », Rimbaud parlait déjà de cette science occulte. Or c'est ce poème qu'il mentionne tout d'abord dans la rétrospection de ses « études » passées. Tous les poèmes cités dans cette partie d'*Une saison en enfer* ne sont restitués qu'approximativement, soit par imprécision du souvenir, soit par volontaire négligence, soit par application à les modifier.

1. *À moi* : après la confession de la vierge folle, Rimbaud reprend ici la parole.

2. *rhythmes naïfs* : toutes ces références décrivent au mieux la versification des poèmes de 1872 inspirés par des chansons populaires et le recours à ce que Verlaine nommera plus tard des « images d'un sou ».

3. *U vert* : Rimbaud donne les voyelles dans l'ordre alphabétique habituel alors que le sens du fameux sonnet s'éclaire de la place finale accordée à la voyelle *O*, équivalant dans ce cas à l'oméga grec, fin de toutes choses.

4. *accessible, un jour ou l'autre, à tous les sens* : c'était déjà la tentative de Baudelaire dans *Correspondances*. Rimbaud avait pensé, dès le printemps 1871, à un « dérèglement raisonné de tous les sens ».

5. *un salon au fond d'un lac* : on trouve dans « Soir historique », l'une des pièces des *Illuminations*, « on joue aux cartes au fond de l'étang ».

6. *un titre de vaudeville* : on a pensé que Rimbaud désignait par là *Michel et Christine*, vaudeville de Scribe qui put inspirer le poème portant le même titre (voir p. 172).

7. *d'espèces de romances* : le terme est on ne peut plus juste. Il entre tout naturellement en résonance avec les *Romances sans paroles* qu'à la même époque Verlaine écrivait et qu'il avait primitivement dédiées à Rimbaud (manuscrit envoyé par Verlaine à E. Blémont et conservé à la bibliothèque Jacques-Doucet).

8. Le paysage dessiné dans cette exhortation est exclusivement urbain. Le « général soleil » est appelé à détruire les lieux fréquentés par la bourgeoisie. Son offensive transpose les violences de la Commune et le soulèvement de la nature contre la culture.

9. *Le loup criait…* : nous n'avons pas de manuscrit de ce poème. Il est fort possible que Rimbaud, ne se souvenant plus de la suite de « Faim », en ait ainsi reconstitué le texte. Rappelons le quatrain qu'il oublie :

> « Sur terre ont paru les feuilles :
> Je vais aux chairs de fruit blettes.
> Au sein du sillon je cueille
> La doucette et la violette. »

Or la structure du nouveau poème qu'il propose est identique : quatrains d'heptasyllabes en rimes croisées, et certains mots se retrouvent : « feuilles », « fruits », « violette ».

10. *autels de Salomon* : on pratiquait sur ces autels des holocaustes de bétail en l'honneur de la divinité.

11. *Cédron* : torrent qui sépare Jérusalem du mont des Oliviers et se jette dans la mer Morte.

12. *les plus tristes* : sur le brouillon de ce passage, Rimbaud envisageait de citer ici le poème *Mémoire* (voir p. 157).

13. *la Cimmérie* : pays qui, d'après les Anciens, se trouvait au bout de la terre et voisinait le royaume des morts. Ulysse y aborda avant de

descendre aux Enfers. « Ce peuple [*les Cimmériens*] vit couvert de nuées et de brumes, que jamais n'ont percées les rayons du Soleil » (*Odyssée*, chant XI, trad. V. Bérard). Claudel admirera particulièrement cette phrase de Rimbaud dont il louera les « beautés de consonances, d'allitération, de mouvements et de dessin » (« Réflexions et propositions sur le vers français », art. cité).

14. *ad matutinum* : au matin. Les laudes du dimanche, chantées après les matines, contiennent ce vers d'hymne, assurément connu de Rimbaud : « Gallo canente spes redit » (« Au chant du coq l'espérance revient »).

15. Sur cette phrase, Rimbaud semble achever la première partie de son texte annoncée par le prologue où il rappelait son mépris pour la beauté.

L'IMPOSSIBLE P. 229

1. *ces bonshommes* : de nouveau, on pense à Verlaine.

2. *de faux élus* : comme il y avait de faux nègres. Rimbaud dénonce le monde d'apparences dans lequel nous vivons. Mais il semble dire en même temps que celui-ci l'emporte. Les faux élus sont les seuls élus. Il paraît opportun d'opposer ici le sens théologique du terme au sens civique, ce dernier dominant désormais.

3. *les développements cruels qu'a subis l'esprit* : cette formule a une tonalité particulièrement hégélienne.

4. *la sagesse bâtarde du Coran* : bâtarde, parce que la religion de l'Islam mélange plusieurs traits du christianisme à certains éléments des traditions orientales.

5. *l'homme se joue* : l'homme se leurre en voulant tout expliquer.

6. *M. Prudhomme est né avec le Christ* : M. Prudhomme est un personnage créé par le dessinateur et écrivain Henri Monnier dans ses *Scènes populaires dessinées à la plume* (1830). En 1857, Monnier a publié les *Mémoires de Joseph Prudhomme*. Prudhomme représente le type du bourgeois sot, infatué de lui-même et grand émetteur de lieux communs. Dans la mesure où le christianisme serait une religion de la vraisemblance (Dieu s'est fait homme dans le Christ pour qu'on le croie !), il peut satisfaire les esprits médiocres toujours à l'affût de preuves matérielles.

7. *l'Éden* : mot hébreu signifiant Paradis terrestre. On lit dans la Genèse (2, 8) : « Yahvé planta un jardin en Éden, à l'orient, et il y mit l'homme qu'il avait façonné. »

8. *L'humanité se déplace* : les philosophes du XIXᵉ siècle (se fondant en cela sur la naissante linguistique) pensaient que les peuples européens venaient d'Asie.

L'Éclair p. 233

1. *l'Ecclésiaste moderne* : le livre biblique de l'Ecclésiaste commence en effet par cette formule : « Vanité des vanités ; tout est vanité ! » Mais le moderne Ecclésiaste qu'imagine Rimbaud en prend le contre-pied.

2. *les échappons-nous* : ancienne construction transitive du verbe « échapper » qui signifie dans ce cas « éviter ». On retrouve cette construction dans l'expression figée « l'échapper belle ».

3. *J'ai mon devoir…* : dans l'une des *Illuminations*, « Vies III », on lit : « Mon devoir m'est remis. »

4. *Aller mes vingt ans* : la phrase suivante laisserait penser que Rimbaud, un instant, songe à se donner la mort pour « aller vingt ans » et pas plus ! À l'époque, il n'avait pas encore dix-neuf ans. L'une des *Illuminations* (de l'ensemble « Jeunesse ») s'intitule « Vingt ans » (voir p. 290). Vingt ans marquait aussi l'âge où il devrait accomplir son service militaire évoqué à la fin de « Mauvais sang ».

5. *ma trahison au monde* : c'est-à-dire le fait de ne pas participer aux actions humaines, d'être oisif ou de tenter le suicide.

6. *chère pauvre âme* : le ton est parodique et fait penser, par exemple, à l'ennui du « cher corps » et « cher cœur » d'« Enfance I » (voir p. 256).

Matin p. 235

1. *à écrire sur des feuilles d'or* : on doit penser ici encore à l'ensemble « Jeunesse » des *Illuminations*, et spécialement au texte intitulé « Sonnet » (voir p. 290) : « la chair n'était-elle pas un fruit pendu dans le verger ; – ô journées enfantes ! – le corps un trésor à prodiguer ».

2. *celui dont le fils de l'homme ouvrit les portes* : le Credo ou Symbole des Apôtres dit expressément que le Christ est descendu aux Enfers, puis qu'il est ressuscité des morts. Descendant aux Enfers, il a ainsi ouvert les portes des limbes où se trouvaient les âmes des justes trépassés avant son avènement. Ces âmes ont pu gagner alors la Jérusalem céleste (voir l'Évangile selon saint Matthieu 27, 52).

3. *les trois mages, le cœur, l'âme, l'esprit* : Rimbaud transpose un épisode célèbre de la vie du Christ. Mais ces rois de la vie ne saluent pas l'avènement du Messie (vieille superstition) ; ils révèrent le « travail nouveau ». La nouvelle naissance imaginée par Rimbaud peut être mise en relation avec certaines présences manifestées dans les *Illuminations* : « À une Raison » et « Génie » (où l'Adoration ancienne est récusée).

Adieu p. 237

1. *L'automne déjà* : Rimbaud donne comme date de rédaction finale d'*Une saison en enfer* « août 1873 ». Or l'automne commence ordinairement le 22 septembre. On se souvient que du début de juillet jusqu'au

19 de ce mois, date de son retour à Roche, il n'avait pu travailler à son œuvre. Il est vraisemblable qu'il en a rédigé une bonne partie le mois suivant et peut-être en septembre. L'automne mentionné ici porte d'ailleurs une évidente valeur symbolique.

2. *la cité énorme* : Londres, sans doute. Verlaine écrit dans « Sonnet boiteux », dédié à Ernest Delahaye, composé en 1873 et repris plus tard dans *Jadis et Naguère* (1884) : « Londres fume et crie. Ô quelle ville de la Bible ! » ; et il termine son poème ainsi : « Ô le feu du ciel sur cette ville de la Bible ! » La mise en scène voulue par Rimbaud rappelle aussi l'arrivée de Dante à la cité de Dis où le mène la barque de Charon (*Enfer*, chant VIII).

3. *cette goule* : vampire à corps de femme. Rimbaud désigne ici la mort.

4. *Une belle gloire d'artiste* : ironique citation des dernières paroles de Néron à l'instant de son suicide : « Quel artiste je fais périr ! »

5. *Mes derniers regrets* : ces regrets consistaient en « jalousies pour les mendiants », etc. C'est dire qu'il était encore tenté par une vie marginale et anomique (voir aussi « L'Éclair », p. 233).

6. *Il faut être absolument moderne.* Être vraiment moderne, c'est abandonner les hallucinations sataniques et les superstitions catholiques, mais pour quelle absolue solitude et pour quel réel ?

7. *cet horrible arbrisseau* : très certainement l'arbre du bien et du mal. Voir également dans « Matinée d'ivresse » (p. 265) : « On nous a promis d'enterrer dans l'ombre l'arbre du bien et du mal […]. »

8. *ces couples menteurs* : le couple de Verlaine et de sa femme Mathilde (« l'enfer des femmes là-bas ») ou, peut-être, celui que Rimbaud forma avec Verlaine pour un « drôle de ménage ».

BROUILLONS D'*UNE SAISON EN ENFER*

Ancienne collection Jacques Guérin. Reproduction dans le catalogue de vente de l'hôtel Drouot, Étude Tajan, 17 novembre 1998. B.N., n.a.f.r. 26499.

Les crochets encadrent les lectures conjecturales, les mots ou lettres restitués ainsi que les passages n'ayant pu être déchiffrés dans le manuscrit autographe de la collection Jacques Guérin.

« OUI, C'EST UN VICE… » P. 240

Ce fragment de ce qui deviendra « Mauvais sang » a été découvert dans les papiers de l'éditeur Albert Messein et publié pour la première fois dans le *Mercure de France* du 1er janvier 1948 par Henri Matarasso et Henry de Bouillane de Lacoste. La même année, le fac-similé paraissait dans *Les Cahiers d'art*. Écrit sur un seul feuillet au recto (le verso est occupé par deux « proses évangéliques », « À Samarie » et « L'air léger et charmant de la Galilée… »), il ne comporte pas les divisions qui apparaîtront dans la version définitive. Il est remarquable surtout par le fait qu'il présente comme un tout ce qui deviendra dans le livre la quatrième et la huitième (et dernière) séquences de « Mauvais sang ». La cinquième (« Encore tout enfant… »), la sixième (« Les blancs débarquent… ») et la septième (« L'ennui n'est plus mon amour… ») semblent avoir été ajoutées par la suite.

1. *Point de popularité* : voir « Mauvais sang », p. 206, note 10.

2. *Autre marché grotesque* : Rimbaud est pris au piège de la justice de Dieu après la mort. Ou bien, dès maintenant, il choisit l'enfer par son encrapulement. Ou bien il pratique une sorte de « charité inouïe » qui lui vaudra le salut. Mais, qu'il gagne l'Enfer ou l'Éden, le marchandage qu'implique la religion chrétienne lui répugne.

3. *Plus à parler d'innocence* : phrase supprimée dans la version définitive. Mais Rimbaud parlera de l'innocence à la fin de la septième section : « Mon innocence me ferait pleurer. »

4. *Ah! mon ami, ma sale jeunesse!* : Rimbaud supprimera par la suite ces traits de complaisance envers soi-même. L'« ami » pourrait s'adresser à Verlaine.

FAUSSE CONVERSION P. 242

Découvert par Paterne Berrichon en 1897, ce fragment, qui contient le début de « Nuit de l'enfer », ne fut publié que le 1er août 1914 dans *La Nouvelle Revue française*. Le verso est occupé par une prose évangélique « Bethsaïda ». Le titre manuscrit « Fausse conversion » s'explique par le texte, notamment le début du deuxième paragraphe, « J'avais entrevu la conversion », et la fin du fragment : « faux sentiment, fausse prière ». Il n'a pas été retenu par Rimbaud, qui lui a préféré « Nuit de l'enfer » pour assurer l'unité de son livre.

1. *Jour de malheur* : cette expression, que Rimbaud n'a pas conservée dans le texte imprimé, renvoie au *Dies irae*, « jour de colère », célèbre chant liturgique de l'office des morts.

2. *opéras* : l'hésitation de Rimbaud sur ce mot, puis le choix final (dans l'œuvre imprimée) de « créatures » plutôt que « femmes » sont significatifs. Les bonheurs de ce Paradis évoquent davantage ceux que promet le Coran. Les houris, femmes du paradis mahométan, seront mentionnées dans la même section. Les bonheurs de l'au-delà sont, pour Rimbaud, liés à la musique : « concert spirituel » (c'est-à-dire donné dans une église), « hymnes », « opéras ». Ailleurs il est parlé du « chœur des élus ».

3. *Ah! les nobles ambitions! ma haine* : dans ce raccourci, Rimbaud veut dire que ses ambitions d'atteindre les plus nobles valeurs enseignées

par la morale et la religion devinrent l'objet de sa haine. Il faut voir là confirmée sa volonté d'encrapulement.

4. *les alchimies, les mysticismes* : Rimbaud a supprimé ces deux mots dans le texte définitif. Dans cette première version, il amorce déjà le thème de la poésie damnatrice. Mais dans la version finale il préférera réserver tout un chapitre pour développer cette idée. De là une mise en réserve de certains mots du premier brouillon : « alchimie », « les poètes sont damnés », etc.

[ALCHIMIE DU VERBE R°] P. 244

Ce fragment de la section intitulée « Alchimie du verbe » fut retrouvé par Paterne Berrichon et publié dans *La Nouvelle Revue française* du 1er août 1914. Il occupe le recto et le verso d'un feuillet déchiré en son coin supérieur (droit pour le recto, gauche pour le verso).

1. Cette phrase correspond au passage d'« Alchimie du verbe » situé après la « Chanson de la plus haute Tour » : « J'aimai le désert » (voir p. 224). Les quelques phrases précédentes, dont il ne reste que des bribes, n'ont pas été reprises par Rimbaud.

2. *Faim* : Rimbaud se contente ici de donner le titre du poème. Il comptait le citer ensuite. Mais ce qui l'intéressait alors, c'était de relater une certaine période de son expérience poétique.

3. *Je réfléchis au bonheur* : dans la version imprimée, ce passage sera placé avant celui qui succède à la « Chanson de la plus haute Tour ». Rimbaud, sur son brouillon, accumule les exemples venant des bêtes.

4. *l'araignée* : on retrouvera cette araignée non plus dans le texte en prose de Rimbaud, mais dans la citation qu'il fera, après « Faim », d'un poème dont nous n'avons aucune autre version. Voir *Une saison en enfer*, p. 225, note 9.

5. *Je crus avoir trouvé* : Rimbaud commence ici le paragraphe qui, plus tard, suivra la citation du poème « Le loup criait sous les feuilles ».

6. *Âge d'or* : « Âge d'or » ne sera pas cité dans la version finale. Mais le commentaire qu'en donne ici Rimbaud (« opéra fabuleux ») est précieux pour comprendre ce poème. « Âge d'or », en effet, doit se chanter (et parfois « d'un ton allemand »). De plus, il fait dialoguer les différentes voix internes de Rimbaud (voir p. 344).

[ALCHIMIE DU VERBE V°] P. 247

Le coin supérieur gauche du feuillet a été déchiré. De là, des lacunes dans les six premières lignes. Elles correspondent toutefois à la suite du texte écrit au recto, et à la partie d'« Alchimie du verbe » : « À chaque être, plusieurs *autres* vies me semblaient dues » (p. 227).

1. *Mémoire* : ce poème n'a pas été cité dans la version définitive. La phrase précédente le commente comme un « rêve [d]es plus tristes », assez proche de ceux que l'on voit dans *Les Déserts de l'amour*.

2. *l'âme aux* : l'un des mots biffé à cet endroit, « embarcation », prouve bien que Rimbaud songe aux pérégrinations d'Ulysse et à sa descente aux Enfers.

3. *Confins du monde* : Rimbaud mentionne vraisemblablement le titre d'un poème qui nous reste inconnu, à moins que nous ne le connaissions sous un autre titre. « Confins du monde » est d'abord une autre façon de désigner la « Cimmérie noire » nommée auparavant. Une pièce des *Illuminations*, « Enfance IV », assure : « Ce ne peut être que la fin du monde en avançant. »

4. *l'anneau magique* : dans « Nuit de l'enfer », Rimbaud avait déjà évoqué cet anneau (« que je plonge à la recherche de l'*anneau* ») ; voir p. 358, note 8.

5. *qui avais levé* : je propose de comprendre « qui avais soulevé », au sens où on « lève » un gibier, par exemple.

6. *ad matutinum* : Rimbaud a surchargé le mot *diluculum* qui signifie « petit jour », terme de latiniste moins parlant que *matutinum*.

7. *Bonr* : cette abréviation désigne sans doute le mot « bonheur ». À cet endroit, Rimbaud placera, dans la version définitive, le poème « Ô saisons, ô châteaux ». On peut donc en inférer que ce texte s'intitulait primitivement « Bonheur ». Cependant, aucune de ses versions manuscrites connues actuellement ne porte ce titre (voir p. 348).

8. *l'art est une sottise* : cette formule est apparemment sans appel. Elle fut supprimée de la version finale. Elle annonce déjà le dédain que Rimbaud marquera pour son passé de poète. Elle donne des raisons au mystère de son silence futur. Face à l'art, le réel s'impose et c'est lui que Rimbaud choisira – pour s'y perdre !

ILLUMINATIONS

APRÈS LE DÉLUGE P. 255

Ms. B.N., n.a.fr. 14123, f° 1

Le classement fait par Félix Fénéon explique que l'on ait donné à ce texte une importance inaugurale. Rien n'assure toutefois qu'il ait eu cette valeur d'« ouverture ». Mais il est vrai que son mouvement se retrouve dans plusieurs *Illuminations* et qu'il correspond chez Rimbaud à la rage de lutter contre les habitudes et de détruire ce monde-ci. On a souvent perçu dans ce poème une inspiration venant de l'esprit communard. Après les grandes innovations de la Commune, tout n'était-il pas redevenu comme avant ? Une telle interprétation convient, mais elle a ses limites. La façon supérieure dont Rimbaud passe au mythe interdit toute identification trop précise.

1. *l'idée du Déluge* diffère des « Déluges » de la fin du texte. Le raz de marée final, nous n'en avons eu jusqu'à maintenant que l'idée. J'ai pris le parti de restituer « après » écrit au-dessus de « Aussitôt » dans le manuscrit. Cette addition supralinéaire, bien qu'elle soit biffée, n'a vraisemblablement pas été supprimée par Rimbaud. Ma restitution suit en cela l'édition Guyaux (La Baconnière, 1985).

2. « *mazagrans* » : cafés froids auxquels on ajoute de l'eau. Cette boisson a reçu ce nom pendant la conquête de l'Algérie, en 1840, lors de la bataille de Mazagran.

3. *Eucharis* : l'une des compagnes de Calypso dans *Les Aventures de Télémaque* de Fénelon, mais également la femme célébrée par Antoine Bertin dans ses *Élégies* (1782). Ce mot grec signifie « pleine de grâce ». Avec le retour d'Eucharis, Rimbaud voit se reconstituer « la belle poésie », celle des idylles dont il s'était moqué dans « Mes Petites amoureuses ».

4. *la Sorcière* : on a, bien entendu, songé ici à une réminiscence du livre de Jules Michelet portant ce titre (1862). Mais cette mère qui détient le feu du savoir réclamerait, bien davantage, une interprétation psychanalytique.

ENFANCE P. 256

Ms. B.N., n.a.fr. 14123, f°s 2-5.

1. Le principe de séries et d'énumérations, qui sera repris dans de nombreux poèmes, inspire le développement du texte. La dernière phrase, qui prend valeur d'explication dissimulée, intrigue par les mots guillemetés « cher corps » et « cher cœur », qui citent vraisemblablement un vers du « Balcon » de Baudelaire (*Les Fleurs du Mal*, éd. 1861) : « Ailleurs qu'en ton cher corps et qu'en ton cœur si doux », et peut-être « Hippolyte, cher cœur [...] » des « Femmes damnées » (dans les pièces condamnées des *Fleurs du Mal*).

2. Le module du texte, assez semblable à une comptine, est donné par un « Il y a », très différent à vrai dire de celui qui régule le poème portant ce titre dans *Calligrammes* d'Apollinaire (pour une comparaison des deux textes, voir C.A. Hackett, « Rimbaud et Apollinaire, quelques différences », *Lectures de Rimbaud*, *Revue de l'université de Bruxelles*, 1982, n°s 1-2, p. 215-230).

3. Premier texte de cette série où le « je » prenne la parole, cette quatrième « Enfance » décline les identités d'un même individu qui semble avoir eu pour lui seul plusieurs vies – comme il est dit dans *Une saison en enfer* : « À chaque être, plusieurs *autres* vies me semblaient dues. »

CONTE P. 259

Ms. B.N., n.a.fr. 14123, f° 5 (au-dessous d'« Enfance V »).

En raison de son titre, ce poème de Rimbaud a été l'objet de nombreux commentaires qui se sont plus employés à trouver en lui la confirmation d'un modèle qu'à le comprendre.

Tout prouve que Rimbaud s'est emparé d'un genre connu, moins pour en déconstruire la structure que pour y affirmer un problème propre. Hanté par l'Orient, il a donc pris modèle peut-être sur *Les Mille et Une Nuits*. La richesse de ce Prince et son désir de destruction font toutefois penser plus encore au *Vathek* de Beckford (1786), voué à l'esprit du mal, Eblis.

La mort tranquille du Prince à un âge ordinaire concerne la mort naturelle, alors que l'anéantissement du Génie et du Prince marque une heure de « santé essentielle » où l'être, à la rencontre de son autre, coïncide enfin avec son désir secret. Les Anciens, du reste, nommaient déjà « démon » (chez les Grecs) ou « génie » (chez les Latins) le dieu personnel attaché à l'individu, mais devant disparaître à la mort de celui-ci.

« Conte », qui met en scène la dépense de la pure perte, est surtout une fable où Rimbaud expose l'étrange loi qu'il a découverte : l'excès permet à chacun de trouver sa vérité intime ; encore n'y a-t-il rien là d'assuré ni d'immédiat, rien surtout qui puisse durer. Le « moment » rimbaldien assure d'une éternité glissée dans les chambres du temps.

PARADE P. 260

Ms. B.N., n.a.fr. 14123, f° 6.

Que l'artiste se montre ici en saltimbanque ne doit pas surprendre. Baudelaire, Albert Glatigny, Théodore de Banville (*Les Pauvres Saltimbanques*, Lévy, 1853) avaient décrit plus d'une fois ces êtres du spectacle éphémère. Sur tous ces « drôles » du XIXᵉ siècle, on consultera le livre de Jean Starobinski, *Portrait de l'artiste en saltimbanque*, Skira, 1970.

1. *Chérubin* : personnage du *Mariage de Figaro* de Beaumarchais, type de l'adolescent naïf et charmant qui rêve d'aimer et ne connaît pas la vie.

2. *prendre du dos* : se donner des airs d'importance, se pavaner. Louis Forestier signale que le mot « dos » a signifié en argot « souteneur ».

3. *Molochs* : au singulier, ce nom désigne dans la Bible une divinité particulièrement cruelle adorée des Moabites et des Ammonites. On lui sacrifiait des enfants. Moloch est aussi le surnom d'un caricaturiste célèbre des années 1870.

ANTIQUE P. 261

Ms. B.N., n.a.fr. 14123, f° 7.

Le fils de Pan nous est présenté en mouvement, un mouvement qui semble ici décomposé. Rimbaud reprend des éléments de sa poésie « Tête de faune » (p. 134), mais les place dans une vision d'anatomie intrigante. Deux ans auparavant, Lautréamont avait décrit dans la septième strophe du deuxième des *Chants de Maldoror* un hermaphrodite : « Il rêve que les fleurs dansent autour de lui en rond, comme d'immenses guirlandes folles, et l'imprègnent de leurs parfums suaves, pendant qu'il chante un hymne d'amour, entre les bras d'un être humain d'une beauté magique. »

1. *Tachées de lies brunes* : Rimbaud avait écrit dans « Tête de faune » : « Brunie et sanglante ainsi qu'un vin vieux/ Sa lèvre éclate en rires sous les branches. »

BEING BEAUTEOUS P. 261

Ms. B.N., n.a.fr. 14123, f° 7.

Un problème se pose pour l'établissement de ce texte. En effet, sur le manuscrit, au premier paragraphe long et compact succède un très court paragraphe séparé du précédent par trois croix. André Guyaux pense que ce bref paragraphe forme à lui seul un petit texte (« À propos des *Illuminations* », *RHLF*, septembre-octobre 1977, p. 807). Cette solution me paraît aussi la meilleure.

Le titre est sans doute emprunté à un poème de Longfellow, « Footsteps in Angels », où se trouve cette expression (voir C.A. Hackett, « Longfellow et Rimbaud : "Being Beauteous" », repris dans *Autour de Rimbaud*, Klincksieck, 1967). Autre forme de Génie, l'Être de Beauté se constitue sur le « chantier » du texte.

« Ô LA FACE CENDRÉE » P. 262

Ms. B.N., n.a.fr. 14123, f° 7.

Pour les raisons énoncées ci-dessus, ce texte, considéré comme une « phrase », est présenté isolément dans notre édition.

VIES P. 262

Ms. B.N., n.a.fr. 14123, f°s 8-9 (« Vies III » est placé au-dessus de « Départ » et de « Royauté » sur le f° 9).

« Vies » présente bien plusieurs vies possibles du narrateur qui utilise toujours ici la première personne. « Vies I » déplace la biographie du côté de l'Orient et plus précisément en Inde. Ce choix de l'Orient contre l'Occident est aussi lisible dans *Une saison en enfer* (« L'Impossible »). Dans « Vies II », Rimbaud semble à nouveau tracer un bilan assez précis de ce qu'il vient de vivre. « Vies III » fait jouer prismatiquement les éléments d'une mémoire fictive.

1. *les Proverbes* : le livre des *Védas* dont les brahmanes transmettaient la doctrine.

2. *les vieilles* : c'est bien ce qu'on lit sur le manuscrit. Rimbaud a peut-être oublié ici un nom auquel se rapporterait « vieilles », alors adjectif.

3. *la campagne* : il faut bien lire « campagne » et non « compagne ».

4. Cette illumination rappelle, à première vue, quelques épisodes de la vie du « voyant » revenu pour l'instant dans son « aigre campagne » (Roche). Seraient passés en revue les vagabondages, l'arrivée à Paris, la liaison avec Verlaine. La fin, d'humeur désespérée, annonce cependant un étrange « trouble nouveau » qu'il serait vain de vouloir définir plus précisément.

5. Comme souvent chez Rimbaud, la multiplication des référentiels apparents n'est là que pour créer une opération de « mélange » d'où peut naître le nouveau poétique. Mais le texte se conclut par un échec. Le « devoir » du voyant, apporter le nouvel amour, n'est plus une nécessité. Le locuteur est désormais un homme d'outre-tombe et non pas un homme de « commissions », c'est-à-dire chargé d'une mission quelconque envers son semblable.

6. On se souviendra qu'Alphonse Lemerre, l'éditeur des Parnassiens, était installé au 47, passage Choiseul.

DÉPART P. 264

Ms. B.N., n.a.fr. 14123, f° 9 (entre « Vies III » et « Royauté »).

En trois phrases participiales, Rimbaud congédie l'expérience passée : vision, rumeurs, arrêts de la vie. Il veut être – on le sait – « absolument moderne », et c'est de l'oubli du passé que dépend sa (provisoire) réussite.

ROYAUTÉ P. 264

Ms. B.N., n.a.fr. 14123, f° 9 (au-dessous de « Vies III » et de « Départ »).

Dans ce poème, comme dans « Conte » (p. 259), le ton adopté mime celui d'un récit de tradition. « Un beau matin » commence l'histoire comme un « Il était une fois ». Les termes « révélation », « épreuve terminée » rappellent la recherche obstinée que Rimbaud tenta (de juin 1872 à juin 1873) et rencontrent les idées prométhéennes exprimées dans « Vagabonds » (p. 271).

À UNE RAISON P. 264

Ms. B.N., n.a.fr. 14123, f° 10.

La « Raison » nouvelle est l'objet de la dédicace, comme le prouve, au dernier paragraphe, l'accord au féminin du participe passé « arrivée ». Les nouvelles générations (les « enfants » que désigne Rimbaud) attendent un univers transformé duquel serait exclu le temps de l'habitude.

1. *Ta tête se détourne* : Pierre Brunel signale à juste titre : « Elle est une divinité, dont le signe de tête est une manifestation du *numen* » (*Rimbaud. Projets et réalisations*, Honoré Champion, 1983, p. 269). Le mot latin *numen* désigne, en effet, en premier lieu un mouvement de tête correspondant à une volonté, puis la divinité en tant qu'elle a une puissance agissante.

2. *nos lots* : la part, c'est-à-dire la vie qui revient à chacun.

MATINÉE D'IVRESSE P. 265

Ms. B.N., n.a.fr. 14123, f°s 10 et 11.

Le mot final donne une clé de lecture pour ce texte. « *Assassins* », que Rimbaud souligne, fait, à n'en pas douter, allusion aux Haschichins, secte que dirigeait dans l'Islam du XIe siècle Hassan-Sabbah, appelé aussi le Vieux de la Montagne. Ses affidés détroussaient les voyageurs et Sabbah les récompensait en leur donnant du haschisch. Nerval, mais surtout Théophile Gautier (*Le Club des Haschichins*) et Baudelaire (« Le Poème du hachisch », II, « Qu'est-ce que le hachisch ? » dans *Les Paradis artificiels*) en avaient déjà parlé. Il est probable que Rimbaud goûta au haschisch. Cependant, le témoignage que nous donne Ernest Delahaye sur l'expérience qu'en fit son ami durant l'automne 1871 reste décevant et ne permet pas d'en inférer quelques visions attachantes. Il reste que Rimbaud avait bien le projet de se livrer à un « dérèglement de tous les sens », que le mot « poison » désigne, à coup sûr, en cette période, la drogue (terme qui, alors, n'était guère utilisé), et que le haschisch était pratiqué dans le milieu des Zutistes.

À lire « Matinée d'ivresse », il semblerait que Rimbaud, par l'absorption de la drogue (que l'on consommait plutôt sous forme de confiture verte), ait conçu toute une poétique (déjà indiquée par Baudelaire, il est vrai, mais au seul titre de témoignage finalement déceptif). Yves Bonnefoy lui accorde une importance très grande et parle à son sujet de « découverte bouleversante ». Il y entend la « santé essentielle » évoquée aussi bien dans « Conte » que dans « Génie » (*Rimbaud par lui-même, op. cit.*, p. 156).

André Guyaux a comparé soigneusement « Matinée d'ivresse » et les textes de Baudelaire relatifs au haschisch pour conclure à certains rapprochements dans le déroulement de l'expérience et à une nette différence sur le plan de l'éthique. Baudelaire évoque les lendemains décevants qui suivent la prise de la drogue. Rimbaud continuerait de croire à l'ivresse qui en résulte (« Baudelaire a-t-il influencé Rimbaud ? » dans *Berenice*, mars 1983, p. 101-112).

1. *chevalet féerique* : le chevalet désigne ici un instrument de torture ; mais ce supplice est gratifiant. Il introduit dans le monde de la féerie. Baudelaire, dans « Le Poème du hachisch », avait déjà parlé de « supplice

ineffable » et de « tortures d'une ivresse ultrapoétique » (*Œuvres*, Gallimard, « Bibliothèque de la Pléiade », 1975, t. I, p. 414-415).

2. *tournant* : au sens où du lait tourne. La fanfare harmonique (hallucination musicale) s'altère et marque ainsi la fin de l'expérience.

3. *nous si digne* : l'adjectif portait d'abord un *s* qui a été biffé ensuite.
Correction importante. Le « nous » correspondrait donc à un locuteur
singulier pluralisé et multiplié par l'ivresse (voir aussi « nous serons
rendu » dans la phrase précédente).

4. *discrétion des esclaves, austérité des vierges* : ce personnel, esclaves et
vierges, semble faire référence aux cours des palais orientaux et peut-être
à celle du Vieux de la Montagne.

Phrases p. 266

Ms. B.N., n.a.fr. 14123, f° 11. Ces trois « phrases » sont séparées par
des traits ondulés.

Sur ce f° 11, les trois textes se caractérisent par un « nous ». Mais ce
que recouvre ce pronom n'est vraiment perceptible que dans le premier
texte où il désigne un couple.

Les tournures syntaxiques, souvent reprises par trois fois, laissent penser à divers essais rhétoriques. À propos de ces textes se pose le problème
d'une écriture immédiate de fragments ou de phrases réservées pour une
utilisation plus dense en d'autres textes à venir.

1. *pour deux enfants fidèles* : Antoine Fongaro (« Les échos verlainiens
chez Rimbaud et le problème des *Illuminations* », *Revue des sciences
humaines*, avril-juin 1962, p. 263-272) voit dans cette expression une
parodie des « deux enfants » dont parle Verlaine dans la quatrième des
« Ariettes oubliées » (*Romances sans paroles*) : « Soyons deux enfants,
soyons deux jeunes filles. » À l'appui de cette thèse, on pourrait citer aussi
quelques phrases de « Délires I », dans *Une saison en enfer*, où semble
s'entendre la voix de Verlaine : « Je nous voyais comme deux bons enfants,
libres de se promener dans le Paradis de tristesse. »

2. *que je sois celle* : qui parle ? Il faut très certainement comprendre
que ce premier ensemble doit se dire au féminin. Mais le jeu du féminin
et du masculin peut fort bien recouvrir un débat homosexuel comme
dans *Une saison en enfer*.

3. *Ma camarade, mendiante* : on peut penser au personnage de Henrika dans « Ouvriers » (voir p. 268).

[Phrases] p. 267

Ms. B.N., n.a.fr. 14123, f° 12.

Cette page du ms. 14123 fait suite à celle qui porte le titre « Phrases ».
Elle contient aussi de courtes notations. Cependant, elle est d'une encre

et d'une graphie différentes, et la séparation entre les textes y est marquée par des croix, comme pour « Ô la face cendrée... » (p. 262). Elle forme donc un ensemble indépendant (voir André Guyaux, « À propos des *Illuminations* », art. cité).

Le premier texte met en place les éléments d'une pluvieuse journée de juillet. La conclusion doit s'entendre ironiquement, comme une référence à la Noël en plein été.

Le dernier poème entre en résonance avec différentes « Veillées » et le décor des « Déserts de l'amour » (voir p. 181).

Ouvriers p. 268

Ms. B.N., n.a.fr. 14123, f° 13.

Dans le titre, l'article « Les » qui précédait « Ouvriers » a été biffé.

Ce texte, de caractère réaliste au premier abord, mime l'écriture naturaliste alors naissante (Zola commençait à publier *Les Rougon-Macquart*).

1. *Le Sud* : c'est-à-dire, comme on le voit plus bas, le vent du sud. Le narrateur y rattache son enfance. Désigne-t-il ainsi les jeunes années passées en France ?

2. *Henrika* : prénom nordique (il débute par un H comme celui de certaines femmes des *Illuminations*), Henrika n'est pas identifiable. Rappelons toutefois que Verlaine, traçant au plus vite la vie de Rimbaud, notera en 1888 : « Peu de passion, comme parlerait M. Ohnet, se mêle à la plutôt intellectuelle et en somme chaste odyssée. Peut-être quelque *vedova multo civile* dans quelque Milan, une Londonienne, rare sinon unique – et c'est tout » (« Arthur Rimbaud. 1884 », *Les Hommes d'aujourd'hui*, n° 318, janvier 1888 ; passage repris dans *The Senate*, octobre 1895).

3. On remarque la singularité de ce paragraphe. La bizarrerie qui retient ici consiste dans ces « très petits poissons » abandonnés dans « une flache », à l'image du couple « orphelin » qui les regarde.

4. *métiers* : métiers à tisser.

Les Ponts p. 268

Ms. B.N., n.a.fr. 14123, f°ˢ 13-14.

Seul le titre de ce poème, parmi tous ceux des *Illuminations* (voir cependant « Ouvriers », sur le f° 13), comporte un article. La description suscite un certain référent dans lequel la plupart des commentateurs ont cru reconnaître Londres. Le dôme désignerait la cathédrale Saint-Paul ; l'eau, « large comme un bras de mer », la Tamise. Même le caractère habité des ponts pourrait faire penser au fameux London Bridge autrefois surmonté de maisons.

VILLE P. 269

    Ms. BN., n.a.fr. 14123, f° 14.
    Le *je*, présent dès le début, est le témoin du paysage urbain qui, une
fois encore, peut coïncider avec Londres. Rimbaud parle en effet des
« peuples du continent » ; il note « l'épaisse et éternelle fumée du charbon » dans cette grande cité industrielle, et va jusqu'à utiliser le mot
« cottage ». Mais la ville est surtout l'occasion de faire surgir l'étrangeté
fondamentale d'un « urbanisme de néant » (Marie-Claire Bancquart,
« Une lecture de "Ville(s)" d'*Illuminations* », *Cahier Arthur Rimbaud*, n° 4,
Minard, « Lettres modernes », 1980, p. 25-34), et la fenêtre révèle les
spectres de la modernité.
    1. *aucun monument de superstition* : dans une lettre adressée à
Edmond Lepelletier le 24 septembre 1872, Verlaine note que Londres est
« *sans monument aucun*, sauf ses interminables docks (qui suffisent
d'ailleurs à [sa] poétique de plus en plus moderniste) ».
    2. *comme de ma fenêtre* : comme si j'étais à ma fenêtre.
    3. *des Érynnies* : il faut écrire « Érinnyes ». Déesses de la vengeance
dans la mythologie grecque, elles étaient au nombre de trois : Tisiphone,
Mégère, Alecto, ici remplacées par la Mort, un Amour désespéré et un
joli Crime. Cette présence des Érinnyes montre bien que la ville de
Londres est conçue comme une cité de l'enfer (« la ville de la Bible »,
disait Verlaine dans le « Sonnet boiteux », envoyé à Ernest Delahaye
en décembre 1873, mais sans doute écrit auparavant et qui contient
également le verbe « piauler »).

ORNIÈRES P. 270

    Ms. B.N., n.a.fr. 14123, f° 14.
    Selon Ernest Delahaye, un événement réel aurait motivé ce texte : un
cirque américain qui se serait fourvoyé à Charleville dans les années 1868-
1869 (voir *Souvenirs familiers*, réédité dans *Delahaye témoin de Rimbaud*,
Neuchâtel, La Baconnière, 1974, p. 74).

VILLES [II] P. 270

    Ms. B.N., n.a.fr. 14123, f°s 15-16.
    Origine ou complément de ce poème, il paraît opportun de mention-
ner un texte d'Edgar Poe, *Les Souvenirs de M. Auguste Bedloe* (repris dans
Histoires extraordinaires, dans *Œuvres complètes* de Baudelaire, t. V, Michel
Lévy, 1869). Auguste Bedloe est un opiomane qui, après avoir pris sa
drogue favorite, a pour habitude de se promener seul dans les Ragged
Mountains, « une branche des Montagnes Bleues, Blue Ridge, partie
orientale des Alleghanys », précise Baudelaire. Au cours d'une de ses promenades, il voit de façon hallucinatoire une ville magnifique, « d'un

aspect oriental, telle que nous en voyons dans *Les Mille et Une Nuits* », et il décrit longuement ses habitations et la multitude qui la parcourt.

1. *Alleghanys* et *Libans* : chaînes de montagnes, l'une aux États-Unis, l'autre au Liban.

2. *Mabs* : Mab est la reine des fées dans le folklore anglais. Elle est longuement décrite par Mercutio dans *Roméo et Juliette* de Shakespeare (I, 4).

3. *Les Bacchantes des banlieues* : dans « Bottom » (p. 284), Rimbaud écrit « les Sabines des banlieues ».

4. *Vénus entre dans les cavernes des forgerons et des ermites* : Rimbaud semble présenter ici des scènes déjà traitées par les peintres : Vénus venant voir Vulcain dans ses forges ou tentant saint Antoine.

5. *les élans se ruent dans les bourgs* : il faut comprendre que les bêtes sauvages viennent dans les villes. « Élans » est sans doute allitérant du précédent « les légendes ». De plus, le mot « élan » en tant qu'action semble être développé par le verbe « se ruer ».

6. *Quels bons bras, quelle belle heure* : les deux épithètes font penser à l'*incipit* de « Matinée d'ivresse » (« Ô *mon* Bien ! ô *mon* Beau ! », p. 265) et pourraient renvoyer à la même expérience hallucinatoire. La précédente mention du boulevard de Bagdad prendrait ainsi tout son sens.

VAGABONDS P. 271

Ms. B.N., n.a.fr. 14123, fº 16 (entre « Villes [II] » et le début de « Villes [I] »).

L'allusion au couple Verlaine-Rimbaud paraît peu contestable. Le débat qui existe entre les deux vagabonds fait écho à celui qui déchire le « drôle de ménage » d'*Une saison en enfer*.

Le dernier paragraphe résume au mieux les ambitions de Rimbaud et de son vagabondage. Quant à Verlaine, il est présenté tel qu'il était : faible, velléitaire, culpabilisé par son « inconduite ». Le cauchemar qu'il fait évoque une manière d'autocastration et plus particulièrement celle dont Œdipe se frappa.

Écrit à l'imparfait, tout le poème renvoie à un passé bien révolu. Il pourrait être contemporain de la rédaction finale d'*Une saison en enfer*.

1. *son infirmité* : au sens étymologique du mot, sa « faiblesse ».

2. *satanique docteur* : Verlaine citera cette expression dans une lettre écrite à Charles de Sivry au mois d'août 1878 : « [...] sa *Saison en Enfer* où je figure en qualité de Docteur satanique (ça c'est pas vrai). » Verlaine semble confondre les textes, puisqu'il est présenté dans *Une saison en enfer* comme la « Vierge folle ».

3. *des bandes de musique rare* : le mot « bandes » est sans doute un anglicisme signifiant « troupes de musiciens ». Au vers 12 de « Kaléidoscope » dédié à Germain Nouveau et repris dans *Jadis et naguère* (il était daté

d'octobre 1873 dans le recueil provisoire *Cellulairement*), Verlaine écrira lui aussi : « Dans cette rue [...]/que traverseront des bandes de musique. »

4. Le « tel qu'il se *rêvait* » et l'apparition de l'image projetée par le rêve se trouvaient déjà dans *Claire Lenoir* (chap. XIX), nouvelle de Villiers de L'Isle-Adam publiée dans la *Revue des lettres et des arts* (13 octobre-1er décembre 1867). Elle était bien connue des milieux parnassiens.

5. *vin des cavernes* : dans une lettre écrite en juin 1872 (voir p. 185), Rimbaud évoquait « les rivières ardennaises et belges, les cavernes ». On peut penser aussi au geste de Moïse qui, durant l'exode du peuple juif, frappa le rocher et en fit jaillir une source. Le vagabondage prendrait ainsi l'allure d'un cheminement vers la Terre promise. Le « biscuit de la route » serait une autre forme de manne (déjà mentionnée dans « Fêtes de la faim » : « pains couchés aux vallées grises », p. 175).

VILLES [I] p. 272

Ms. B.N., n.a.fr. 14123, f°s 16-17.

Sous le titre « Villes », la précision « I » en chiffre romain a été portée, puis biffée. Le titre est de la main de Rimbaud. Le reste du texte a été écrit par Germain Nouveau (voir André Guyaux, *Poétique du fragment*, La Baconnière, 1986, « Autres mains », p. 109-134).

Les références londoniennes sont nombreuses, mais celles qui concernent Paris existent aussi. De nombreuses confusions voulues créent une poésie cosmopolite.

1. *Hampton-Court* : résidence royale proche de Londres et datant du XVIe siècle.

2. *Brahmas* surcharge *nababs* sur le manuscrit. Le terme a été long-temps considéré de lecture douteuse et lu comme « Brahmanes ». Sur cette correction, voir A. Guyaux, « À propos des *Illuminations* », art. cité.

3. *à l'aspect des gardiens de colosses* : André Guyaux, pensant à une mauvaise transcription faite par Germain Nouveau, a proposé de corriger ce passage en « à l'aspect de colosses des gardiens » (Rimbaud, *Œuvres*, Gallimard, « Bibliothèque de la Pléiade », 2009, p. 303).

4. *Ce dôme est une armature d'acier* : d'après Vernon Underwood, Rimbaud décrirait ici le fameux Crystal Palace (et ses galeries de tableaux) édifié lors de l'Exposition universelle de Londres en 1851.

5. « *Comté* » : mot calqué sur l'anglais *county*. Division territoriale et, par ironie dans ce texte, sorte de campagne (*country* ?) exotique fréquentée par des gentilshommes (*count* ?) amateurs d'émotions fortes.

VEILLÉES p. 274

Veillées I et II : ms. B.N., n.a.fr. 14123, f° 18.
Veillées III : ms. B.N., n.a.fr. 14123, f° 19 (au-dessus de « Mystique »).

1. On a remarqué la prosodie de ce texte construit sur deux rimes ([é] et [i]). En ce sens, il diffère de la plupart des autres *Illuminations*. La présence de ces rimes programme ou renforce une harmonie duelle qui apparaît dans chaque phrase. Il est possible que Rimbaud fasse une certaine concession (cas rarissime) à l'univers poétique de Verlaine (ce qui permettrait de dater le poème de la fin 1872). « Veillées I » s'accorde en effet avec le monde des *Romances sans paroles* (voir la première des « Ariettes oubliées » : « C'est l'extase langoureuse,/ C'est la fatigue amoureuse »). Verlaine, du reste, citera ce poème sous le titre « Veillées » dans l'article qu'il consacrera à Rimbaud dans *Les Hommes d'aujourd'hui*, n° 318, janvier 1888.

2. Autant « Veillées I » restait impressionniste et sensible, autant « Veillées II » construit, ligne après ligne, une architecture de l'hallucination où mental et concret entrent en concordance. Au « veilleur » subissant peut-être l'effet de la drogue, mais aussi entraîné par la composition scripturale, un univers multiple et total apparaît.

3. *succession psychologique de coupes de frises* : il n'y a pas de virgule entre « de coupes » et « de frises », mais le texte se comprendrait mieux avec cette ponctuation que l'on peut supposer oubliée.

4. *accidences* (terme philosophique) : qualités, états ou possibilités de l'accident. Le sens d'« accidents » est plus admissible ici. Rimbaud, pour des raisons euphoniques, a sans doute inventé ce mot qui se trouve exister aussi dans un vocabulaire spécialisé que très probablement il ignorait.

5. Le titre « Veillée » (au singulier) a ici été biffé et remplacé par le chiffre romain III.

6. *steerage* : entrepont d'un navire. Rimbaud avait d'abord écrit « sur le pont » au lieu de « autour du steerage ».

7. *Amélie* : ce prénom fait partie des signifiants énigmatiques dont Rimbaud a volontairement parsemé ses *Illuminations*. On peut y lire toutefois l'anagramme de « l'aimée » qui apparaît dans « Veillées I ».

8. La ligne de points de suspension fait intervenir, pour un temps, le silence de l'émerveillement (dans le texte), au point que la dernière phrase n'est composée que de vocatifs, attestant l'intensité de l'émotion devant la découverte.

Mystique p. 275

Ms. B.N., n.a.fr. 14123, f° 19.

L'organisation de ce poème rappelle celle d'un tableau. C'est pourquoi on a cru y reconnaître une partie du célèbre triptyque des frères Van Eyck, *L'Agneau mystique*, qui se trouve à Gand (voir Johannes Tielroy, « Rimbaud et les frères Van Eyck », *Neophilologus*, XX, 1934-1935). Cette confrontation n'est cependant guère probante.

Aube p. 276

Ms. B.N., n.a.fr. 14123, f° 19 (au-dessous de « Mystique ») et f° 20 (au-dessus de « Fleurs »).

Cette matinée est-elle un rêve ? La dernière phrase le laisserait supposer. Rimbaud présente une course onirique après une femme-nature, une femme-éveil qui pourrait être aussi celle qui donne naissance, une image de la jeune mère vue par l'enfant comme un immense corps.

1. *wasserfall* : mot allemand signifiant « chute d'eau », « cascade ». La lumière ruisselle du haut des sapins comme les flots d'une chevelure blonde.

2. *je levai un à un les voiles* : ainsi Rimbaud rend-il active la voix pronominale de l'expression courante « l'aube se lève ».

Fleurs p. 276

Ms. B.N., n.a.fr. 14123, f° 20.

Une reprise des remarques des frères Goncourt sur Watteau (d'abord publiées dans *L'Artiste* en 1856, puis en fascicule en 1860, enfin dans *L'Art du dix-huitième siècle* en 1873) paraît proche des recherches de ce poème.

Nocturne vulgaire p. 277

Ms. B.N., n.a.fr. 14123, f° 21.

Rimbaud présente une rêverie devant le foyer. L'âtre en ce cas ouvre un opéra. Peu à peu l'hallucination se crée. Il est entraîné dans un carrosse-corbillard-maison de berger. Pas assez loin, cependant. La voiture dételle bientôt près d'un détail (optique). Elle arrête là sa randonnée. Le passager occasionnel s'interroge sur les suites du voyage.

1. *Vulgaire* : cette qualification pour « nocturne » (genre musical) surprend. Ne s'opposerait-elle pas, dans une certaine mesure, à la matinée d'ivresse « sainte » (voir p. 265) ?

2. *opéradiques* : cet adjectif, peu usité, existe cependant. Il se trouve chez les frères Goncourt dans *L'Art du dix-huitième siècle* (chapitre sur Watteau) : « un arrangement *opéradique* ». La même page assure que « Watteau *surnaturalise* » tout ce qu'il peint. Verlaine avait déjà utilisé cet ouvrage pour ses *Fêtes galantes* (1869). Le carrosse décrit dans « Nocturne vulgaire » pourrait donc être un carrosse de cette époque et les « figures lunaires » dont parle le même texte seraient bien en accord avec le climat des peintures de Watteau évoquées par Verlaine.

3. *Corbillard de mon sommeil* : on trouve l'expression « corbillards de mes rêves » dans « Horreur sympathique » de Baudelaire (*Les Fleurs du Mal*, éd. de 1861).

4. *siffler pour l'orage* : siffler pour appeler l'orage. L'orage entraîne des visions de batailles et de cataclysme, Sodome, la ville maudite détruite par la colère de Dieu.

5. *Solymes* : ancien nom de Jérusalem. Ce mot semble aussi choisi pour son assonance avec Sodome.

MARINE P. 278

Ms. B.N., n.a.fr. 14123, f° 22 (v° du f° 21)

Comme il y a des « nocturnes » musicaux, certaines peintures sont des « marines ». C'est déjà en ce sens que Verlaine avait intitulé un de ses *Poèmes saturniens*. La mer en mouvement est comparée au sol labouré. De là, dans la description, la gémination de deux champs sémantiques. On a souvent considéré ce texte comme un premier exemple de vers libres modernes (voir Édouard Dujardin, « Les premiers poètes du vers libre », *Mercure de France*, 15 mars 1921).

1. *acier* surcharge *azur*.

FÊTE D'HIVER P. 278

Ms. B.N., n.a.fr. 14123, f° 22.

Une impression musicale se transforme en vue « illuminée ». Les groupes triadiques se succèdent. Les références culturelles se mêlent.

1. *Méandre* : nom ancien d'une rivière d'Asie Mineure au cours sinueux. Cette référence annonce peut-être les « nymphes d'Horace ».

2. *coiffées au Premier Empire* : coiffées comme se coiffaient les femmes sous le premier Empire. En fait, ce style de coiffure Empire imitait celui des femmes de la Rome antique.

3. *Chinoises de Boucher* : le peintre François Boucher (1703-1770) a, en effet, peint ou dessiné un certain nombre de Chinoises. Il a également mis en scène les *Fêtes chinoises* de Noverre, célèbre danseur français du XVIIIᵉ siècle. Rimbaud pouvait connaître ces détails par le livre des Goncourt déjà cité.

ANGOISSE P. 278

Ms. B.N., n.a.fr. 14123, f° 23.

« Angoisse » débute sous le signe d'un « Elle » difficile à identifier, auquel semble correspondre « la Vampire » du quatrième paragraphe. Elle « rend gentils », comme on mate des enfants turbulents. Albert Henry voit en elle la Vie, devant laquelle plusieurs attitudes sont possibles : « l'acceptation, la résignation (au mieux, s'amuser "avec ce qu'elle nous laisse") ou la révolte (être plus drôle) ».

1. Les « ambitions continuellement écrasées », la « fin aisée » qui réparerait l'« indigence », le « succès » qui compenserait l'« inhabileté fatale », autant d'expressions qui rappellent le malheureux parcours de Rimbaud lui-même et témoignent sans doute de ses propres déceptions.

2. Pour décrire ce deuxième paragraphe entre parenthèses, Albert Henry note excellemment : « C'est une éruption affective qui file verticalement, sans la moindre frange de contact formel avec le reste » (art. cité, p. 299).

MÉTROPOLITAIN P. 279

Ms. B.N., n.a.fr. 14123, f° 23.

Sur le manuscrit, les deux premiers paragraphes jusqu'au mot « bois » sont de la main de Rimbaud. Le reste est écrit par Germain Nouveau (recopié par lui ou dicté par Rimbaud). Voir, d'André Guyaux, « Germain Nouveau dans les *Illuminations* » (*Le Point vélique*, volume collectif, Neuchâtel, La Baconnière, 1986, p. 79-89).

Ce texte peut être interprété comme une sorte de voyage avec cinq stations qu'indique, à chaque fois, le mot placé en fin de paragraphe.

1. *mers d'Ossian* : Ossian était un ancien barde écossais. En 1760, Macpherson avait publié sous ce nom plusieurs poèmes épiques exacerbés qui furent admirés par tout le romantisme naissant. Les peintres représentèrent souvent Ossian chantant au bord de la mer déchaînée.

2. *La bataille* : cette bataille semble résulter d'une vision de nuages. Voir « Michel et Christine » (p. 172).

3. *Samarie* : ville de Palestine célèbre par la corruption de ses habitants. Elle est également évoquée dans les *Proses évangéliques* (voir p. 192).

4. *les plans de pois* : certains éditeurs ont corrigé arbitrairement l'orthographe par « plants ».

5. *Damas* : Rimbaud maintient un fil biblique dans la trame du texte. L'ensemble de ce quatrième paragraphe propose une manière d'écriture automatique qui rend sa signification d'autant plus indécidable.

6. *Guaranies* : peuple indigène d'Amérique du Sud (Brésil, Paraguay, Argentine) colonisé au XVIIᵉ siècle par les jésuites. Rimbaud avait pu connaître ce peuple par certains livres de Jules Verne.

7. *des auberges* : pour Rimbaud, l'auberge est généralement un havre, celui dont il avait profité une première fois dans l'auberge verte (voir p. 164).

8. *Elle* : comme dans le poème « Angoisse » écrit sur le même feuillet. C'est bien un acte amoureux qui semble indiqué ici dans un prodigieux effet d'arc-en-ciel.

BARBARE P. 280

Ms. B.N., n.a.fr. 14123, f° 24.

Ce poème comporte un étrange refrain, « le pavillon en viande saignante », syntagme nominal formé de termes incompatibles. Le pavillon peut être un lieu de retraite ou une oriflamme. La revendication d'être un barbare apparaît fréquemment chez Rimbaud (voir « Michel et Christine » dans *Vers nouveaux* et « Mauvais sang » dans *Une saison en enfer*). Elle coïncide ici avec la création par les mots d'un nouveau monde qui est aussi un éventail de sensations inouïes.

1. *Bien après les jours et les saisons* : Rimbaud reprend-il l'idée d'un « après le déluge », sortie éthique (l'ancien héroïsme) et esthétique (les vieux assassins-haschischins) de ce monde-ci ?

2. Le *pavillon*, la *soie des mers*, les *fleurs arctiques* composent l'un de ces ensembles surprenants que Rimbaud prend soin de nous dire impossible (« elles n'existent pas »). Signalons que la conquête du pôle (inaboutie à l'époque de Rimbaud) avait eu lieu dans le monde fictionnel de *Vingt Mille Lieues sous les mers*. Le 21 mars 1868, en effet, au pôle antarctique il est vrai, le capitaine Nemo (il n'existe pas, car ce nom en latin signifie « personne ») plante un pavillon noir en étamine (étoffe, mais aussi fleur) pour signaler que sa révolte domine le monde.

3. *brasiers* est écrit au-dessus de *fournaises*, biffé. Même correction ligne 16.

SCÈNES P. 281

Ms. de la collection Pierre Berès. Le fac-similé en a été reproduit pour la première fois dans le livre de Bouillane de Lacoste, *Rimbaud et le problème des Illuminations, op. cit.*, p. 166.

Le titre doit être compris au sens de scènes de théâtre. Une architecture mobile et disparate agence l'illusion. Certains commentateurs ont vu dans ce texte une critique des dispositions contraignantes de l'ancienne comédie : « *tous les paragraphes sans exception* évoquent les dispositifs variés qui bornent l'horizon scénique et assujettissent la représentation de la vie aux nécessités d'une machinerie à l'agencement implacable : des tréteaux, un pier en bois, des corridors, un ponton de maçonnerie, des réduits, un amphithéâtre, un décor d'opéra-comique cloisonné » ((P.-G. Castex, « Rimbaud en 1986. Une année capitale », *L'Information littéraire*, janvier-mars 1987, p. 220).

1. *pier* : jetée, môle.

2. *des mystères* remplace *comédiens*, biffé. « Mystères » désignerait donc un genre de pièces religieuses représentées à la fin du Moyen Âge.

3. *Béotiens* : habitants de la Béotie, province de l'ancienne Grèce, connus pour la grossièreté de leurs mœurs. Dans le cours du poème, Rimbaud a déjà évoqué l'Antiquité : comédie antique, idylles. Mais, à

dessein, cette ligne de compréhension est parasitée par des éléments indicateurs de modernité. L'*arête des cultures* ne désignerait peut-être pas simplement des lieux cultivés, mais impliquerait aussi le degré de civilisation des habitants.

Soir historique p. 282

Ms. de la collection Pierre Berès reproduit p. 104 du catalogue *Livres du cabinet de Pierre Berès*, musée Condé, château de Chantilly, 2003.

Le « touriste naïf » constate, par sa « vision esclave », l'état du monde. Saturé de « magie bourgeoise », un tel univers devrait être balayé par une rigoureuse apocalypse.

1. *on joue aux cartes au fond de l'étang* : il faut comprendre que, même au fond de l'étang, on se livre à des occupations très ordinaires.

2. *les fauteuils de rocs* : dans ce troisième alinéa, Rimbaud fait allusion à la conquête du monde telle qu'elle était menée à l'époque par les grandes nations impérialistes. Le « petit monde blême et plat » de la bourgeoisie envahissait et décimait les anciennes barbaries.

3. *atmosphère personnel* : ainsi écrit dans le manuscrit. Comprendre ici le lyrisme subjectif auquel Rimbaud s'en était déjà pris dans sa lettre à Paul Demeny du 15 mai 1871 qui annonçait la « poésie objective ». Antoine Fongaro a relevé dans l'ensemble de « Soir historique » une critique implicite du lyrisme verlainien.

4. *Les Nornes* : l'équivalent des Parques dans la mythologie germanique. Leconte de Lisle, dans ses *Poèmes barbares* (1862), leur avait consacré un long poème. Ces divinités, tout comme l'Apocalypse de saint Jean, avaient prédit une fin du monde ; celle-là était peut-être légende. En revanche, Rimbaud assure que celle qu'il annonce sera bel et bien vérifiée. Le soir historique est inévitable.

Mouvement p. 283

Ms. de la collection Pierre Berès. Première reproduction en fac-similé dans *Poétique du fragment* d'André Guyaux (*op. cit.*, p. 290), d'après la photographie conservée dans la William J. Jones Collection (Southwest Missouri State College Library, Springfield, Missouri).

« Mouvement » apparaît dans son thème, mais surtout dans sa forme, comme solidaire de « Marine », même s'il occupe un feuillet isolé. D'après Michel Murat, ni « Marine » ni « Mouvement » ne constituent des exemples de poèmes en vers libres, puisque chez Rimbaud le vers libre continue de rimer (voir *Vers nouveaux*). Selon le même auteur, ces deux textes présentent une « prose découpée et étagée de manière à fournir une image du vers, dont les signes extérieurs sont repris ».

1. *étambot* : pièce de bois implantée dans la quille d'un navire qu'elle continue à l'arrière.

2. *rampe* : construction qui, sur les bords d'une rivière ou dans les arrière-ports, permet de faire parvenir à quai les marchandises.

3. *passade* (vocabulaire de l'équitation) : course d'un cheval qui se compose le plus souvent d'une demi-volte faite rapidement aux deux extrémités d'une piste pour revenir au point de départ.

4. *val* et *strom* : ces deux mots semblent avoir été déduits d'un « mael-ström » implicite et mis en rapport avec le couple sémantique « aval »/ « amont ». « Ström » est un mot germanique signifiant « courant » ou « torrent ». Il fait écho à « trombes » précédemment utilisé.

5. *sport* et *comfort* (mots anglais) : « comfort » s'écrit ainsi à l'époque. On comparera avec cette phrase de « Solde » (p. 291) : « À vendre les habitations et les migrations, sports, féeries et comforts parfaits ».

6. *Vaisseau* : le mot porte bien une majuscule sur le manuscrit. On est d'autant plus fondé à croire que ce Vaisseau est une véritable arche que non seulement Rimbaud utilise le mot à la fin de son poème, mais qu'il parle aussi de « lumière diluvienne » (c'est-à-dire propre au déluge) et que les conquérants du monde emmènent les races et les bêtes.

BOTTOM P. 284

Ms. de la collection Pierre Berès (sur la même page que « H »). Un autre titre, « Métamorphoses », inscrit sous « Bottom », a été biffé. Il correspondait sans doute au titre original. Le fac-similé de ce poème a été reproduit pour la première fois dans le livre de Bouillane de Lacoste, *Rimbaud et le problème des Illuminations, op. cit.*, en tête du volume.

1. *Bottom* est un personnage du *Songe d'une nuit d'été* de Shakespeare, « féerie » que Rimbaud a très certainement lue. Le cordonnier Bottom y est finalement métamorphosé en âne par le lutin Puck.

2. *mon grief* : tout en signifiant « chagrin », ce mot admet sans doute ici une connotation sexuelle.

3. *les Sabines* : l'Histoire ancienne nous apprend que les Sabines avaient été enlevées au cours d'une fête par les amis de Romulus qui n'avaient pas de femmes et souhaitaient peupler la future Rome. Les Sabins voulurent se venger et les reprendre ; mais avant que le combat s'engage, les Sabines s'interposèrent entre les adversaires. L'expression « Sabines de la banlieue » veut surtout dire dans ce poème « prostituées de la banlieue », comme il y en avait alors dans les zones avoisinant les fortifications de Paris. Le rapport érotique des femmes avec l'âne fait songer non seulement à l'histoire de Bottom, mais aux *Métamorphoses* d'Apulée (IIIe siècle apr. J.-C.). E. d'Hervilly, dans un poème, « The Park », publié dans *Le Parnasse contemporain*, avait utilisé pour désigner un âne l'expression « Bottom de banlieue ».

H P. 284

Ms. de la collection Pierre Berès (sur la même page que « Bottom »).

Cette « illumination » compte parmi celles qui ont suscité le plus grand nombre d'interprétations, peut-être parce qu'elle se présente ouvertement comme une devinette. Rimbaud, cependant, se plaît à nous offrir une solution : H est Hortense. Mais qui est Hortense, en ce cas ? « L'Habitude », d'après Étiemble et Yassu Gauclère (*Rimbaud*, Gallimard, « Les Essais », nouv. éd. 1966, p. 119-120), et André Guyaux proposerait la véritable clé de l'énigme : l'habitude désignerait l'onanisme (voir le « Vieux Coppée » écrit par Rimbaud dans l'*Album Zutique*, p. 150). Aragon, dans *Anicet ou le Panorama, roman*, NRF, 1921, présente sous le prénom « Arthur » le personnage de Rimbaud, auquel il donne pour hypothétique partenaire « Hortense », signalant bien par là que cette femme chimérique pourrait se confondre avec l'acte solitaire.

Dévotion p. 285

Pas de manuscrit connu. Le texte adopté est celui qui parut pour la première fois dans *La Vogue* (n° 9, 21 juin 1886, p. 313).

1. *Louise Vanaen de Voringhem* : cette femme est caractérisée comme étant une religieuse. Il n'est pas interdit de penser qu'il s'agit d'une allusion à la sœur qui soigna Rimbaud à l'hôpital Saint-Jean, à Bruxelles, en juillet 1873.

2. *Léonie Aubois d'Ashby* : personnage indécidable. Dans l'*Ivanhoé* de Walter Scott, plusieurs fois est nommé le bois d'Ashby, localité d'Écosse (signalé par Bruno Claisse). Mais surtout, le « ash » d'Ashby peut être entendu comme « âche », herbe d'été souvent utilisée comme fébrifuge.

Baou équivaudrait en ce cas à une interjection de dégoût. Admiratif de ce poème et intrigué par ce nom, André Breton avait consacré un autel à Léonie Aubois d'Ashby durant l'Exposition internationale du surréalisme qui se tint à Paris en 1947. Il l'avait déjà nommée dans *Nadja* (1928) : voir *Œuvres complètes*, Gallimard, « Bibliothèque de la Pléiade », 1988, t. I, p. 676.

3. *Lulu* : cette femme évoque les amours saphiques chantées par Baudelaire, et le recueil *Les Amies* (1867) publié sous le manteau chez Poulet-Malassis par Verlaine (sous le pseudonyme de Pablo de Herlagnez [*sic*]).

4. *ce saint vieillard* : à supposer que le texte ait été écrit au moment où Verlaine était incarcéré, il pourrait aussi viser ironiquement celui-ci. L'« ermitage » (forcé) serait, en ce cas, la prison.

5. *Circeto des hautes glaces* : le mot « Circeto », selon toute vraisemblance, combine les termes « Circé » (la magicienne de l'*Odyssée*) et « Ceto » (qui veut dire « baleine » en grec). Le spermaceti est la matière blanche et grasse qui entoure le crâne du cachalot. Le mot *spunk* (sans c)

dans l'argot anglais signifie « sperme ». Tout ce passage indiquerait de façon cachée l'acte solitaire, l'onanisme, « ma seule prière muette ».

6. *Mais plus* alors : dans cette expression, « plus » peut être la deuxième partie d'une formule négative ou un adverbe d'intensité. Je pense que Rimbaud signale ainsi une volonté de dépassement. Sommes-nous du côté du *more* ou du *nevermore* ?

DÉMOCRATIE P. 285

Pas de manuscrit connu. Le texte adopté est celui qui parut pour la première fois dans *La Vogue* (n° 9, 21 juin 1886, p. 314).

Ce poème est entièrement placé entre guillemets. Qui parle ? Sans doute les « conscrits du bon vouloir », prêts à engager une guerre impitoyable contre un certain monde. L'esprit de conquête des prétendues « démocraties » modernes est dénoncé ici, mais il n'est pas dit que Rimbaud ne souhaite pas lui aussi une certaine violence qui détruirait les habitudes de chacun, le « confort ».

1. *notre patois étouffe le tambour* : les mercenaires paysans font taire la musique des indigènes.

2. *les révoltes logiques* : celles qui se font normalement contre l'envahisseur. Dans « Guerre », Rimbaud annonce une guerre « de logique bien imprévue ».

3. *la philosophie féroce* : les deux mots jurent ensemble à dessein.

4. *crevaison* : le mot est trivial ; il signifie « destruction », « ruine ».

5. *C'est la vraie marche. En avant, route !* : cette construction en chiasme est surprenante. On s'attendrait à : « C'est la vraie route. En avant, marche ! »

PROMONTOIRE P. 286

Ms. bibliothèque municipale de Charleville-Mézières, A.R. 280-54.

« Promontoire » est un poème apparemment descriptif où, en réalité, le style et la science des mots créent un paysage. Rimbaud construit un patchwork géographique où se mêlent à plaisir des références hétéroclites.

1. *en large* : cette expression semble être une erreur de copie pour « au large ».

2. *Épire, Péloponnèse* : provinces de l'ancienne Grèce.

3. *fanums* (pluriel français d'un mot latin) : temples, lieux sacrés.

4. *théories* : au sens premier du terme, ce mot, qui vient du grec *théoria*, signifie « cortèges ».

5. *Embankments* (mot anglais) : quais d'un fleuve et, plus spécialement, les chaussées bordant la Tamise à Londres.

6. *Allemagne* : après ce mot, Rimbaud avait écrit le fragment de phrase qui va de « les façades circulaires » à « surplombent » et qui apparaît plus loin. S'apercevant de son erreur, il l'a biffé.

7. *Scarbro'* : ce mot correspond à la prononciation anglaise de Scarborough, port et station balnéaire du Yorkshire où Rimbaud vint durant l'été de 1874. Il s'y trouvait un Grand Hotel et un Royal Hotel.

8. *Brooklyn* : ville des États-Unis reliée à New York par un énorme pont suspendu.

9. *tarentelles* : danses endiablées originaires de Tarente, en Italie. Cette danse était devenue la danse nationale des Napolitains.

10. *Palais. Promontoire* : ces deux mots, habituellement rapprochés par un trait d'union dans les éditions, sont séparés par un point sur le manuscrit, comme si « Promontoire » avait été ajouté.

FAIRY P. 287

Ms. B.N., n.a.fr. 14124, f° 2.

Comme un certain nombre d'*Illuminations*, ce texte porte un titre anglais, ce qui ne veut pas dire toutefois qu'il fut composé en Angleterre. *Fairy* signifie « fée », mais le sens de « féerie » n'est pas à exclure.

Le personnage dominant, Hélène, symbolise la beauté chez les Anciens et les Modernes. Rolland de Renéville y a vu la « personnification gnostique de la force amoureuse » (*Rimbaud le voyant*, rééd. Thot, 1984, p. 104). Pierre Brunel a signalé que le personnage d'Hélène apparaît dans *Le Songe d'une nuit d'été* de Shakespeare, qui est une « fairy » dont Rimbaud s'inspirera pour écrire « Bottom » (p. 284). Hélène figure dans le second *Faust* de Goethe (2ᵉ partie), et il y a chez Rimbaud un désir faustien de tout connaître et de tout aimer.

1. *ornamentales* (anglicisme) : l'adjectif anglais a le même sens qu'« ornementales ».

2. *les clartés impassibles dans le silence astral* : Hélène résulte donc d'une influence astrale. Au dernier paragraphe, le mot sera indiqué : « les influences froides ». Rappelons que Castor et Pollux, les frères d'Hélène, furent transformés en astres : les Gémeaux.

3. *L'ardeur de l'été fut confiée à des oiseaux muets* : Hélène est née de Léda et de Jupiter métamorphosé en cygne. Le cygne ne chante pas, sauf, admirablement, avant sa mort, dit la légende.

4. Ce deuxième paragraphe est une curieuse remarque mélodique qui situe momentanément Hélène dans un décor rustique ou sylvestre, du côté d'une Lacédémone (Sparte, où Hélène naquit) de rêve.

GUERRE P. 287

Ms. B.N., n.a.fr. 14124, f° 4 (sur le feuillet).

Celui qui parle (est-ce exactement Rimbaud ?) retrace sa vie, repense son enfance fabuleuse et se place dans un « à présent ». Cet « à présent » étrange se trouve aussi dans « Vies II » et « Jeunesse II. Sonnet ». À quelle nouvelle résolution correspond-il ? Rimbaud rêve ici à une croisade spirituelle cherchant à remettre en cause le monde et l'esprit tels qu'ils sont, pour affirmer une « logique bien imprévue ». La dernière phrase, laconique dans son évidence, semble une réponse à la fin de « Conte » : « La musique savante manque à notre désir. »

1. *s'émurent* : se mirent en mouvement.

GÉNIE P. 288

Ms. de la collection Pierre Berès reproduit p. 106 du catalogue *Livres du cabinet de Pierre Berès*, musée Condé, château de Chantilly, 2003.

Bien des génies apparaissent dans l'œuvre de Rimbaud (« Les Sœurs de charité », « Conte »). Le génie concentre en lui toutes les ambitions de son « inventeur ». Il est à la fois dynamisme et accomplissement. Figure de la modernité, il s'oppose à l'ancien sauveur, au Christ. Après l'Éros grec et l'Agapé chrétienne, son message d'amour transgresse toutes les marques temporelles.

1. *l'amour, mesure parfaite et réinventée* : Rimbaud reprend – ou prépare – la formule d'*Une saison en enfer* : « l'amour est à réinventer ».

2. *il ne redescendra pas d'un ciel* : il ne fera pas comme le Christ Dieu fait homme.

3. *c'est fait, lui étant* : on songe à l'« étant » (*being*) de « Being Beauteous » (voir p. 261), et à la formule par laquelle Mallarmé caractérisera le Livre : « fait, étant » (*L'Action*, dans *La Revue blanche*, 1er février 1895).

4. *le brisement de la grâce* : celle qui frappa saint Paul sur le chemin de Damas. À cette grâce (chrétienne) succédera la violence de la nouvelle ère impétueuse. *Croisée* signifie ici « mêlée de ».

5. *les agenouillages anciens et les peines relevés* : il ne s'agit plus d'adorer humblement ce génie, comme on le faisait du Christ. *Relevés* (souligné dans le texte) s'accorde avec « agenouillages » et « peines ». Le sens du mot est d'ailleurs différent selon qu'il s'applique à « agenouillages » (il signifie alors « remis debout ») ou à « peines » (il veut dire, en ce cas, « supprimées »).

6. *les migrations* : voir « Solde », « Mouvement » et ce passage d'*Une saison en enfer* : « Je rêvais croisades […] déplacements de races et de continents » (p. 221).

7. *L'orgueil* s'oppose aux charités du monde chrétien.

8. *le renvoyer* : René Char a écrit à ce propos : « Comme Nietzsche, comme Lautréamont, après avoir exigé tout de nous, il nous demande de "le renvoyer". Dernière et essentielle exigence. Lui qui ne s'est satisfait de rien, comment pourrions-nous nous satisfaire de lui ? » (« Arthur Rimbaud », texte de 1956 repris dans *Recherche de la base et du sommet*, nouv. éd., Gallimard, 1965).

JEUNESSE P. 289

Ms. B.N., n.a.fr. 14124, f° 3.

Le titre « Jeunesse » précédé du chiffre IV a été ajouté au-dessus du chiffre I. Il est d'une écriture différente, dextrogyre. Encre, plume utilisée, écriture paraissent semblables dans « Enfance », « Vies », « Départ ».

I. DIMANCHE P. 289

Le premier alinéa exprime, par une suite d'abstractions, l'atmosphère languissante d'un dimanche. La vie commerciale cesse : « les calculs de côté » ; on célèbre la messe, « inévitable descente du ciel ». Le narrateur lui-même songe au passé, « visite des souvenirs », et peut-être au poème, « séance des rhythmes ».

Le deuxième alinéa, placé entre tirets, présente de façon plus ou moins réaliste le monde d'ennui du dimanche. Un tel ensemble mériterait d'être rapproché du poème « Mémoire » dont il semble être une « version ».

1. *boisements* : échafaudages.

2. *desperadoes* : pluriel anglais du mot espagnol *desperados*, signifiant « hommes perdus », « hors-la-loi ».

3. *soupire après* [...] *languissent après* : le sens de ces deux expressions est le même. La femme souhaite une rencontre. Les desperadoes attendent que des événements dissipent leur ennui.

II. SONNET P. 290

Ms. de la Fondation Martin Bodmer à Cologny, en Suisse. Sur le même feuillet se trouvent « Vingt ans III » et « IV ». André Guyaux a donné le fac-similé de cette page dans son livre *Poétique du fragment*, Neuchâtel, La Baconnière, 1985, p. 286.

On s'est longtemps demandé pourquoi Rimbaud avait choisi le titre « Sonnet » pour ce texte. André Guyaux a probablement trouvé une réponse satisfaisante à ce problème quand il a remarqué que cette « illumination » comportait quatorze lignes, comme un sonnet compte quatorze vers, explication d'autant plus admissible que le titre « Sonnet » a été ajouté après coup.

4. *la chair / n'était-elle pas un fruit pendu dans le verger* : le 16 mai 1873, Verlaine avait envoyé à Edmond Lepelletier un poème alors intitulé « Invocation » (il sera repris sous le titre « Luxures » dans *Jadis et naguère*, 1884), où l'on trouve ce vers : « Chair ! ô seul fruit mordu des vergers d'ici-bas ».

5. *enfantes* : Rimbaud a déjà utilisé ce mot, mais comme substantif, dans « Enfance I » (p. 257).

6. *Psyché* : selon la fable antique, cette jeune fille était aimée de l'Amour qui venait la voir chaque nuit mais prenait soin de lui dérober

son visage. Curieuse, Psyché finit par allumer une lampe pour contempler son amant endormi, mais elle le réveilla. Une longue suite d'épreuves commença pour elle, dont elle triompha cependant. Elle devint alors immortelle. Cette légende est notamment racontée dans les *Métamorphoses* d'Apulée.

7. *ne sont plus que votre danse et / votre voix* : il est possible qu'il y ait inversion du sujet : « il n'y a plus que votre danse et votre voix ».

8. + : est-ce le signe « plus », l'équivalent de l'adverbe « plus », ou un appel de note (d'ailleurs manquante) ? Le mot suivant, « raison », surcharge semble-t-il « logi » – sans doute le début du mot « logique », proche, par le sens, de « raison ».

III. Vingt ans p. 290

Ms. de la Fondation Martin Bodmer à Cologny, en Suisse.

Pour Yves Bonnefoy (*Rimbaud par lui-même, op. cit.*, p. 144), le titre pourrait dater ce texte d'octobre 1874. Ce que nous devons tenir pour certain, c'est qu'une fois de plus celui qui parle est à l'ancre, dans l'empoissement de l'*adagio*, et qu'il regrette les qualités qui le rendaient admirable autrefois : ingénuité, égoïsme, optimisme.

9. *les nerfs vont vite chasser* : le verbe « chasser » est emprunté au vocabulaire maritime. Il s'emploie pour désigner un navire qui est entraîné par le courant. L'entraînement nerveux que souhaite Rimbaud remédierait-il à l'*adagio* (air lent et grave) dans lequel il se trouve ?

IV p. 290

Ms. de la Fondation Martin Bodmer à Cologny, en Suisse.

Rimbaud mène une sorte d'examen de conscience, dont *Une saison en enfer* reste le meilleur exemple.

10. *la tentation d'Antoine* : Rimbaud dénie à l'ermite Antoine la qualité de saint ; mais il songe, de toute évidence, aux hallucinations que celui-ci connut et que de nombreux peintres représentèrent. Les commentateurs ont signalé la probable connaissance qu'il avait du livre de Flaubert, paru dans les premiers jours d'avril 1874, mais dont certains extraits avaient été publiés dans *L'Artiste* les 21 et 28 décembre 1856, 11 janvier et 1er février 1857.

Solde p. 291

Ms. B.N., n.a.fr. 14124, f° 1.

En utilisant le procédé rhétorique de l'anaphore, « Solde » propose à des acheteurs occasionnels toutes les merveilles déployées ici ou là dans les *Illuminations*. Le terme « solde » n'avait pas alors l'acception, courante aujourd'hui, de « liquidation » (voir *Bescherelle*). Il s'agit ici d'une vente – et d'une vente d'objets évidemment précieux.

1. *inquestionable* : certains commentateurs ont vu dans ce mot un anglicisme adapté. A. Henry pense plus raisonnablement qu'il s'agit d'un néologisme inventé par Rimbaud à partir du mot « question » et signifiant « qui ne fait pas de question, incontestable ».

2. *commission* : au sens commercial du terme, ce qu'un commissionnaire reçoit pour son salaire.

LETTRE DE RIMBAUD À ERNEST DELAHAYE
(14 octobre 1875)

Première publication dans *La Nouvelle Revue française*, juillet 1914, p. 55-57, « Trois lettres inédites de Rimbaud » présentées par Paterne Berrichon. Fac-similé accompagné de notes de S. Murphy dans *Parade sauvage*, n° 6, juin 1989, p. 14-54. B.N., n.a.fr. 26499.

Durant l'année 1875, Rimbaud, après avoir été en Allemagne, puis en Italie, était revenu à Charleville vers le 6 octobre. À ce moment, son ami Ernest Delahaye, qui venait d'être enfin reçu à la première partie du baccalauréat (il avait vingt-deux ans), exerçait les fonctions de surveillant au collège de Soissons.

1. *le Postcard* : la carte postale. Verlaine, qui avait revu Rimbaud en février 1875, était parti le 15 mars en Angleterre où il avait trouvé une place d'enseignant à Stickney dans le Lincolnshire. Après avoir passé les grandes vacances (août-septembre) chez sa mère à Arras, il était revenu à Stickney. Rimbaud songeait surtout à lui demander de l'argent. Il lui en avait déjà extorqué en septembre pour prendre des leçons de piano. La dernière lettre connue de Verlaine à Rimbaud date de décembre 1875. Après quoi cessera toute relation épistolaire entre eux.

2. *Loyola* : c'est ainsi que Rimbaud appelait désormais Verlaine qui s'était converti, on le sait, à la prison de Mons et songeait à le convertir. *Loyola* fait référence au fondateur de l'ordre des Jésuites, saint Ignace de Loyola.

3. *« classe 74 »* : les mots que Rimbaud met entre guillemets citent probablement les termes de la convocation qu'il avait reçue ou de l'affiche annonçant ce recrutement. Rimbaud avait eu vingt ans le 20 octobre 1874. Mais, son frère Frédéric s'étant engagé pour cinq ans, il avait pu bénéficier ainsi d'une dispense de service militaire. Il restait cependant soumis à des périodes d'instruction militaire.

4. *la chambrée de nuit* : pensant aux soldats du contingent, Rimbaud en vient à écrire le poème intitulé « Rêve » et le premier vers d'une « Valse ». Ce poème, bien sûr ironique, a vivement frappé André Breton

dès sa publication en 1914. Il s'en est inspiré pour écrire les derniers poèmes de *Mont de Piété* (1919). Dans « Situation surréaliste de l'objet » (conférence prononcée à Prague en 1935), il y perçoit « la quintessence des scènes les plus mystérieuses des drames de l'époque élisabéthaine et du second Faust ». Il l'a retenu dans son *Anthologie de l'humour noir* (1940), et n'a pas hésité à parler à ce propos de « l'entre tous admirable poème "Rêve" de 1875 qui constitue le testament spirituel et poétique de Rimbaud ». Mario Richter en a fait pareillement une exégèse – cette fois catholique ! et pour le moins surprenante –, dans *Les Deux « Cimes »* *de Rimbaud. « Dévotion » et « Rêve »*, Genève-Paris, Slatkine, 1986. Or, malgré la présence répétée dans le texte d'un « génie » qui se distingue des soldats de la chambrée tout en suscitant leur chœur comique, ce « rêve » demeure peu convaincant tant par son contenu que par son style. « Rêve » est motivé par les circonstances. Contrairement à Mario Richter qui va jusqu'à voir ici une sorte de Cène, nous percevons plutôt dans ces quelques vers l'horrible échec d'un « Homais » « fasciné par le néant », pour reprendre l'appréciation d'Yves Bonnefoy (*Entretiens sur la poésie*, Neuchâtel, La Baconnière, 1981, p. 170).

5. *Émanations, explosions* : André Breton a fait remarquer dans son *Anthologie de l'humour noir* que Baudelaire avait déjà utilisé ces termes pour définir le comique : « Pour qu'il y ait comique, c'est-à-dire émanation, explosion, dégagement de comique » (Baudelaire, « De l'essence du rire », repris dans *Curiosités esthétiques*, M. Lévy, 1868). Mais, dans le contexte de cette lettre, « émanations » désigne clairement les mauvaises odeurs du local, et les « explosions » sont en rapport direct avec cette signification.

6. *Lefèbvre* : ce Lefebvre était le fils du propriétaire du 31, rue Saint-Barthélemy, où habitait alors Mme Rimbaud. La nouvelle recrue fait de l'esprit pour répondre au génie. Elle invoque Keller (« quel air ! »), député monarchiste du Bas-Rhin, qui voulait porter à trois ans la durée du service militaire.

7. La « Valse » qui suit relève des drôleries du comique troupier, dont le Boquillon créé par Albert Humbert avait déjà donné l'exemple.

8. *s'y absorbère* : nouvel exemple du langage déformé dont Verlaine, Rimbaud et Delahaye usaient couramment entre eux.

9. *les « Loyolas »* : c'est-à-dire les lettres venant de Verlaine le Loyola.

10. *saisons* : sous la plume de Rimbaud, ce mot prend valeur de citation. L'épithète « agréables » doit être entendue par antiphrase. Rimbaud se prépare donc de nouvelles « saisons en enfer » en choisissant le civisme et le travail humain.

11. *« gentil labeur »* : les guillemets indiquent qu'il s'agit d'une citation. On songe à Villon, mais aussi à Charles d'Orléans, deux poètes que Rimbaud avait plagiés dans sa narration du printemps 1870 (voir p. 17).

« Gentil labeur » doit se comprendre comme « horrible travail », en l'occurrence.

12. *Petdeloup* : en langage populaire, vieil universitaire ridicule, d'après le nom d'un personnage créé par Nadar en 1849.

13. *les gluants pleins d'haricots patriotiques ou non* : dans le langage populaire, un « gluant » désigne un personnage importun, encombrant. Rimbaud fait allusion aux élèves que Delahaye devait surveiller. Il les dit « pleins d'haricots » (et non « de haricots ») parce que l'on mange habituellement en surabondance cette nourriture dans les réfectoires des établissements scolaires et dans les casernes.

14. *schlingue* : en argot, le verbe « schlinguer » signifie « puer ».

15. *en « passepoil »* : le mot « passepoil », qui désigne d'habitude une sorte d'ourlet de drap dont on borde diverses parties de l'uniforme militaire, prend ici un sens difficile à déterminer. Il s'agit, en tout cas, de faire *passer* une lettre sans témoin fâcheux (la mère de Rimbaud, par exemple). Le « Némery » nommé plus loin était, en fait, un certain Henri Hémery, employé à l'hôtel de ville de Charleville à qui Rimbaud s'était fié pour avoir son courrier sans l'intermédiaire du facteur.

CHRONOLOGIE

1854. 20 octobre. Naissance, à six heures du matin, à Charleville dans le département des Ardennes, de Jean-Nicolas-Arthur Rimbaud. Son père, Frédéric Rimbaud (né le 7 octobre 1814), est capitaine d'infanterie. Sa mère, Vitalie Cuif (née le 10 mars 1825), est la fille de propriétaires ruraux possédant une ferme à Roche, dans le canton d'Attigny. Rimbaud a un frère aîné, Frédéric, né en 1853.

1855-1856. Du 14 mars 1855 au 28 mai 1856, le capitaine Rimbaud participe à la campagne de Crimée.

1858. Le 15 juin, naissance de Vitalie Rimbaud, sœur de Jean-Arthur et de Frédéric.

1860. Le 1er juin, naissance d'Isabelle Rimbaud, sœur de Jean-Arthur, Frédéric et Vitalie.
En août, le capitaine Rimbaud rejoint sa garnison à Grenoble. Les deux époux vivront désormais séparés. Sur le souvenir fantasmatique de ce départ, voir « Mémoire » (p. 157).

1861. Au mois d'octobre, Rimbaud entre en neuvième à l'Institution Rossat[1].

1862-1863. Durant l'année scolaire, Rimbaud écrit une sorte de fantaisie (voir p. 11).

1865. Rimbaud, qui a fait ses deux premiers trimestres de sixième à l'Institution Rossat, entre, à partir de Pâques, au collège de Charleville.

1868. Rimbaud adresse « en secret » une lettre en vers latins au Prince impérial à l'occasion de la première communion de celui-ci (le 8 mai).

---

1. Voir Stéphane Taute, « La scolarité de Rimbaud et ses prix. La fin d'une légende », *Centre culturel Arthur Rimbaud*, Cahier n° 6, novembre 1978.

1869. Le 15 janvier, le *Moniteur de l'enseignement secondaire spécial et classique. Bulletin de l'Académie de Douai*, n° 2, publie une pièce en vers latins de Rimbaud, « Ver erat… » (« Le Songe de l'écolier »).

Le même bulletin, n° 11, publie, le 1er juin, une autre pièce de Rimbaud, « Jamque novus… » (« L'Ange et l'Enfant »).

Le 15 novembre, le *Moniteur de l'enseignement secondaire*, n° 22, publie une autre composition en vers latins de Rimbaud, « Abd-al-Kader », qui lui valut de remporter le premier prix au concours académique de vers latins.

À la fin de l'année, Rimbaud compose « Les Étrennes des orphelins ».

1870. En janvier, le professeur de rhétorique du collège, M. Feuillâtre, est remplacé par le jeune Georges Izambard (âgé de vingt-deux ans), avec lequel Rimbaud va se lier d'amitié.

Le 2 janvier, *La Revue pour tous* publie « Les Étrennes des orphelins ».

Le 24 mai, Rimbaud envoie à Théodore de Banville, dans l'espoir d'être publié dans une prochaine livraison du *Parnasse contemporain*, une lettre contenant trois poèmes : « Sensation », « Ophélie » et « Credo in unam ».

Le 13 août, *La Charge* publie « Trois Baisers ».

Rimbaud compose alors un certain nombre de poèmes, dont « Vénus anadyomène » et « Les Reparties de Nina ».

Le 19 juillet, la France déclare la guerre à la Prusse. Rimbaud compose le sonnet « Morts de Quatre-vingt-douze ».

Le 29 août, première fugue de Rimbaud. Il part pour Paris, en passant par Charleroi. Il arrive à Paris le 31. Arrêté à sa descente du train, car il n'a sur lui ni billet ni argent, il est conduit au dépôt, puis à la prison de Mazas.

2 septembre : désastre de Sedan. Napoléon III capitule devant l'armée prussienne.

4 septembre : proclamation de la IIIe République. Le 5 septembre, grâce à l'intervention d'Izambard, Rimbaud est libéré. Il va à Douai, chez les tantes d'Izambard, les demoiselles Gindre. Il y reste une quinzaine de jours et en profite pour recopier ses poèmes sur un cahier, à l'intention d'un jeune poète, Paul Demeny, que lui avait fait connaître son professeur et qui venait d'être édité.

Le 26 septembre, Rimbaud revient à Charleville. Mais le 7 octobre, il reprend la route, passe de nouveau par Charleroi et pousse jusqu'à Bruxelles. Entre le 20 et le 30 octobre, il est de nouveau chez les demoiselles Gindre où il complète le « Cahier de Douai » (ou « Recueil Demeny »), qu'il confie à P. Demeny. Le 1er novembre, Mme Rimbaud fait intervenir un commissaire de police. Rimbaud est obligé de revenir à Charleville. Le collège a fermé ses portes en raison de la guerre. Rimbaud vit alors une période d'oisiveté. Il lit et fait de longues promenades avec son ami Ernest Delahaye.

25 novembre, *Le Progrès des Ardennes*, n° 18, publie « Le Rêve de Bismarck » signé « Jean Baudry », pseudonyme adopté par Rimbaud.

1871. Le 1er janvier, les Allemands occupent Mézières et Charleville. Le 28 janvier, l'armistice est signé. Le 17 février, Thiers devient chef du pouvoir exécutif. Le 25 février, Rimbaud part en train pour Paris. Il y vit misérablement et revient à pied à Charleville le 10 mars. Le 18 mars, la Commune de Paris est proclamée. Rimbaud prend parti pour les insurgés. Il écrira bientôt des poèmes communards : « Chant de guerre Parisien », « Les mains de Jeanne-Marie », « Paris se repeuple ».

Mi-avril-début mai, Rimbaud, selon Ernest Delahaye (*Entretiens politiques et littéraires*, décembre 1891), serait allé à Paris. Il se serait engagé dans les corps-francs et aurait séjourné à la caserne de Babylone. Une note de police du 26 juin 1873 concernant Verlaine et Rimbaud à Londres signale que le jeune « Raimbault [*sic*] sous la Commune a fait partie des francs-tireurs de Paris [1] ». Notons toutefois que Rimbaud était à Charleville le 17 avril et qu'il y sera les 13 et 15 mai, comme le prouvent ses lettres. La répression versaillaise, la Semaine sanglante, commence le 21 mai. Pour ses amis, la participation de Rimbaud à la Commune ne faisait pas de doute.

Dans sa biographie de Rimbaud parue dans *Les Hommes d'aujourd'hui* (1888), Verlaine note : « Retour à Paris pendant la Commune et quelques séjours à la caserne du Château-d'Eau parmi de vagues vengeurs de Flourens. »

---

1. Voir Henri Guillemin, « Rimbaud fut-il communard ? », dans *À vrai dire*, Gallimard, 1956, p. 194-200.

Le 13 mai, Rimbaud envoie à Georges Izambard une lettre où il expose ses idées nouvelles sur la poésie. Elle contient le poème « Le Cœur supplicié ».

Le 15 mai, il adresse à Paul Demeny la lettre dite « du voyant » qui développe longuement certains éléments de la lettre précédente. Elle contient aussi « Chant de guerre Parisien », « Mes Petites amoureuses » et « Accroupissements ».

Le 10 juin, Rimbaud envoie une nouvelle lettre à Paul Demeny. Il lui demande de brûler le cahier qu'il lui a donné l'an passé et lui présente trois nouveaux poèmes, « Les Poètes de sept ans », « Les Pauvres à l'Église » et « Le Cœur du pitre ».

Le 15 août, Rimbaud adresse une lettre à Théodore de Banville contenant l'ironique « Ce qu'on dit au Poète à propos de fleurs », signé « Alcide Bava ».

Rimbaud entre en relation avec Charles Bretagne, un employé aux contributions indirectes de Charleville, féru d'occultisme, homosexuel sans doute et ami de Paul Verlaine.

En septembre, Rimbaud envoie coup sur coup deux lettres à Verlaine. Il les accompagne de plusieurs poèmes, « Les Effarés », « Accroupissements », « Les Douaniers », « Le Cœur volé », « Les Assis », « Mes Petites amoureuses », « Les Premières Communions », « Paris se repeuple ». Verlaine répond à Rimbaud en lui proposant de venir à Paris.

Fin septembre, Rimbaud débarque à Paris, avec « Le Bateau ivre » en poche. Il est d'abord accueilli rue Nicolet à Montmartre dans l'hôtel des Mauté, les beaux-parents de Verlaine, qui logent sous leur toit leur fille Mathilde et Paul Verlaine, qui vient de l'épouser. Georges, le fils du jeune couple, naît le 30 octobre. Verlaine fait venir Rimbaud à l'un des dîners des Vilains Bonshommes (rassemblant les poètes parnassiens ses amis). Rimbaud y récite « Le Bateau ivre ». Sa lecture soulève l'enthousiasme. Durant toute cette période, Rimbaud va fréquenter les frères Cros, Léon Valade, Émile Blémont, Forain dit « Gavroche » le dessinateur, Étienne Carjat le photographe (avec qui il aura une grave altercation).

En octobre, il doit quitter l'hôtel des Mauté. Il loge quelque temps dans l'atelier de Charles Cros, puis dans une chambre que lui prête Théodore de Banville. Fin octobre, sur l'initiative de Charles Cros, est fondé le Cercle dit « Zutique », qui tient ses assises dans une chambre de l'Hôtel des Étrangers, à l'angle

de la rue Racine et de la rue de l'École-de-Médecine. En attendant mieux, Rimbaud habite là, en compagnie du musicien
bohème Ernest Cabaner. Il collabore plusieurs fois à l'*Album
Zutique* (le 22 octobre, les 1er, 6 et 9 novembre). Mi-novembre,
Rimbaud loge dans un immeuble situé à l'angle du boulevard
d'Enfer (aujourd'hui boulevard Raspail) et de la rue Cam-
pagne-Première.

Fin décembre, Fantin-Latour commence à peindre le tableau
Coin de table où figurent Verlaine et Rimbaud, à côté de Jean
Aicard, Léon Valade, Ernest d'Hervilly, Camille Pelletan, Pierre
Elzéar Bounier, Émile Blémont. Le tableau ne sera achevé qu'en
avril 1872.

1872. Verlaine et Rimbaud scandalisent par leur comportement
les milieux littéraires qu'ils fréquentent. Verlaine menant une
vie de plus en plus irrégulière, Mathilde Mauté, dans la seconde
moitié du mois de janvier, décide de partir dans sa famille à
Périgueux et emmène son jeune fils. Bientôt Verlaine, inquiet
de cette situation, conseille à Rimbaud de quitter Paris et d'aller
chez l'une de ses parentes à Arras. Rimbaud y consent. On sait
peu de chose sur ce séjour. Il rejoint ensuite la demeure maternelle à Charleville où il fréquente surtout Delahaye. À la bibliothèque municipale, il lit toutes sortes de livres et, par exemple,
les ariettes de Favart, écrivain du xviiie siècle auteur de nombreux vaudevilles et opéras-comiques. Il correspond avec Verlaine et lui envoie des lettres que son correspondant qualifie de
« martyriques ». Selon Ernest Delahaye, Rimbaud avait alors
l'idée d'écrire des textes en prose sous le titre *Photographies du
temps passé* (il aurait rédigé plusieurs textes dans cette veine).
Selon Verlaine, il travaillait à des « Études néantes ».

Vers le 15 mars, Mathilde revient à Paris. Elle semble réconci-
liée avec Verlaine. Mais leurs rapports vont rapidement se dété-
riorer. Début mai, Rimbaud, à l'instigation de Verlaine, revient,
lui aussi. Il loge bientôt rue Monsieur-le-Prince, dans une
chambre donnant sur la cour du lycée Saint-Louis. Il écrit alors
certains poèmes, comme « Fêtes de la patience », ou recopie
ceux qu'il a composés les mois précédents. Il les date de
« mai 1872 ». Ses relations sexuelles avec Verlaine font peu de
doute, comme le prouve de ce dernier le sonnet « Le Bon Dis-
ciple », daté de mai 1872.

En juin, Rimbaud loge à l'hôtel de Cluny, rue Victor-Cousin, près de la place de la Sorbonne.

Le 7 juillet, comme il n'a pu convaincre Verlaine d'abandonner femme et enfant pour le suivre, il décide de quitter seul la France pour la Belgique et de laisser Verlaine à ses démêlés conjugaux. Comme il porte au domicile de Verlaine (qu'il ne compte pas revoir) sa lettre de rupture, il rencontre celui-ci. Verlaine prend alors la décision immédiate de quitter sa famille.

Le 9 juillet, en route pour la Belgique, Verlaine et Rimbaud s'arrêtent à Charleville pour voir Bretagne. Ils vont ensuite en train à Bruxelles (par Walcourt et Charleroi), où ils logent au Grand Hôtel liégeois.

Le 21 juillet, Mathilde et sa mère viennent à Bruxelles pour convaincre Verlaine de repartir à Paris avec elles. Il y consent, mais, dans le train du retour où Rimbaud s'était aussi embarqué, il leur fausse compagnie à la gare frontière de Quiévrain. Les deux amis continuent de vivre à Bruxelles.

Le 7 septembre, ils prennent le bateau à Ostende pour l'Angleterre. Ils arrivent à Douvres le lendemain. Ils trouvent à se loger à Londres, au 34, Howland Street, dans un appartement qu'Eugène Vermersch habitait avant eux. Ils connaissent les exilés de la Commune, le dessinateur Félix Régamey, Jules Andrieu, Lissagaray... Ils visitent l'« immense ville », mélange de misère et de modernité. Verlaine continue d'écrire ses *Romances sans paroles* ; Rimbaud compose peut-être certains textes des *Illuminations* (le 14 septembre avait paru, contre son gré, semble-t-il, son poème « Les Corbeaux » dans *La Renaissance littéraire et artistique*, revue dirigée par Émile Blémont).

Le couple Verlaine-Rimbaud vit bientôt dans un état alarmant de pénurie et doit se contenter de l'argent que Mme Verlaine envoie à son fils. De son côté, Mathilde poursuit une demande en séparation, ce qui inquiète Verlaine dont Rimbaud découvre un peu plus chaque jour la veulerie.

Début novembre, Rimbaud informe sa mère de sa situation. Mme Rimbaud vient à Paris et a une entrevue avec Mme Verlaine, puis avec Mathilde. Elle engage Rimbaud à revenir.

En décembre, Rimbaud est de retour à Charleville. Sa présence y est attestée le 20 de ce mois.

1873. En janvier, Verlaine, seul et malade à Londres, réclame du secours. Rimbaud et Mme Verlaine viennent le voir. Rimbaud décide de rester. La vie du couple reprend. Pour pouvoir donner des leçons qui leur rapporteraient quelque argent, Verlaine et Rimbaud perfectionnent leur anglais. Ils fréquentent la bibliothèque du British Museum.

Le 4 avril, Verlaine, inquiété par le procès que lui intente sa femme, décide de repartir en France. Après avoir tenté de s'embarquer à Newhaven, il prend le bateau à Douvres pour Anvers, va à Namur, puis s'installe à Jéhonville (Luxembourg belge) chez sa tante Évrard. Le 11 avril, jour du vendredi saint, Rimbaud arrive à Roche (propriété de Mme Rimbaud) où se trouve alors toute la famille.

Le 20 avril, Verlaine, Delahaye et Rimbaud se retrouvent à Bouillon, ville des Ardennes belges près de la frontière.

Vers le 15 mai, Rimbaud annonce dans une lettre à Delahaye qu'il souhaite écrire un *Livre païen* ou *Livre nègre*, « histoires atroces » (il en a déjà composé trois).

Le 25 mai, Verlaine et Rimbaud repartent pour l'Angleterre. Ils visitent Liège le 26 mai et s'embarquent à Anvers le 27. À Londres, ils louent une chambre chez Mrs. Alexander Smith, au 8, Great College Street, Camden Town. Ils cherchent toujours à donner des leçons de français. Mais le couple est mal considéré par les réfugiés de la Commune. Verlaine, inquiet aussi de la demande en séparation voulue par sa femme et pensant pouvoir de nouveau la convaincre, part après une violente querelle. Il s'embarque, le 3 juillet, pour Anvers. Impuissant, Rimbaud assiste à ce départ.

Cependant, Verlaine regrette bientôt ce qu'il a fait et envoie une lettre d'explication à Rimbaud.

Le 4 juillet, arrivé à Bruxelles, il écrit à sa mère, à Mme Rimbaud, à Mathilde à qui il demande de venir le rejoindre dans les trois jours, sinon il se donnera la mort. Mathilde ne répond pas à cet appel. Mais dès le 5 juillet Mme Verlaine vient à Bruxelles. Le 6 juillet, Verlaine écrit à Edmond Lepelletier en lui demandant de soigner l'édition des *Romances sans paroles* et confirme sa volonté de se donner la mort : « Je vais me crever. »

Le 8 juillet, tout en ayant renoncé au suicide, il envoie un télégramme à Rimbaud lui annonçant sa décision d'entrer comme volontaire dans les troupes carlistes.

Le soir même, Rimbaud arrive. Les deux hommes se rendent à l'Hôtel de la Ville de Courtrai avec Mme Verlaine. La journée du 9 juillet se passe en discussions et querelles, Rimbaud ayant dit son intention de quitter Verlaine et de partir pour Charleville ou Paris.

Le 10 juillet, Verlaine, de bon matin, achète un revolver. Après une nouvelle discussion, il tire sur Rimbaud et le blesse au poignet gauche. Rimbaud va se faire soigner à l'hôpital Saint-Jean. Puis, vers 19 heures, persistant dans sa décision de partir, il se dirige vers la gare du Midi, toujours accompagné de Verlaine et de la mère de celui-ci. Verlaine menaçant en chemin de se servir de son revolver (contre lui-même ou contre Rimbaud ?), Rimbaud avertit un agent de police. Verlaine est aussitôt arrêté et écroué.

Le 11 juillet, Rimbaud entre à l'hôpital Saint-Jean pour qu'on extraie de son poignet la balle qu'il a reçue du premier coup de feu tiré par Verlaine. Le lendemain, il est interrogé par un juge d'instruction et fait une déposition en faveur de Verlaine. Il signera son désistement le 19 juillet et sortira de l'hôpital le lendemain.

Le 8 août, Verlaine comparaît devant la sixième chambre correctionnelle de Bruxelles. Il est condamné à deux ans de prison et 200 francs d'amende. Ce jugement sera confirmé le 27 août. Il est alors incarcéré à la prison des Petits-Carmes, à Bruxelles. En août, de retour à Roche, Rimbaud écrit *Une saison en enfer*, sans doute déjà commencé. Il confie son manuscrit à Jacques Poot, imprimeur à Bruxelles. Mme Rimbaud paie de ses deniers une partie de l'édition. Le 22 octobre, Rimbaud à Bruxelles retire ses exemplaires d'auteur. La majorité du tirage restera chez l'imprimeur jusqu'à ce qu'on la découvre, empaquetée, en 1901 [1] ! Il dépose un volume avec envoi « à P. Verlaine » à la prison des Petits-Carmes.

Le 1er novembre, Rimbaud est à Paris où il donne aux quelques rares amis qui lui restent des exemplaires d'*Une saison en enfer*. Au café Tabourey, il est probable qu'il rencontre le poète Germain Nouveau, qui avait participé aux suites du Cercle Zutique, le groupe des Vivants, et fréquentait Raoul Ponchon et Jean Richepin, que Rimbaud avait connus en 1872. Rimbaud regagne ensuite Charleville où il reste durant l'hiver.

---

1. Voir Louis Piérard, « L'édition originale d'*Une saison en enfer* », *Poésie 42*, Seghers, p. 14-15.

1874. À la mi-mars, Rimbaud vient à Paris et retrouve Germain Nouveau. Avec celui-ci il part pour l'Angleterre. Les deux amis logent au 178, Stamford Street, près de la gare de Waterloo, sur la rive sud de la Tamise. Rimbaud passe des annonces dans certains journaux pour donner des leçons de français. À cette époque, il recopie, aidé parfois de Germain Nouveau, la plupart de ses *Illuminations*.

À la mi-avril, Nouveau, pour des raisons peu claires, décide de revenir en France. Tant bien que mal, Rimbaud essaie de subsister. Il cherche un emploi de précepteur.

En juillet, désespéré, il fait appel à sa mère. Mᵐᵉ Rimbaud et Vitalie viennent à Londres (Vitalie nous a laissé dans son journal de nombreux détails sur ce séjour). Le 31 juillet, Rimbaud part pour une destination inconnue. Selon V.P. Underwood et Enid Starkie, il va prendre un emploi dans le port de Scarborough, Yorkshire, qu'évoquerait « Promontoire » (p. 286).

Le 9 novembre, Rimbaud fait passer une annonce dans le *Times* pour trouver un emploi.

Le 29 décembre, il revient à Charleville pour se mettre en règle avec les autorités militaires. Son frère Frédéric s'étant engagé pour cinq ans, il peut bénéficier d'une dispense de service militaire.

1875. Durant le mois de janvier, Rimbaud, pour obtenir une situation dans le commerce ou l'industrie, se met à apprendre l'allemand.

Le 13 février, il part pour Stuttgart. Il loge dans cette ville, au 7, Hasenbergstrasse, puis, à partir du 15 mars, au 2, Marienstrasse, dans une pension de famille.

Le 2 mars, Verlaine, qui avait été libéré le 16 janvier après dix-huit mois de captivité à la prison des Petits-Carmes, à Bruxelles, puis à la prison de Mons, revoit Rimbaud à Stuttgart. Au cours de cette entrevue, marquée par une bagarre brutale, Rimbaud aurait donné à Verlaine le manuscrit des *Illuminations*[1]. Il l'aurait également chargé d'envoyer à Germain Nouveau des « poèmes en prose » siens (s'agit-il des mêmes textes ?) pour que celui-ci, alors en Belgique, les fasse publier. Verlaine accomplira fidèlement cette mission. Cependant, la rupture

---

1. Voir Verlaine, « Arthur Rimbaud "1884" », *Les Hommes d'aujourd'hui*, n° 318, janvier 1888.

entre les deux amis se consommera définitivement dans les mois suivants, ce qui n'empêchera pas Verlaine de continuer de s'informer auprès d'Ernest Delahaye des errances de Rimbaud et, à l'occasion, de se moquer dans des « Vieux Coppées » de celui qu'il appelle « l'homme aux semelles de vent », mais aussi bien « Homais », « le Philomathe », « l'Œstre » (le taon)...

En mai, Rimbaud quitte Stuttgart pour l'Italie. Le 5 ou le 6, il est à Milan. Puis il traverse la Lombardie.

Le 15 juin, sur la route de Livourne à Sienne, il est frappé d'une insolation. Le consul français de Livourne le fait rapatrier à Marseille où il est soigné à l'hôpital. Peu après, il a l'intention de s'engager dans les troupes carlistes et de passer en Espagne ; mais il n'y parvient pas.

En juillet, il revient à Paris et, pendant les vacances, assure la fonction de répétiteur dans un cours de vacances à Maisons-Alfort.

Vers le 6 octobre, il est à Charleville où il fréquente de nouveau Delahaye, Louis Pierquin, Ernest Millot. À l'époque, il envisage de devenir Frère des Écoles chrétiennes pour être envoyé en Extrême-Orient. Il se plonge dans l'étude de plusieurs langues étrangères et apprend le piano.

Le 18 décembre, Vitalie meurt d'une synovite tuberculeuse.

1876. Début avril, Rimbaud part pour Vienne où il se fait voler son argent. Il revient à Charleville.

En mai, il se rend à Bruxelles, puis à Rotterdam. Le 18 mai, au port de Harderwijk sur le Zuyderzee, il se fait enrôler pour six ans dans l'armée coloniale hollandaise.

Le 10 juin, le *Prins van Oranje*, sur lequel se trouvent les quatre-vingt-dix-sept fantassins recrutés, appareille à Niewe Diep. Le 22 juin, le navire arrive à Naples.

Le 19 juillet, le *Prins van Oranje* aborde à Padang (Sumatra). Le navire repart pour Batavia. Le 30 juillet, la compagnie à laquelle appartient Rimbaud embarque pour Samarang. Le 15 août, Rimbaud est porté déserteur. Le 30 août, il embarque à Samarang sous un nom d'emprunt, à bord du *Wandering Chief*, navire écossais qui fait route jusqu'en Angleterre, en passant par Le Cap, Sainte-Hélène (23 octobre)...

Le 6 décembre, Rimbaud débarque à Queenstown en Irlande, prend le train jusqu'à Cork où il s'embarque pour Liverpool.

À Liverpool, il prend un bateau qui le mène au Havre. Le 9 décembre, il est de retour à Charleville.

1877. Durant l'hiver, Rimbaud reste à Charleville ou à Roche.

En mai, il est à Cologne, recruteur de volontaires pour le compte d'un agent hollandais.

Le 14 mai, on le retrouve à Brême où il écrit, sans succès, au consul des États-Unis pour s'engager dans la marine américaine. On le voit ensuite à Hambourg. Puis il travaille comme employé au cirque Loisset.

En juillet, il suit le cirque Loisset à Stockholm, puis à Copenhague. À la fin de l'été, il revient à Charleville.

En automne, il s'embarque à Marseille pour Alexandrie ; mais, malade, il doit débarquer en Italie à Civitavecchia. Rétabli, il va jusqu'à Rome, revient jusqu'à Marseille et regagne enfin Charleville où il reste durant l'hiver.

1878. En janvier, *The Gentleman's Magazine* à Londres publie « Petits Pauvres » (« Les Effarés »), signé « Alfred [*sic*] Rimbaud ».

Rimbaud, durant ce premier semestre, serait allé à Hambourg ou en Suisse.

Il passe l'été à Roche.

Le 20 octobre, il quitte Charleville, traverse à pied les Vosges, la Suisse et passe le Saint-Gothard.

Le 19 novembre, arrivé à Gênes, il s'embarque pour Alexandrie où il signe un contrat d'embauche avec E. Jean et Thial fils, de Larnaca, port de Chypre.

Le 16 décembre, il entre en fonction à Larnaca où il surveille l'exploitation d'une carrière.

1879. Rimbaud, dans des conditions difficiles, continue son travail. Il a parfois de graves discussions avec les ouvriers.

Fin mai, atteint de typhoïde, il doit rentrer rapidement en France. Il revient à Roche, se rétablit. L'été, il participe aux travaux de la moisson.

En septembre, il rencontre pour la dernière fois Delahaye qui vient passer quelques jours à Roche.

1880. Rimbaud passe l'hiver à Roche.

En mars, il s'embarque pour Alexandrie, regagne Chypre. Il est alors engagé comme chef d'équipe pour construire le palais d'été du gouverneur sur le mont Troodos (2 100 m).

Le 20 juin, il quitte son emploi pour en prendre un autre plus lucratif.

En juillet, se jugeant mal payé, il donne sa démission et part pour l'Afrique. Il est possible que ce départ soit dû aussi au meurtre d'un ouvrier qu'il aurait commis dans un mouvement de colère. À Aden, port de la mer Rouge, grâce à une recommandation qu'il a pu obtenir à Hodeïdah d'un négociant français, un certain Trébuchet, il se fait engager par l'agence Mazeran, Viannay, Bardey et Cie, spécialisée dans le commerce (importation-exportation).

Le 10 novembre, il est affecté à la succursale Bardey de Harar, ville du centre de l'Abyssinie, qui comptait alors plus de 30 000 habitants. Il s'embarque jusqu'à Zeïlah, puis traverse le désert somali et arrive enfin à Harar, début décembre.

1881. Rimbaud s'habitue difficilement à ce nouveau poste, en dépit d'un climat plus favorable.

En avril, Alfred Bardey et son équipe arrivent à Harar.

En mai-juin, Rimbaud fait une expédition à Boubassa, à cinquante kilomètres de Harar.

Durant le mois de juillet, frappé d'un accès de fièvre, il doit s'aliter.

En septembre, irrité de n'avoir pas été promu à la direction de l'agence de Harar, il donne sa démission. Le 15 décembre, il reprend son travail à Aden, toujours à l'agence Bardey.

1882. Rimbaud continue à travailler à Aden. Il a la pleine confiance d'Alfred Bardey. Rongé par l'ennui, il songe à écrire un « ouvrage sur le Harar et les Gallas » et à le soumettre à la Société de géographie (lettre à Ernest Delahaye du 18 janvier).

1883. Le 28 janvier, à Aden, Rimbaud gifle un magasinier. Le consulat de France est informé de l'affaire. Alfred Bardey se porte garant de Rimbaud.

Le 20 mars, Rimbaud signe un nouveau contrat de travail pour deux ans avec l'agence Bardey. Le 22 mars, il se met en route pour Harar où il s'installe de nouveau, comme directeur de l'agence cette fois. Il fait de la photographie à ses moments perdus.

En août, il envoie son associé Sotiro en expédition pour reconnaître l'Ogadine (région située entre Harar et le désert somali).

En septembre, au retour de Sotiro, il organise trois nouvelles expéditions dans ce pays et participe à l'une d'entre elles.

Le 10 décembre, revenu, Rimbaud rédige un rapport sur son voyage pour Alfred Bardey qui le communique à la Société de géographie.

Cette année-là, Verlaine a publié dans plusieurs numéros de la jeune revue *Lutèce* (du 5 octobre au 17 novembre) une étude sur Rimbaud qui sera reprise l'année suivante dans son livre *Les Poètes maudits* (Vanier éditeur).

1884. Publication du « Rapport sur l'Ogadine » signé « Arthur Rimbaud » dans les *Comptes rendus des séances de la Société de géographie* (rapport présenté lors de la séance du 1er février).

Les événements politiques forcent l'agence Bardey à fermer. Le 1er mars, Rimbaud doit quitter Harar. Il parvient à Aden le 23 avril. Dans les lettres qu'il envoie à sa famille, il se montre désespéré : « Il est impossible de vivre plus péniblement que moi. »

En juin, Alfred Bardey crée une nouvelle société avec son frère. Il engage (le 19 juin) Rimbaud pour six mois. Rimbaud à cette époque et pendant deux ans au moins semble avoir vécu avec Mariam, une Abyssinienne, qu'il connaissait déjà peut-être à Harar.

En septembre, l'Égypte doit évacuer Harar, qui dépendait d'elle auparavant.

1885. Le 10 janvier, Rimbaud signe un nouveau contrat pour un an avec Pierre Bardey.

Début octobre, il décide de quitter les Bardey et de faire fortune dans le trafic d'armes. Le 8, il signe un contrat avec Pierre Labatut, négociant au Choa. Il devra mener une caravane d'armes jusqu'au Choa et livrer son chargement au roi Ménélik qui s'apprête à affronter l'empereur Jean afin de régner sur l'Abyssinie.

En novembre, Rimbaud débarque au port de Tadjourah, d'où l'expédition doit partir.

1886. Rimbaud doit rester à Tadjourah, car le gouvernement français interdit l'exportation d'armes au Choa. Cependant, grâce à l'intervention du résident français à Obock, il finit par obtenir une autorisation exceptionnelle.

Labatut tombe gravement malade et doit être rapatrié en France où il va mourir. Rimbaud décide alors de s'associer à Paul Soleillet. Mais celui-ci meurt le 9 septembre d'une embolie.

En octobre, Rimbaud décide de tenter seul cette expédition jusqu'à Ankober, capitale du Choa. Il livre 2 040 fusils et 6 000 cartouches.

Cette année-là ont été publiés dans *La Vogue* (13 et 23 mai, 3, 13 et 20 juin) la plupart des *Illuminations* de Rimbaud et certains de ses «vers nouveaux». Ces textes sont publiés en plaquette, la même année, avec une préface de Verlaine.

1887. Le 6 février, Rimbaud atteint Ankober. Il n'y trouve pas Ménélik qui est à Entotto. Il se rend dans cette ville et doit céder à bas prix sa livraison, car il lui faut en outre rembourser les nombreuses dettes accumulées par Labatut au Choa.

Le 1er mai, avec l'explorateur Jules Borelli, il part d'Entotto pour rejoindre Harar. À Harar, le ras Makonnen, gouverneur de la province et cousin de Ménélik, lui verse de l'argent – mais sous forme de traites – pour payer la livraison d'armes.

Revenu à Aden le 30 juillet, Rimbaud décide, après les déconvenues de l'année précédente et les fatigues qu'il a subies, de prendre du repos. À Obock, il s'embarque, accompagné de son domestique Djami, pour Le Caire. Le 5 août, il est à Massaouah où il veut toucher l'argent des traites de Makonnen. On lui fait des difficultés, ses papiers n'étant pas en règle. Aux yeux du vice-consul de France à Massaouah, il est d'abord «un sieur Rimbaud se disant négociant... ».

Le 20 août, Rimbaud est au Caire. Il y reste environ cinq semaines. «J'ai les cheveux absolument gris. Je me figure que mon existence périclite», écrit-il aux siens le 23 août. Prêt à tout pour quitter Aden, il a l'intention de partir pour l'Extrême-Orient. Les 25 et 27 août, *Le Bosphore égyptien* publie des notes (que Rimbaud a transmises à Octave Borelli, frère de l'explorateur et directeur du journal) sur son expédition au Choa.

Le 8 octobre, il est de retour à Aden.

Le 15 décembre, dans une lettre, il apprend aux siens qu'il a écrit la relation de son voyage en Abyssinie et qu'il a envoyé des articles «au *Temps*, au *Figaro*, etc. ».

1888. Pour le compte d'Armand Savouré, Rimbaud a le projet de convoyer une caravane d'armes, depuis la côte jusqu'au Choa ; mais il n'obtiendra pas les autorisations ministérielles.

Le 14 mars, après un voyage d'un mois pour son compte à Harar, il est à Aden.

Le 3 mai, il installe à Harar une agence commerciale pour le compte du négociant César Tian, son correspondant à Aden.

Le 4 août, dans une lettre aux siens, il écrit : « Je m'ennuie beaucoup, toujours ; je n'ai même jamais connu personne qui s'ennuyât autant que moi. »

En septembre-décembre, il reçoit à Harar la visite de plusieurs de ses amis du moment, Jules Borelli, Armand Savouré, Alfred Ilg.

1889. Vainqueur de l'empereur Jean, Ménélik, roi du Choa, devient empereur d'Abyssinie.

Le 2 décembre, dans une lettre à Ilg, Rimbaud demande « un mulet » et « deux garçons esclaves ». Cette demande suffira longtemps pour accréditer la malheureuse légende de Rimbaud trafiquant d'esclaves, légende définitivement détruite par Mario Matucci dans son livre *Le Dernier Visage de Rimbaud en Abyssinie.*

1890. Rimbaud fait toujours du commerce à Harar.

Dans une lettre datée du 17 juillet que Rimbaud gardera dans ses papiers, Laurent de Gavoty, directeur de *La France moderne*, petite revue littéraire de Marseille, lui demande sa collaboration et lui dit qu'il le considère comme « le chef de l'école décadente et symboliste ».

1891. Au début de l'année, Rimbaud souffre de douleurs au genou droit.

En mars, il ne peut plus marcher et doit diriger ses affaires depuis son lit (placé sur une terrasse qui domine la cour de sa maison). À la fin du mois, il décide d'aller se faire soigner à Aden.

Le 7 avril, sur une civière construite selon ses plans, il est transporté à travers trois cents kilomètres de désert jusqu'au port de Zeïlah où il embarque le 19 avril. Ses souffrances durant ce transport, dont il nous a laissé l'éphéméride, ont été presque insupportables. À Aden, le diagnostic est très sévère. On parle de cancer du genou.

Le 9 mai, Rimbaud embarque pour la France à bord de *L'Amazone*. Débarqué à Marseille le 20 mai, il est transporté à l'hôpital de la Conception où il écrit immédiatement à sa mère.

Le 23 mai, appelée d'urgence par télégramme, car Rimbaud doit être opéré, Mme Rimbaud arrive à Marseille. Le 27, Rimbaud est amputé de la jambe droite. Le 9 juin, Mme Rimbaud repart pour Roche.

Le 23 juillet, Rimbaud quitte l'hôpital et, placé dans un wagon spécial, va jusqu'à la gare de Voncq, près de Roche. Durant son séjour à Roche, son état s'aggrave de jour en jour.

Accompagné de sa sœur Isabelle, il repart le 23 août pour Marseille, avec l'idée de s'embarquer pour Aden. Mais le 24, il doit être hospitalisé immédiatement. Le cancer se généralise. Rimbaud est entièrement paralysé.

Le 9 novembre, Rimbaud dicte à sa sœur une lettre incohérente destinée au directeur des Messageries maritimes. Il demande à être porté à bord du prochain navire en partance pour Aden.

Le 10 novembre, Rimbaud meurt à dix heures du matin, à l'âge de trente-sept ans. Ce même jour, paraît *Reliquaire. Poésies* de Rimbaud, préface de Rodolphe Darzens, aux éditions Léon Genonceaux. Mais cette édition sera vite retirée du commerce en raison d'un désaccord survenu entre Darzens et Genonceaux.

1892. Publication en un volume, avec une préface de Verlaine, de *Illuminations. Une saison en enfer*, chez Vanier.

1893. Le 12 décembre, d'Alger, Germain Nouveau, ignorant encore la mort de Rimbaud, lui adresse une lettre à Aden (au consulat de France).

1895. Les *Poésies complètes* de Rimbaud, préfacées par Verlaine, sont publiées chez Vanier, avec des notes de cet éditeur.

1898. *Œuvres : Poésies, Illuminations, Autres Illuminations, Une saison en enfer*, préface de Paterne Berrichon (de son vrai nom Pierre Dufour, il avait épousé Isabelle Rimbaud en 1897) et Ernest Delahaye, sont publiées aux éditions du Mercure de France.

BIBLIOGRAPHIE

I. — Principales éditions des œuvres de Rimbaud

Une saison en enfer, Bruxelles, Alliance typographique, Poot et Cie, 1873.

Les Illuminations, notice de Paul Verlaine, publication de la revue *La Vogue*, 1886.

Reliquaire. Poésies, préface de Rodolphe Darzens, L. Genonceaux, 1891.

Les Illuminations. Une saison en enfer, notice par Paul Verlaine, Vanier, 1892.

Poésies complètes, préface de Paul Verlaine, Vanier, 1895.

Œuvres, préface de Paterne Berrichon et Ernest Delahaye, Mercure de France, 1898.

Lettres de Jean-Arthur Rimbaud : Égypte, Arabie, Éthiopie, avec une introduction et des notes de Paterne Berrichon, Mercure de France, 1899.

Œuvres : vers et proses, édition établie par Paterne Berrichon, préface de Paul Claudel, Mercure de France, 1912.

Poésies (fac-similé des autographes), Messein, « Les Manuscrits des maîtres », 1919.

Lettres de la vie littéraire d'Arthur Rimbaud (1870-1875), commentées par Jean-Marie Carré, Gallimard, 1932.

Poésies, édition critique de Henry de Bouillane de Lacoste, Mercure de France, 1939.

Une saison en enfer, édition critique de H. de Bouillane de Lacoste, Mercure de France, 1941.

Œuvres complètes, texte établi et annoté par A. Rolland de Renéville et Jules Mouquet, Gallimard, « Bibliothèque de la Pléiade », 1946.

Illuminations. Painted Plates, édition critique de H. de Bouillane de Lacoste, Mercure de France, 1949.

Œuvres, édition présentée par Antoine Adam, texte révisé par Paul Hartmann, Club du meilleur livre, 1957.

Pages choisies, notes, introduction, notice par Étiemble, « Classiques Larousse », 1957. Édition remise à jour en 1972.

Œuvres, introduction et notes par Suzanne Bernard, Classiques Garnier, 1960. Édition revue et corrigée par André Guyaux en 1981. Nouvelle édition en 1987.

Œuvres poétiques, préface de Michel Décaudin, Garnier-Flammarion, 1964.

Opere, traduction, introduction et notes par Ivos Margoni, Milan, Feltrinelli, 1964.

Correspondance avec Alfred Ilg, 1888-1891, préface et notes de Jean Voellmy, Gallimard, 1965.

Complete Works. Selected Letters, traduction, introduction et notes par Wallace Fowlie, Presses de l'Université de Chicago, 1967.

Œuvres complètes, édition présentée et annotée par Antoine Adam, Gallimard, « Bibliothèque de la Pléiade », 1972.

Poésies. Une saison en enfer. Illuminations, préface de René Char, édition établie par Louis Forestier, Gallimard, « *Poésie*/Gallimard », 1973.

Illuminations, introduction et commentaires par Nick Osmond, Londres, Université de Londres, The Athlone Press, 1976. Nouvelle édition en 1987.

Poésies, édition critique, introduction, classement chronologique par Marcel A. Ruff, Nizet, 1978.

Poésies (1869-1872), édition établie par Frédéric Eigeldinger et Gérald Schaeffer, Neuchâtel, La Baconnière, 1981.

Manuscrits autographes des *Illuminations*, reproduits et transcrits par Roger Pierrot, Ramsay, 1984.

Illuminations, texte établi et commenté par André Guyaux, Neuchâtel, La Baconnière, 1986.

Œuvres poétiques, textes présentés et commentés par Cecil Arthur Hackett, Imprimerie nationale, « Lettres françaises », 1986.

Une saison en enfer, édition critique par Pierre Brunel, José Corti, 1987.

Œuvres, 3 vol. I : *Poésies* ; II : *Une saison en enfer. Vers nouveaux* ; III : *Illuminations*, édition de Jean-Luc Steinmetz, GF-Flammarion, 1989.

Œuvre/Vie, édition du Centenaire, sous la direction d'Alain Borer, Arléa, 1991.

Opere, édition de Mario Richter, Milan/Paris, Einaudi/Gallimard, 1992.

L'Œuvre intégrale manuscrite, édition par Claude Jeancolas, Textuel, 3 vol., 1996.

Œuvres complètes, édition de Pierre Brunel, Le Livre de Poche, « La Pochothèque », 1999.

Œuvres complètes, édition critique de Steve Murphy : I. *Poésies*, Honoré Champion, 1999 ; IV. *Fac-similés*, Honoré Champion, 2002.

Correspondance, présentation et notes par Jean-Jacques Lefrère, Fayard, 2007.

Œuvres complètes, édition présentée et annotée par André Guyaux, Gallimard, « Bibliothèque de la Pléiade », 2009.

II. — ÉTUDES BIOGRAPHIQUES CONSACRÉES À RIMBAUD

Paterne BERRICHON, *Jean-Arthur Rimbaud. Le Poète (1854-1873)*, Mercure de France, 1912.

Ernest DELAHAYE, *Rimbaud, l'artiste et l'être moral*, Messein, 1923, et *Souvenirs familiers à propos de Rimbaud, Verlaine et Nouveau*, Messein, 1925. L'essentiel de ces deux textes a été réédité sous le titre *Delahaye témoin de Rimbaud*, Neuchâtel, La Baconnière, 1974. (Volume abondamment commenté par Frédéric Eigeldinger et André Gendre.)

Marcel COULON, *Le Problème de Rimbaud, poète maudit*, G. Crès et Cⁱᵉ, 1923 ; *Au cœur de Verlaine et de Rimbaud*, Le Livre, 1925 ; *La Vie de Rimbaud et de son œuvre*, Mercure de France, 1929.

Jean-Marie CARRÉ, *La Vie aventureuse de Jean-Arthur Rimbaud*, Plon, 1926.

François RUCHON, *Jean-Arthur Rimbaud, sa vie, son œuvre, son influence*, Honoré Champion, 1929.

Robert GOFFIN, *Rimbaud vivant*, Corrêa, 1937.

Enid STARKIE, *Arthur Rimbaud*, Londres, Faber & Faber, 1938. Traduction en français par Alain Borer, complétée de tous les articles écrits par E. Starkie sur Rimbaud, Flammarion, 1983.

Georges IZAMBARD, *Rimbaud tel que je l'ai connu*, Mercure de France, 1946.

Pierre PETITFILS, *L'Œuvre et le visage d'A. Rimbaud*, essai de bibliographie et d'iconographie, Nizet, 1949 ; *Rimbaud*, Julliard, « Biographie », 1982.

Suzanne Briet, *Rimbaud notre prochain*, Nouvelles Éditions latines, 1956.

Mario Matucci, *Le Dernier Visage de Rimbaud en Afrique*, Florence/Paris, Sansoni/Didier, 1962, ouvrage repris dans *Les Deux Visages de Rimbaud*, Neuchâtel, La Baconnière, 1986.

André Dhôtel, *La Vie de Rimbaud*, Albin Michel, 1965.

Henri Matarasso et Pierre Petitfils, *Album Rimbaud*, Gallimard, « Bibliothèque de la Pléiade », 1967.

Vernon Underwood, *Rimbaud et l'Angleterre*, Nizet, 1976.

Alain Borer, *Rimbaud en Abyssinie*, Seuil, « Fiction et Cie », 1984 ; *Rimbaud. L'heure de la fuite*, Gallimard, « Découvertes », 1991 ; *Rimbaud d'Arabie*, Seuil, 1991.

Jean-Luc Steinmetz, *Arthur Rimbaud. Une question de présence*, Tallandier, 1991. 4e édition en 2009.

Claude Jeancolas, *Rimbaud*, Flammarion, 1999.

Jean-Jacques Lefrère, *Arthur Rimbaud*, Fayard, 2001.

Giovanni Dotoli, *Rimbaud ingénieur* et *Rimbaud, l'Italie, les Italiens*, Fasano, Schena Editore/Presses de l'Université de Paris-Sorbonne, 2005.

Vitalie Rimbaud, *Journal et autres écrits*, préface et notes par J.-L. Steinmetz, Musée-bibliothèque Arthur-Rimbaud, 2006.

Dictionnaire Rimbaud, sous la direction de Jean-Baptiste Baronian, Robert Laffont, « Bouquins », 2014.

III. — Études et articles portant sur l'œuvre

André Rolland de Renéville, *Rimbaud le voyant*, Au Sans Pareil, 1929 ; réédité en 1983 aux éditions Thot.

Jacques Rivière, *Rimbaud*, Kra, 1930. Nouvelle publication avec un dossier établi par Roger Lefèvre, Gallimard, 1977.

Benjamin Fondane, *Rimbaud le voyou*, Denoël et Steele, 1933. Réédition Plasma, 1979.

Étiemble et Yassu Gauclère, *Rimbaud*, Gallimard, 1936.

Cecil Arthur Hackett, *Rimbaud l'enfant*, préface de Gaston Bachelard, José Corti, 1948.

Henry de Bouillane de Lacoste, *Rimbaud et le problème des Illuminations*, Mercure de France, 1949. (Une grande thèse s'appuyant sur la graphologie et tendant à prouver l'antériorité d'*Une saison en enfer* sur les poèmes en prose.)

André Breton, *Flagrant délit*, Thésée, 1949. (Sur l'affaire de *La Chasse spirituelle*.)

Jacques Gengoux, *La Pensée poétique de Rimbaud*, Nizet, 1950.

Jean-Pierre Richard, « Rimbaud ou la poésie du devenir », *Esprit*, 1951 ; article repris dans *Poésie et profondeur*, Seuil, « Pierres vives », 1955, p. 187-250.

André Dhôtel, *Rimbaud et la révolte moderne*, Gallimard, « Les Essais », 1952.

Henry Miller, *Rimbaud*, Mermod, 1952.

Yves Bonnefoy, *Rimbaud*, Seuil, « Les Écrivains par eux-mêmes », 1961.

Maurice Blanchot, « L'Œuvre finale », *La Nouvelle Revue française*, août 1961 ; repris dans *L'Entretien infini*, Gallimard, 1969, p. 425-431.

« A-t-on lu Rimbaud ? », n° 20-21 de la revue *Bizarre*, 4ᵉ trimestre 1961. (Robert Faurisson croit trouver le secret de lecture des « Voyelles » : érotisme en acte.)

« L'Affaire Rimbaud », collectif : Antoine Adam, André Breton, Étiemble, etc., n° 23 de *Bizarre*, 2ᵉ trimestre 1962. (Partisans ou détracteurs de la lecture de Faurisson.)

Marc Eigeldinger, *Rimbaud et le mythe solaire*, La Baconnière, 1964 ; *Lumières du mythe*, PUF, « PUF Écriture », 1983.

Gianni Nicoletti, *Rimbaud, una poesia del « canto chiuso »*, Turin, Dell'Alberto, 1965.

Cecil Arthur Hackett, *Autour de Rimbaud*, Klincksieck, 1967.

Jacques Plessen, *Promenade et Poésie : expérience de la marche et du mouvement dans l'œuvre de Rimbaud*, La Haye, Mouton, 1967.

Wallace Fowlie, *Rimbaud. A Critical Study*, University of Chicago Press, 1967.

Étiemble, *Le Sonnet des "Voyelles"*, Gallimard, « Les Essais », 1968 ; *Le Mythe de Rimbaud. Genèse du mythe (1869-1949)*, Gallimard, 1968.

Marcel A. Ruff, *Rimbaud*, Hatier, « Connaissance des Lettres », 1968.

Jean-Louis Baudry, « Le texte de Rimbaud », *Tel Quel*, n° 35, automne 1968, p. 46-63, et n° 36, hiver 1969, p. 33-53.

Henry Miller, *Le Temps des assassins, essai sur Rimbaud*, trad. par F.J. Temple, P.J. Oswald, 1970 (repris en 10/18, Bourgois, 1986).

Robert Greer COHN, *The Poetry of Rimbaud*, Princeton University Press, 1973.

Nathaniel WING, *Present Appearances, Aspects of Poetic Structure in Rimbaud's Illuminations*, University of Mississippi Press, 1974.

Margaret DAVIES, *Une saison en enfer d'Arthur Rimbaud, analyse du texte*, Minard, 1975.

Atle KITTANG, *Discours et jeu, essai d'analyse des textes d'Arthur Rimbaud*, Presses universitaires de Grenoble, 1975.

Alain DE MIJOLLA, « La désertion du capitaine Rimbaud, enquête sur un fantasme d'identification inconscient d'Arthur Rimbaud », *Revue française de psychanalyse*, mai-juin 1975, p. 427-458.

André THISSE, *Rimbaud devant Dieu*, José Corti, 1975.

Aujourd'hui, Rimbaud, enquête de Roger Munier auprès de nombreux écrivains et philosophes contemporains (témoignage de Martin Heidegger), Archives A. Rimbaud, n° 2, Minard, 1976.

Lionel RAY, *Arthur Rimbaud*, Seghers, « Poètes d'aujourd'hui », 1978. Nouvelle édition en 2002.

Tzvetan TODOROV, « Une complication de texte : les *Illuminations* », *Poétique*, n° 34, 1978, p. 241-253.

Charles CHADWICK, *Rimbaud*, Athlone Press, 1979.

Jean-Pierre GIUSTO, *Rimbaud créateur*, PUF, 1980.

Georges POULET, *La Poésie éclatée. Baudelaire, Rimbaud*, PUF, « PUF Écriture », 1980.

Michael RIFFATERRE, « Interpretation and Undecidability », *New Literary History*, 1981, p. 227-242. (Une réfutation de l'article de Todorov.)

Benoit DE CORNULIER, *Théorie du vers : Rimbaud, Verlaine, Mallarmé*, Seuil, 1982.

Pierre BRUNEL, *Rimbaud. Projets et réalisations*, Honoré Champion, 1983, et *Arthur Rimbaud ou l'Éclatant Désastre*, Champ Vallon, « Champ poétique », 1983.

Roger LITTLE, *Rimbaud. Illuminations*, Grant and Cutler, « Critical Guides to French Texts », 1983. (Une monographie.)

ÉTIEMBLE, *Rimbaud, système solaire ou trou noir ?*, PUF, « PUF Écriture », 1984. (Les avatars du mythe de Rimbaud.)

Antoine FONGARO, *Sur Rimbaud. Lire Illuminations*, Université de Toulouse Le Mirail, « Littératures », 1985.

André GUYAUX, *Poétique du fragment. Essai sur les « Illuminations »*, Neuchâtel, La Baconnière, 1986.

Yoshikazu NAKAJI, *Combat spirituel ou immense dérision ? Essai d'analyse textuelle d'Une saison en enfer*, José Corti, 1987.

Steve MURPHY, *Le Premier Rimbaud ou l'Apprentissage de la subvertion*, Presses universitaires de Lyon et CNRS, 1990 ; *Rimbaud et la ménagerie impériale*, Presses universitaires de Lyon et CNRS, 1991 ; « Les *Illuminations* manuscrites », *Histoires littéraires*, n° 1, 2000, p. 5-31 ; *Stratégies de Rimbaud*, Honoré Champion, 2004.

André GUYAUX, *Duplicités de Rimbaud*, Champion-Slatkine, 1991.

Jean-Luc STEINMETZ, *La Poésie et ses raisons*, José Corti, 1990, p. 13-72 ; *Signets*, José Corti, 1995, p. 183-240 ; *Les Réseaux poétiques*, José Corti, 2001, p. 13-56 ; *Les Femmes de Rimbaud*, Zulma, 2000 ; *Reconnaissances*, Cécile Defaut, 2008, p. 241-349.

James LAWLER, *Rimbaud's Theater of the Self*, Cambridge (Mass.), Harvard University Press, 1992.

Jean-Marie GLEIZE, *Arthur Rimbaud*, Hachette, « Hachette supérieur », 1993.

Roger MUNIER, *L'Ardente Patience d'Arthur Rimbaud*, José Corti, 1993.

Bernard MEYER, *Sur les « Derniers vers »*, L'Harmattan, 1996.

Albert HENRY, *Contributions à la lecture de Rimbaud*, Bruxelles, Académie royale de Belgique, 1998.

Alain JOUFFROY, *Rimbaud nouveau*, avant-propos de Jean-Luc Steinmetz et préface d'Alain Borer, Le Rocher, 2002.

Michel MURAT, *L'Art de Rimbaud*, José Corti, 2002.

Dominique COMBE, *Dominique Combe commente Poésies. Une saison en enfer. Illuminations*, Gallimard, « Foliothèque », 2004.

Yann FRÉMY, « *Te voilà, c'est la force* ». *Essai sur Une saison en enfer*, Classiques Garnier, 2009.

Steve MURPHY, *Rimbaud et la Commune*, Classiques Garnier, 2009.

Yves REBOUL, *Rimbaud dans son temps*, Classiques Garnier, 2009.

Stéphane BARSACQ, *Rimbaud. Celui-là qui créera Dieu*, Seuil, « Points Sagesses », 2014.

Eddie BREUIL, *Du Nouveau chez Rimbaud*, Honoré Champion, 2014.

Numéros spéciaux de revues et collectifs

La Grive, octobre 1954 ; *Europe*, mai-juin 1973 ; *Littérature*, octobre 1973 ; *Revue de l'Université de Bruxelles*, 1982 ; *Berenice*, Rome, n° 2, mars 1981, et n° 5, 1982 ; *Revue des sciences humaines*, 1984, n° 193 ; *RHLF*, mars-avril 1987 ; *Europe*, juin-juillet 1991 ; *Le Magazine littéraire*, juin 1991 ; *Colloque Rimbaud de Chypre*, sous la direction de J.-L. Steinmetz, Tallandier, 1992 ; *Cahier de l'Herne*, « Rimbaud », sous la direction de A. Guyaux, n° 64, 1993 ; *Dix Études sur Une saison en enfer*, sous la direction de A. Guyaux, La Baconnière, 1994 ; *Europe*, 2009 ; *Rimbaud. Des "Poésies" à la "Saison"*, études réunies par A. Guyaux, Classiques Garnier, 2009 ; *Lectures des Poésies et d'Une saison en enfer*, sous la direction de S. Murphy, Presses universitaires de Rennes, 2009 ; *Rimbaud, l'invisible et l'inouï*, ouvrage coordonné par A. Bernardet, PUF, 2009 ; *« Je m'évade ! Je m'explique. » Résistances d'Une saison en enfer*, études réunies par Yann Frémy, Classiques Garnier, 2011 ; *Énigmes d'Une saison en enfer*, textes réunis par Yann Frémy, *Revue des sciences humaines*, n° 313, janvier 2014 ; *Rimbaud poéticien*, sous la direction d'Olivier Bivort, Classiques Garnier, 2015.

Depuis 1984 paraît, avec une relative régularité, la revue d'études rimbaldiennes *Parade sauvage*. Voir notamment le numéro *Hommage à S. Murphy* (2008).

TABLE

UN CŒUR SOUS UNE SOUTANE

LE RÊVE DE BISMARCK

POÉSIES
(fin 1870-année 1871)

Lettres dites « du voyant »

Table 419

POÈMES DE L'*ALBUM ZUTIQUE*

LES IMMONDES

VERS NOUVEAUX

Table 421

LES DÉSERTS DE L'AMOUR

DEUX LETTRES
(1872-1873)

[PROSES ÉVANGÉLIQUES]

UNE SAISON EN ENFER